KB088262

車鎔哲 尹東源
李萬壽 崔相基 編著

舍岩의 思考

병증(病症) 해설 및 배혈(配穴) 해석

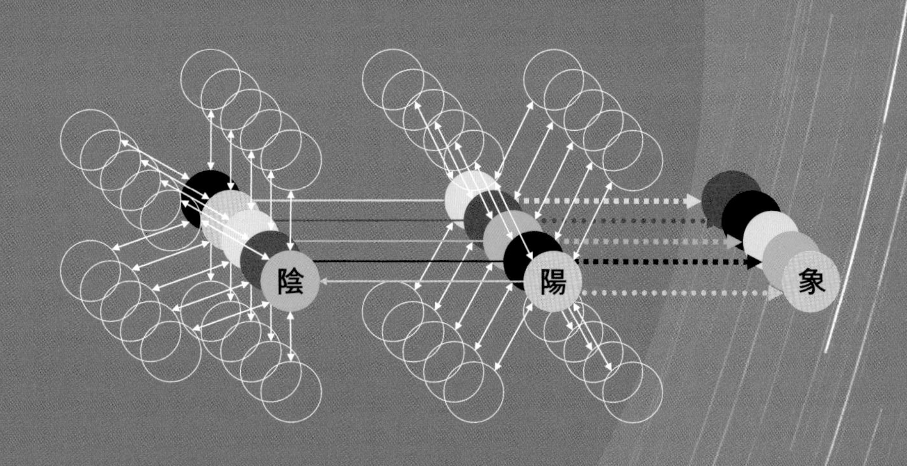

KOONJA PRESS

저자 소개

차용철(車鎔哲) 박사

· (현)수원대학교 스포츠과학부 교수
· 서울대학교 차세대융합기술연구원 나노프리모연구센터 및 기능성식물소재 융합연구센터 겸임연구원(책임급)
· 세계자연건강포럼(사) 자문위원
· 선문대학교 대학원 통합의학과 외래교수
· 미주 경락과학연구소 소장
· LA 수정한의원 원장
· American Liberty University 건강과학 대학원 한의학과 겸임교수
· 미국 LA소재 Queen of Angels Hospital 신경내과 Acupuncture Physician

저서

· 스포츠 전공자를 위한 인체해부학
· 피부 테이핑(피부운동학의 임상응용)
· 두개접형비골기법(CSNT)
· 톰슨테크닉의 임상적 적용

주요 논문

· A Study of Sa-Ahm's Thoughts on the Four-needle Acupuncture Technique with the Five-element Theory 외 다수

윤동원(尹東源) 박사

· (현)GA YA ORIMED CLINIC 원장
· 미주 사상체질연구소 소장
· LA 삼라한의대 교수

이만수(李萬壽) 박사

· 신한대학교 평생교육원 외래교수
· 선문대학교 대학원 통합의학과 박사
· 자연치유 연구경력 40년

최상기(崔相基)

· 선문대학교 대학원 통합의학과 박사과정 수료
· ㈜소프트웨어융합연구소 부대표

서문(序文)

사암 도인의 기록(병문.42, 병증.254, 임상.167문)을 이해하는 방법은 각자의 사고에 따라 차이가 있을 수 있다. 모든 기록이 완벽하게 이론적으로 해석되지 않으나 기록의 약 85% 이상을 자신이 창안한 정·승·한·열격을 위주로 사용하였으므로 사암의 기본 사고에 접근이 가능하다. 어떤 결론에 대한 갑론을박(甲論乙駁)은 객관적이어야 한다. 과하면 소설이 될 수 있고 자신도 모르게 견강부회(牽强附會)하게 된다.

동양 의학 이론이 추상적이고 관념적인 형이상학적 사고를 기초로 하였기에 그렇게 될 가능성이 많다. 수백 년 전의 임상 기록을 해석하고 그들의 사고를 이해하는 것은 쉽지 않다. 전해오는 동안 변경(變經)과 누락(漏落), 오자도 있을 수 있으며 더욱이 형이상학적 이론이란 특이함 때문에 각양 각색 의견이 있을 수 있다. 최첨단 과학 문명 하에서 옛 사고의 이론에 의한 기록을 그대로 이해하고 받아들이기 어려운 이유는 많다. 인체(人體)의 오장육부(五臟六腑)와, 내외육기(內外六氣), 오행(五行) 이론으로 병증(病症)을 이해하고 진단해야 하는 특성 때문에 자의적 또는 양의적 해석이 많음은 연구 습득하려는 후학들을 힘들게 한다. 본인의 해석이 완벽하다고 주장하지 않는다. 또한 몇몇의 경우는 임상이 동반되지 않으면 전혀 해석할 수 없으므로 이런 부분은 추론적으로 해석하였으나, 그러한 경우라 하더라도 기본 이론 하에 분석하였고 최대한 임상에 적용하여 얻은 결과를 중심으로 기술하였다.

이해하기가 어려워 고민하는 분들께 도움이 되기를 바라며 이의(異義)와 고견(高見)을 기대한다.

또한 치료의 핵심은 진단인데 사암의 사고는 오장육부(五臟六腑)의 생리활동이 오행(五行)의 기(氣)를 따르는데, 그것은 사계(四季)의 기(氣) 즉 목(木), 상화(相火), 화(火), 토(土), 금(金), 수(水)의 육기(六氣)와 대응하고, 육기(六氣)는 음양(陰陽)의 운동에 기인한다고 하였다. 내외 육기(六氣)의 상태를 확인 후 오장육부(五臟六腑)의 기능과 비교하였고 맥진(脈診)을 참고하였으며 경우에 따라서 음양(陰陽) 오행 이론 하의 독자적인 방법을 적용하였다. 사암의 사고에 접근하려 노력하였으나 이는 저자의 해석이므로 저자의 사암임을 밝힌다. 훌륭한 현대의 사암이 계속 출현하기를 기대한다.

2018년 3월, 車鎔哲
尹東源

목차(目次)

사암도인 침구요결(舍岩道人鍼灸要訣) 해석(解釋)

사암침법은 오행침법이다. 오수혈(五輸穴)을 사용하고 육경(六經), 상생상극(相生相剋), 상합(相合), 상통(相通) 등 음양오행(陰陽五行) 이론을 기본으로 하였기에 침구 요결을 해석하기에 앞서 아래의 내용에 대하여 이해(理解)가 필요하다. 기본 이론을 통하여 한의적 생리를 이해(理解)해야 진단이 가능하기 때문이다.

주지하다시피 경락(經絡)은 신체의 모든 곳에 분포되어 쉬지 않고 기혈(氣血)을 순행(順行)시킨다. 이것은 혈관, 임파, 신경계통과 다른 독립적이며, 전체와 서로 연계되어 있고, 서로 한정하고 전화(轉化)한다. 순환계(혈관계, 임파계)와 뇌와 척수를 포함한 신경계 등을 조절·통합하는 하나의 시스템(프리모 시스템) 계열이라 할 수 있다.

따라서, 각 경(經)의 유주(流注) 및 각 혈(穴)의 공효(功效)와 혈위(穴位) 등이 모두 중요하지만 각 경(經)이 유주(流注)하며 다른 경(經)과의 회합(會合) 또한 매우 중요하다. 회합(會合)하며 상호 간에 어떠한 영향을 주고 받는지 이해하여야 하기에 각 경별로 유주(流注)하며 연계되는 교회(交會)혈을 게재한다(참조: 경락학. 상해 과학 기술 출판사, 1983년 출판).

	12경	내용
1	폐경(肺經)	중초(中焦)에서 시작하여 대장(大腸), 위(胃)를 거쳐 폐계(肺系)에 속하며 교회혈은 없다.
2	대장(大腸)	독맥(대추, 수구), 위(지창), 소장(병풍)
3	위(胃)	방광(정명), 담(함염, 현리, 상관), 독맥(수구, 신정, 대추), 임맥(승장, 상완, 중완), 대장(영향)
4	비(脾)	폐(중부), 간(기문), 담(일월), 임맥(하완, 관원, 중극)
5	심(心)	심은 어떤 경과도 교회하지 않으나 방광경만이 심중을 관통한다(심, 방광의 상합(相合) 관계)
6	소장(小腸)	독맥(대추), 임맥(상완, 중완), 방광 (정명, 대저, 부분), 삼초(화료), 담(동자료)
7	방광(膀胱)	담(곡빈, 솔곡, 부백, 규음, 완골, 임읍, 환조), 독맥(신정, 백회, 뇌호, 풍부, 대추, 유도)
8	신(腎)	비(삼음교), 독맥(장강), 임맥(관원, 중극)
9	심포(心包)	유명무형(有名無形)의 장(臟)으로 심(心)과 같이 교회(交會)혈은 없다.
10	삼초(三焦)	소장(小腸)(병풍, 관료, 청궁), 담(膽)(동자료, 상관, 함염, 현리, 견정), 독맥(대추)
11	담(膽)	위(두유, 하관), 삼초(예풍, 각손, 화료), 소장(청궁, 병풍), 독맥(대추), 간(장문), 방광(상료, 하료), 심포(천지. 심포는 담(膽)을 교회(交會)하지 않고, 담(膽)이 심포(心包)를 교회함)
12	간(肝)	비(삼음교, 충문, 부사), 임맥(곡골, 중극, 관원)

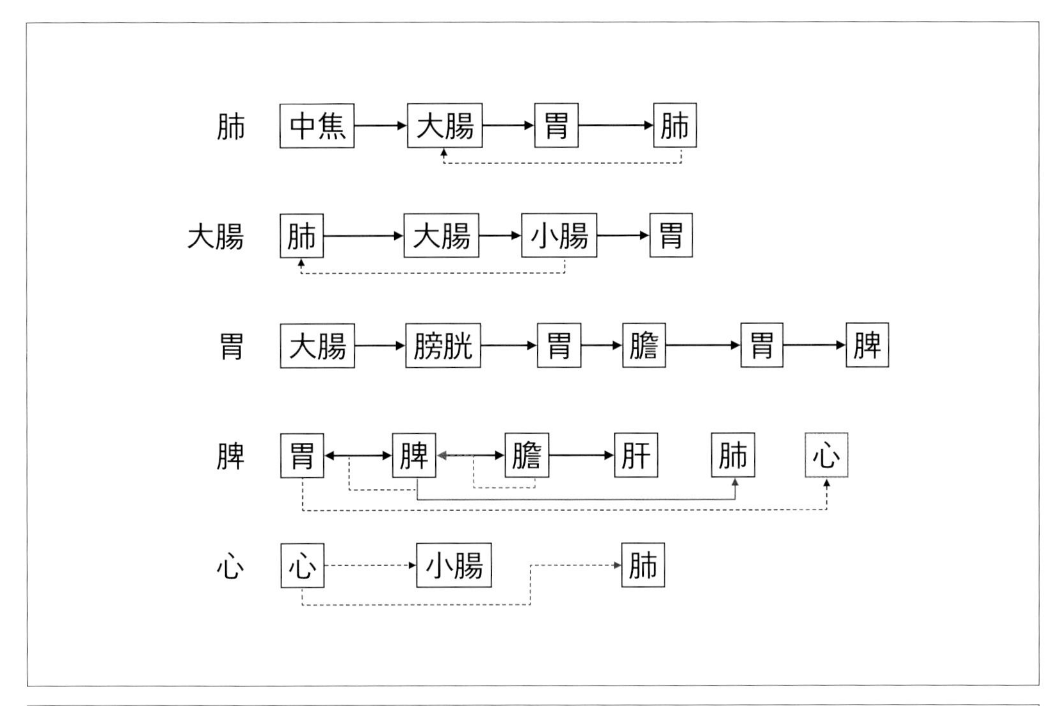

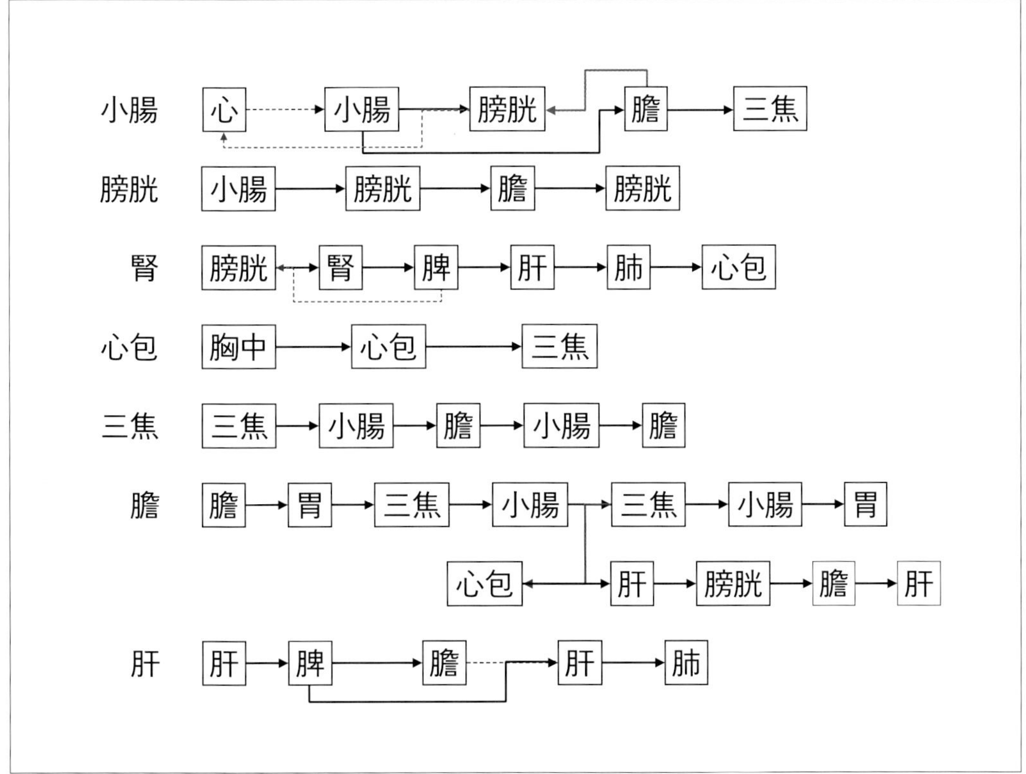

그림 1 12 정경(正經) 유주(流注)

아래의 그림은 12 정경의 간략도로서 음장(陰臟)은 좌측(左側)에 양부(陽腑)는 우측(右側)에 배열하고 장(臟)은 좌(左)로 상극하고 부(腑)는 우(右)로 상생(相生)하는 관계로 작성하였다. 간, 담은 협(挾)을 끼고 있음을 감안하였다. 경기(經氣)의 흐름을 보면 음에서는 비(脾)가 폐(肺)를 상생(相生) 조건으로 연계되었을 뿐이며 양에서는 상생(相生), 상극(相剋) 간에 다양한 경기(經氣) 교류를 알 수 있다. 음(陰)과 양(陽)의 기능을 연계하는 장부는 비와 담이다. 즉 토상(土象)이 되고 중초(中焦)이며 오행(五行)의 불급(不及), 태과(太過)인 과(過), 부족(不足)을 조절하는 기능이다. 비(脾)와 담(膽)의 상합(相合) 관계는 간(肝) 기능이 중요한 부분임을 알 수 있다. 비(脾)의 모혈(母穴)(장문)이 간(肝)경에 있음은 이런 연유가 아닌가 생각한다.

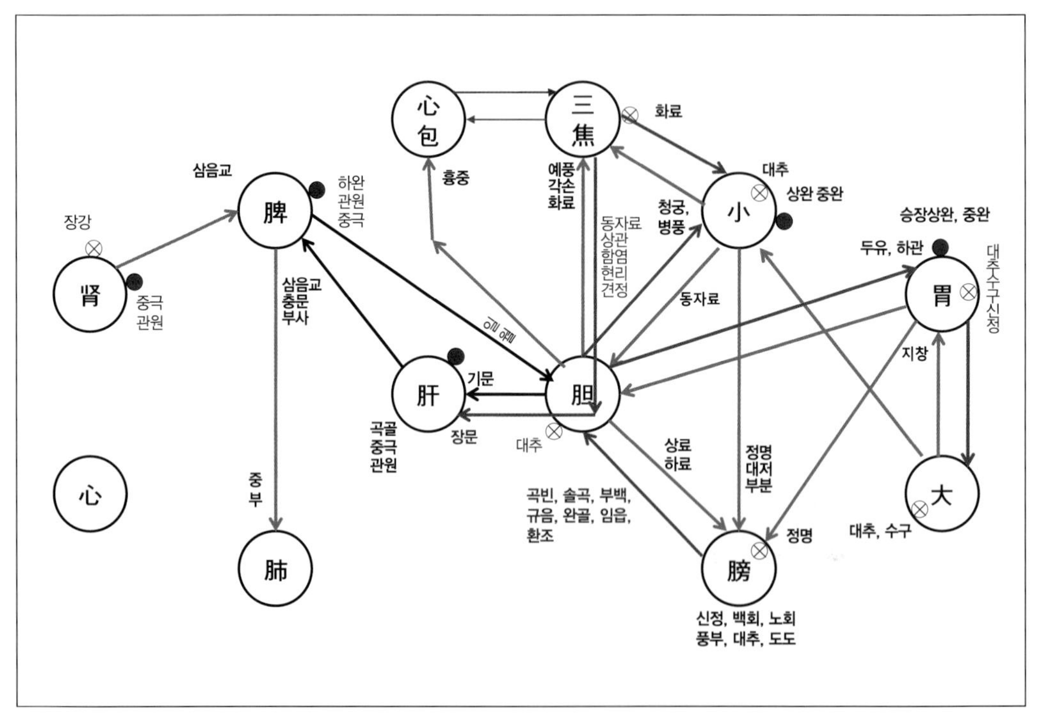

그림 2 음(陰)·양경(陽經) 유주도(流注圖)

舍岩의 思考

[병증(病症) 해설 및 배혈(配穴) 해석]

1. 12경 유주(12經 流注)

1. 12경 유주(12經 流注)

아래 그림 3은 12경 본혈(本穴)이 유주(流注)하면서 타경(他經)과 교회(交會)하는 순서를 간략하게 표시한 순서도(巡序圖)이다.

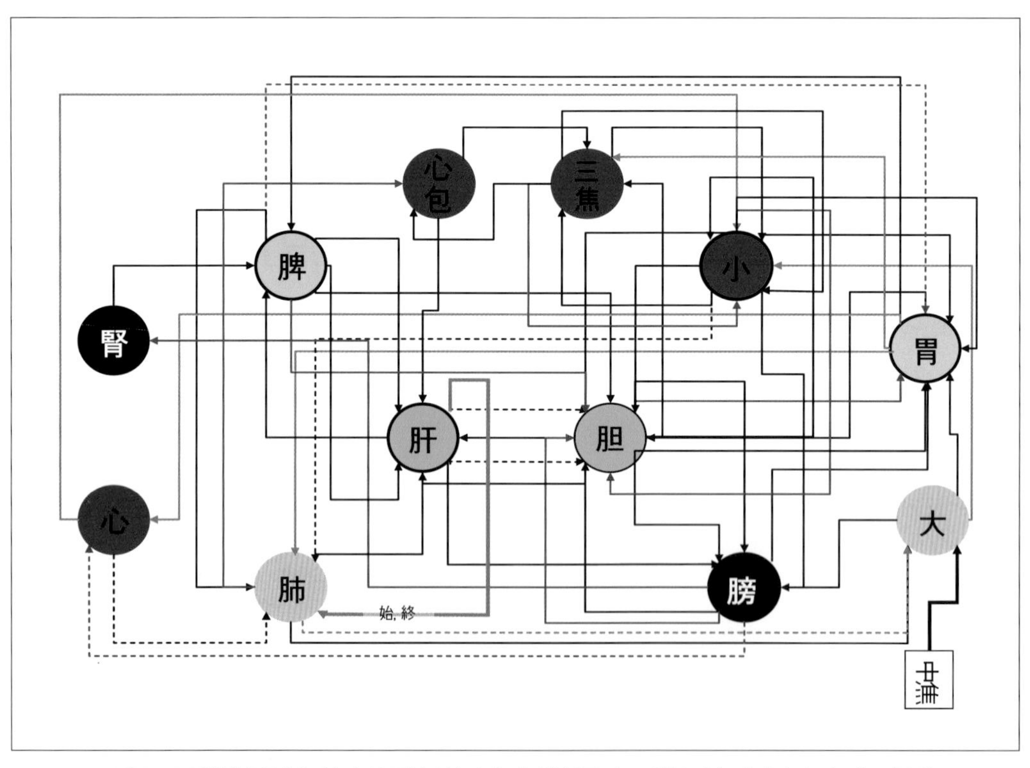

그림 3 12 경(經) 본혈(本穴)이 유주(流注)하며 타경(他經)과 교회(交會) 과정의 순서도(巡序圖)

1.1 폐(肺) The Lung

폐경(肺經)의 유주(流注). 사암 도인이 생각한 폐(肺)는 현대 해부 생리학에 근거를 둔, 단독적인 장기가 아니라 여러 장부와 어울려 돌아가는 유기적 형태의 형이상학적인 것이다. 폐(肺)가 금(金)에 배속한다는 것은 대장(大腸)과 간(肝)의 상합(相合) 관계에 따라 나타나는 금(金)의 성질 또는 금의 상(像)을 본 것이라는 의미이다. 오수혈상 폐(肺)의 기능에 해당되는 것은 정혈(井穴)이라 할 수 있다.

붉은색 원(圓)은 임맥(任脈)이며 원내(圓內)에 십자 표기는 독맥(督脈)이다.

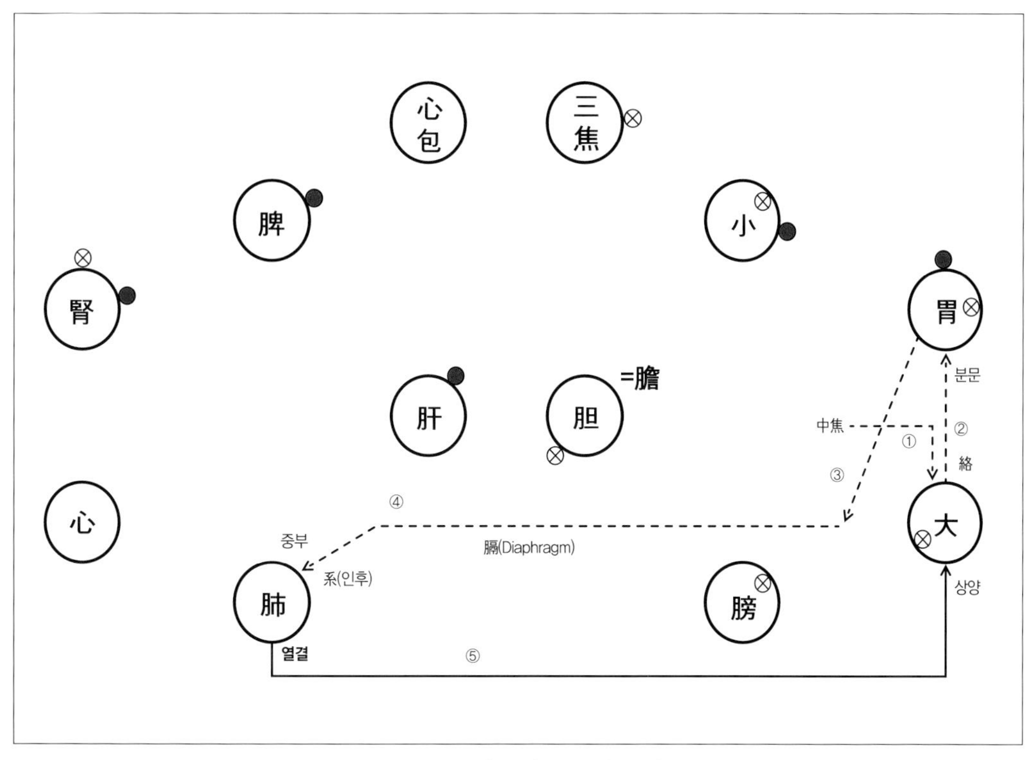

그림 4 폐경(肺經)의 유주(流注)

[영추(靈樞)·경맥편(經脈篇)] [십사경발휘(十四經發揮)]: 수태음폐경(手太陰肺經)은 모두 11혈로 중초(中焦)에서 기(起)하여 하행(下行)해서 대장(大腸)에 낙(絡)하고, 환(還)하여 위구(胃口)에 순(循)하고 격(隔-횡격막, 橫膈膜)으로 상행(上行)하여 폐(肺)에 속(屬)한다. 폐(肺) 계(系)에서 횡(橫)으로 액(腋-겨드랑이) 하(下)로 출(出)하고 하행(下行)해서 노(臑-팔꿈치) 내(內)를 순(循)하여 소음(少陰) 심주전(心主前)으로 주행(走行)하여 주(肘-팔꿈치) 중(中)으로 하행(下行)하고 비(臂-팔) 육(肉)(전완내측-前腕內側)을 순(循)하여 골(骨)의 하렴(下廉)으로 상행(上行)하며, 촌구(寸口)로 내입(內入)해서 어(魚)로 상행(上行)하여 어제(魚際)를 순(循)하고 대지단(大指端-엄지)으로 출(出)한다. 지(支)는 완(腕-팔뚝) 후(後)에서 차지(次指)의 내렴(內廉)으로 출(出)하여 단(端)으로 출(出)한다.

[폐경의 임상 요혈]

중부(中府)**: 모혈**(募穴)-폐의 모든 병을 주치한다.

척택(尺澤)**: 합수혈**(合水穴)-폐실(肺實)에 이용하여 폐렴, 기관지염, 천식, 흉통.

공최(孔最)**: 극혈**(隙穴)-폐의 급성병에 이용한다. 특히 치질, 탈항, 장출혈.

열결(列缺)**: 낙혈**(絡穴)-임맥의 통혈(通穴). 면병요혈(面病要穴), 소변 질환.

경거(經渠)**: 경금혈**(經金穴)-폐금의 대표 혈. 강자하면 마비증이 온다. 신, 간병의 요혈.

태연(太然)**: 원토**(原土)- 금을 보한다. 맥회혈, 맥진처, 폐의 원기를 다스린다.

어제(魚際)**: 형화혈**(滎火穴) - 금의 화열을 조절. 감기, 열병, 위랭, 위열통.

소상(小商)**: 정목혈**(井木穴) - 폐의 급성병에 출혈, 인후, 편도선염, 두통, 흉통, 인사불성에 출혈, 정신병에도 이용한다.

1.2 대장(大腸) The large intestine

대장(大腸)에서 소장(小腸)을 경유(經遊)하여 위와 폐로 연계되며 대장(大腸) 기능 내에서 폐(肺)·소장(小腸)의 상합(相合) 관계가 조성되고, 폐(肺)는 소장(小腸) 병화를 받아야 정상 기능을 유지한다.

소장(小腸)이 대장(大腸)을 극(克)하는 방향이 아닌 대장에서 소장으로 유주(流注)한다. 붉은색 원(圓)은 임맥(任脈)이며 원내(圓內)에 십자 표기는 독맥(督脈)이다.

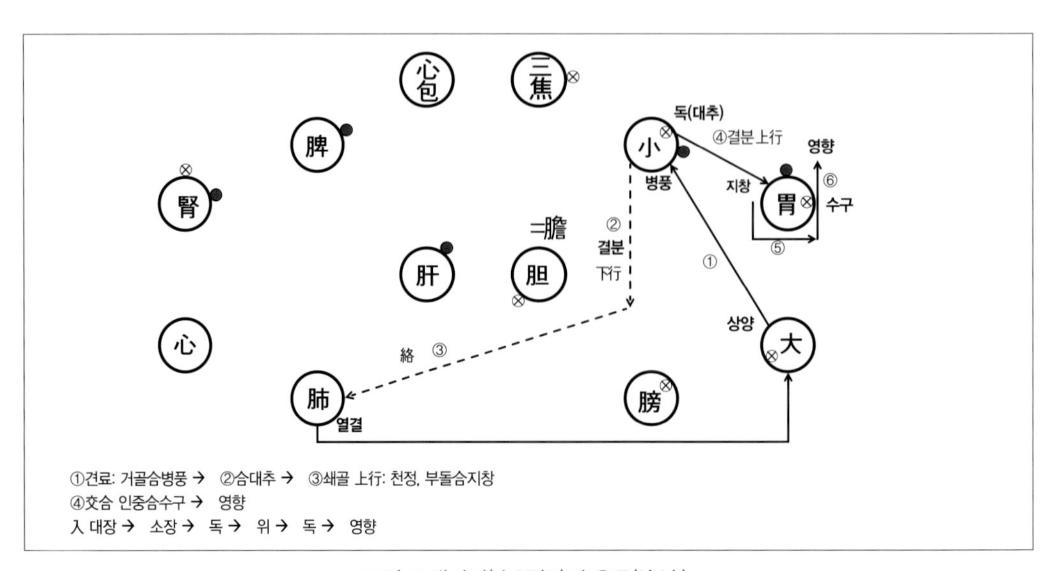

그림 5 대장경(大腸經)의 유주(流注)

[영추(靈樞)·경맥편(經脈篇)] [십사경발휘(十四經發揮)]: 수양명대장경(手陽明大腸經)은 무지(拇指)의 차지(次指)(시지, 示指) 단(端)에서 기시(起始)하여 지(指)의 상렴(上廉)을 순(循)하여 합곡(合谷) 양골(兩骨)의 사이로 나와 상행(上行)하여 양근(兩筋) 중(中)으로 진입(進入)한다. 주(肘-팔꿈치)의 상렴(上廉)을 순(循)하여 외렴(外廉)으로 진입(進入)하여 노외(臑外)의 전렴(前廉)을 순(循)하여 견(肩)으로 상행(上行)한다. 우골(髃骨-어깨죽지 뼈. 견골(肩骨)과 노(臑-팔꿈치)골(骨), 양골(兩骨) 이음 사이의 전렴(前廉)으로 출(出)하여 상행(上行)해서 주골(柱骨)의 회상(會上)으로 출(出)한다. 하행(下行)하여 결분(缺盆)으로 진입(進入)하여 폐(肺)에 낙(絡)하고 격(膈-심장과 비장 사이의 장격(障隔))으로 하행(下行)하여 대장(大腸)에 속한다.

지별(支別)은 결분(缺盆)에서 상행(上行)하여 경(頸-목)으로 올라가 악(顎-턱)을 관류(貫流-통과)하여 하치(下齒)의 봉중(縫中)으로 내입(內入)한다. 환(還)하여 출(出)해 구(口)를 협(挾)하고 인중(人中)에서 교회(交會)하고 좌우(左右)로 주행(走行)하여 비구(鼻口-코구멍)에 협(挾)한다.

[대장경의 임상 요혈]

상양(商陽): 정금혈(井金穴), 대장실증을 사(瀉), 급성병일 때는 출혈, 감기, 두통.

이간(二間): 형수혈(滎水穴) , 대장사, 전 두통, 치통, 견통.

합곡(合谷): 원혈(原穴), 맥진처. 치(齒), 두(頭), 장(腸), 위(胃), 기혈(氣穴) 소통, 부인병에 이용.

양계(陽谿): 경화혈(经火穴) , 대장의 허실을 조절, 즉 보사(補瀉)하는 곳.

편력(偏歷): 낙혈(絡穴), 수관절통(手關節痛) 상완신경통(上腕神經痛) 치통(齒痛) 편도선염(扁桃腺炎) 이명이롱(耳鳴耳聾).

온류(溫溜): 극혈(隙穴), 대장의 급성질환, 대장염.

수삼리(手三里): 중풍 요혈, 곡지의 보조혈.

곡지(曲池): 합토혈(合土穴), 대장보, 하기작용혈(下氣作用穴), 대장(大腸) 실(實)에도 많이 쓰인다.

견우(肩髃): 견관절통(肩關節痛)에 이용한다.

거골(巨骨): 견관절통에 중요 반응점.

영향(迎香): 비병, 냄새를 못 맡을 때에 이용. 구병(口病).

1.3 위(胃) The Stomach

비(脾)와 담(膽)의 상합(相合)으로 창조된 토(土) 상(象)은 위(胃) 기능과 같다. 위(胃) 경기는 방광(膀胱)을 경유한다. 붉은색 원(圓)은 임맥(任脈)이며 원내(圓內)에 십자 표기는 독맥(督脈)이다.

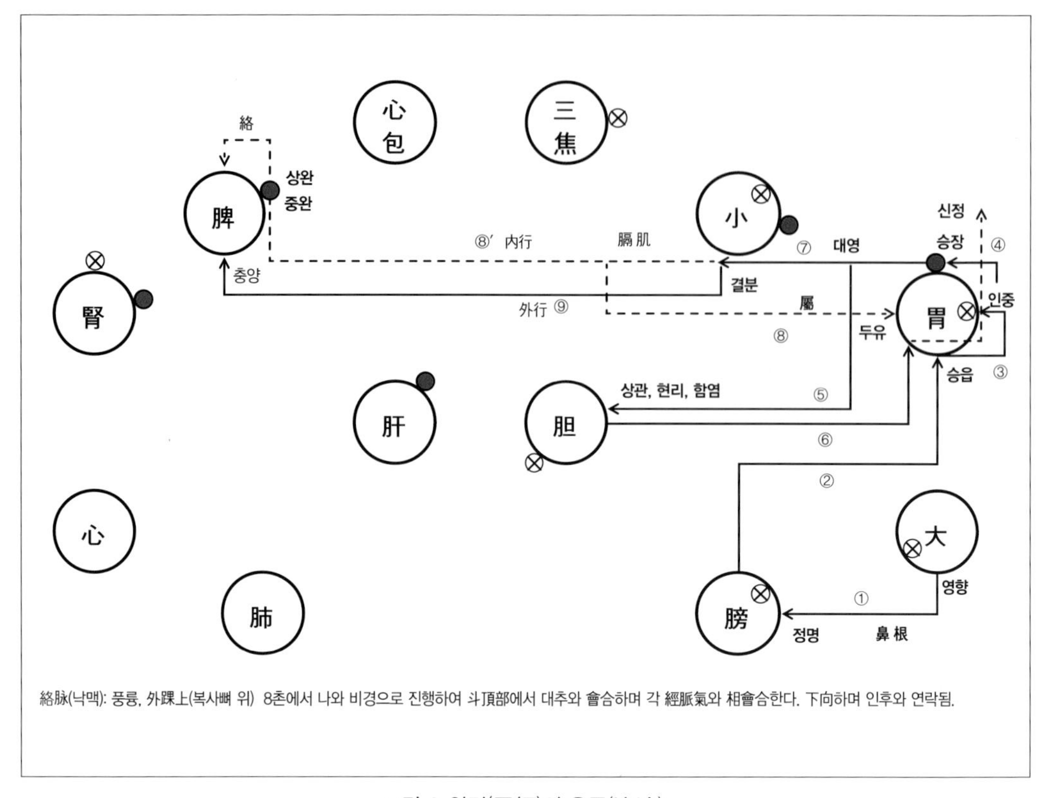

그림 6 위경(胃經)의 유주(流注)

[십사경발휘(十四經發揮)]: 족양명위경(足陽明胃經)은 모두 45혈(穴)이다. 이 경(經)은 기(氣)와 혈(穴)이 다 같이 많다. 족양명(足陽明)의 맥(脈)은 비(鼻)의 교알(交頞-콧대) 중(中)에서 기시(起始)하며 방변(傍邊-가장자리)으로 향(向)하여 태양(太陽) 맥(脈)과 교회(交會)하고, 하행(下行)하여 비(鼻) 외(外)를 순(循)하여 상치(上齒) 중(中)으로 진입(進入)하며, 환출(還出)하여 구(口)를 협(挾)하고 진(唇-입술)을 환(還)하여 하행(下行)해서 승장(承漿)에서 교회(交會)한다. 퇴전(退轉-돌아서 움직여서)하여 신(頣-눈을 크게 뜨고 본다) 후(後)의 하렴(下廉)을 순(循)하여 대영(大迎)으로 천출(淺出)하며, 협거(頰車)를 순(循)해서 이(耳) 전(前)으로 상행(上行)하여 상관(上關)을 지나 발제(髮際)을 순(循)하여 액로(額顱 - 이마와 이마뼈)에 이른다. 별지(別支)는 대영(大迎)의 앞에서 인영(人迎)으로 하행(下行)하여 후두(喉頭 -목구멍)를 순하여 결분(缺盆)으로 내입(內入)하고 격(隔)으로 하행(下行)하여 위(胃)에 속(屬)하고 비(脾)에 낙(絡)한다. 직행(直行)하는 것은 결분(缺盆)에서 유(乳)의 내염(內廉)으로 하행(下行)하여 제(臍-배꼽)를 협(挾)하고 기충(氣衝) 중(中)으로 내입(內入)한다.

별지(別支)는 위구(胃口)에서 일어나 하행(下行)하여 복이(腹裏-배속) 순(循)하고 하행(下行)하여 기충(氣衝) 중(中)으로 이르러 합(合)한다. 여기서 비관(髀關-넓적다리 부위)으로 하행(下行)하여 복토(伏兎)에 이르러 슬빈(膝臏-무릎 슬관절) 중(中)으로 내입(內入)하여 경(脛-정강이)의 외염(外廉)을 순(循)하여 족부(足跗-발등)로 하행(下行)해서 중지(中趾-발중간) 간(間)으로 내입(內入)한다. 지(枝)는 지상(趾上-발의 상부)에서 갈라져 대지(大趾-큰 발가락) 간(間)으로 내입(內入)하여 지단(趾端-발가락 끝)으로 출(出)한다.

[위경의 임상 요혈]

승읍(承泣): 눈병의 요혈.

지창(地倉): 진찰처, 구강, 치병, 족관절 염좌(捻挫).

협거(頰車): 구강, 치병, 구안와사.

하관(下關): 상치통, 구안 붕사, 구안와사.

인영(人迎): 음양 맥진처, 동자 혈처, 진통, 진정(鎮靜).

결분(缺盆): 양경맥이 이곳을 통과하여 부(腑)에 입(入)한다.

유중(乳中): 유방병에 이용한다.

천추(天樞): 대장의 모혈(募穴), 진단과 치료에 이용한다.

대거(大巨): 하복부 질환에 널리 이용한다.

기충(奇衝): 하복부 질환에 널리 이용한다.

비관(關): 고관절(股關節) 질환에 이용한다.

양구(梁丘): 극혈(隙穴) 급성병에 이용한다.

족삼리(足三里): 합토혈(合土穴), 하기작용혈(下氣作用穴), 상기(上氣), 상충(上沖)에 유효하다.

상거허(上巨虛): 대장의 하합혈 주요 반응처, 대장실.

하거허(下巨處): 소장의 하합혈 주요 반응처 소장병의 주치.

풍륭(豊隆): 낙혈(絡穴), 정신병, 담음(痰飮)병.

해계(解谿): 경화혈(经火穴), 위보혈, 족관절 전면병, 유방병.

충양(衡陽): 원혈, 맥진처, 원기를 조절한다.

내정(內庭): 형수혈(滎水穴), 위병, 위염 등에 이용한다.

여태(厲兌): 정금혈(井金穴), 급성병, 위(胃) 실(實)을 사(瀉)하는 혈, 위(胃) 열(熱)을 내린다.

1.4 비(脾) The Spleen

상생(相生) 상극(相剋) 중 상극은 극중유생(克中有生). 목극토 관계인 간(肝)·담(膽)·비(脾) 3경의 유주관계는 담·비의 상합(相合) 관계와 간·비의 상극(相剋)관계, 비·폐와 심·위의 상생(相生) 관계 등 비(脾) 기능은 복잡하고 다양하다. 붉은색 원(圓)은 임맥(任脈)이며 원내(圓內)에 십자 표기는 독맥(督脈)이다.

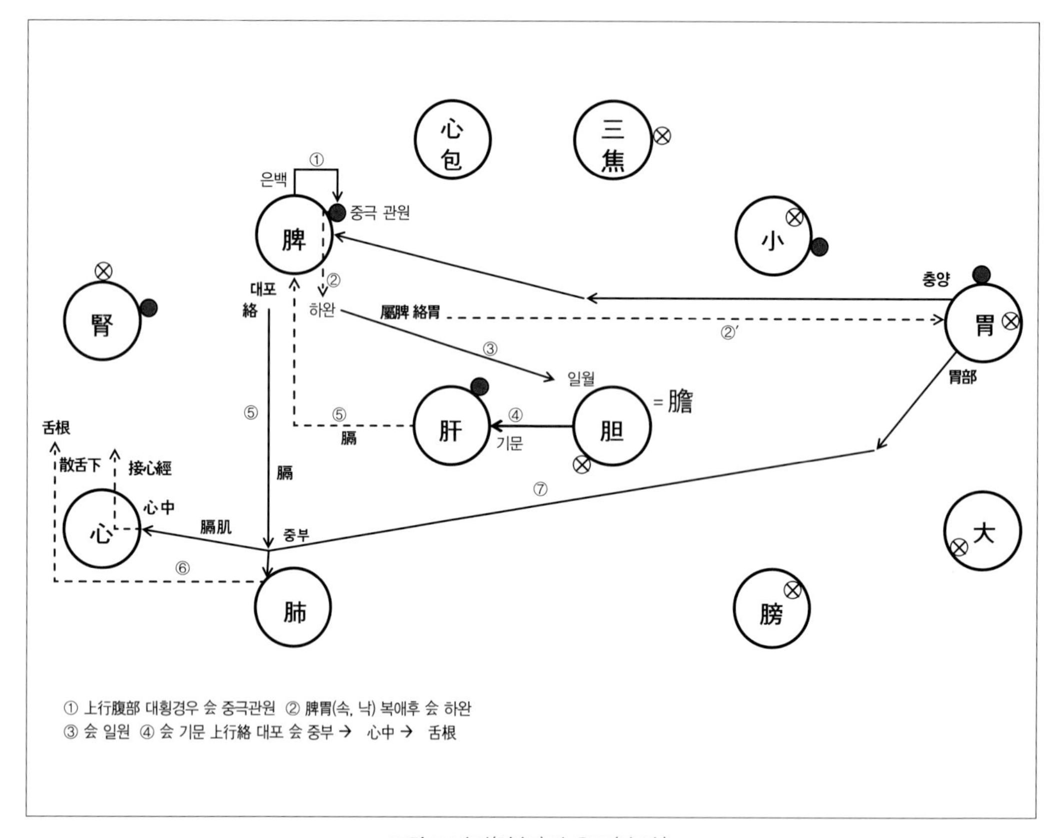

그림 7 비경(脾經)의 유주(流注)

[영추(靈樞)·경맥편(經脈篇)] [십사경발휘(十四經發揮)]: 족태음비경은 모두 21혈(穴)이다. 이 경(經)은 다기(多氣)소혈(少血)로 족(足)의 대지단(大趾端)에서 기(起)하여 지(趾)의 내측 백육(白肉) 가장자리를 순하여 핵골(核骨) 후(後)를 지나 내과(內踝-복사뼈 내측)의 전렴(前廉)을 상행(上行)하여 천내(腨內-장딴지 내측)로 올라가 경골(脛骨-정강이뼈)의 후(後)로 순(循)해서 궐음(厥陰) 전(前)으로 교출(交出)하여 슬(膝-무릎). 고(股-넓적다리)의 내전염(內前廉)으로 상행(上行) , 복(腹-배)으로 진입(進入)하여 비(脾)에 속(屬)하고 위(胃)에 낙(絡)하여 격(隔-횡격막)으로 상행(上行)해서 인(咽-목구멍)으로 협(挾)하여 설본(舌本-혀 뿌리)에서 산(散)한다.

지(枝)는 위(胃)에서 분지(分枝)하여 격(膈)으로 상행(上行)하여 심중(心中)으로 주입(注入)한다.

[비경의 임상 요혈]

은백(隱白): 정목혈(井木穴), 비(脾)의 허실(虛實)을 조절하고, 복통, 정신병을 조절한다.

태도(太都): 형화혈(滎火穴), 비를 보(補)하는 혈처.

태백(太白): 수토혈(兪土穴), 원혈(原穴) 비경의 대표혈, 신, 심, 폐를 치료한다.

공손(公孫): 낙혈(絡穴), 심(心)·흉(胸)·복(腹)병을 치료한다.

상구(上丘): 경금혈(經金穴), 비를 사(瀉)하는 혈.

삼음교(三陰交): 하체 및 부인, 생식기 병의 요혈.

지기(地機): 극혈(郄穴) 복통, 복만증에 이용한다.

음릉천(陰陵泉): 합수혈(合水穴), 슬통질환(膝痛疾患), 생식기 병에 이용한다.

혈해(血海): 혈액순환 질환에 이용한다. 생리, 하복병.

복결(腹結): 우측 맹장염, 좌측에서는 변비.

대횡(大橫): 비의 실증진단혈, 측복통(側復痛)에 사용한다.

천지(天池): 심장으로 연결.

대포(大包): 비지대락혈(脾之大絡穴).

1.5 심(心) The Heart

심경(心經)은 어떤 경(經)과도 교회(交會)하지 않는다. 흉격(胸膈)내에서 심(心)·폐(肺)의 상극(相剋) 관계가 있다. 심(心)·방광(膀胱)은 오수혈(五輸穴)의 형혈(滎穴)에 해당한다.

심(心)과 관련해 주로 보는 증상은 심혈관 질환, 정신과적 질환, 노년기의 전립선비대증, 요실금 등 소변 관계 등과 관련이 있다. 만성질환의 마지막 단계라 할 수 있는 뇌신경 증상인 중풍(中風)까지 거론할 수 있다. 각종 만성 질환으로 시달린 신체가 결국 마지막에 이르러서는 뇌(腦)신경이 손상되어 여러 증상이 나타난다고 생각하면 된다. 붉은색 원(圓)은 임맥(任脈)이며 원내(圓內)에 십자 표기는 독맥(督脈)이다.

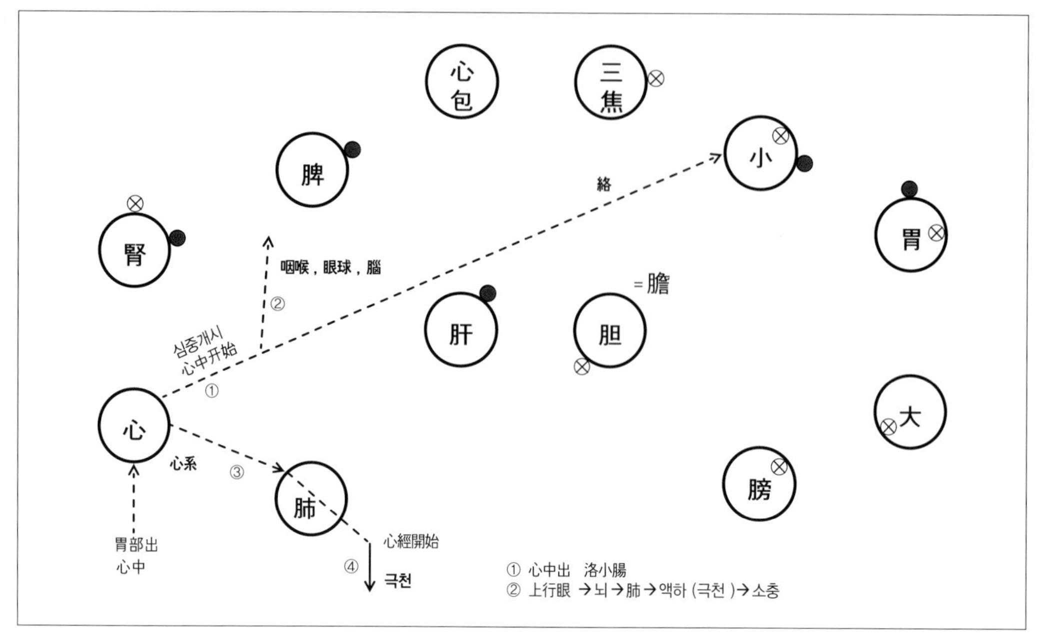

그림 8 심경(心經)의 유주(流注)

[영추(靈樞)·경맥편(經脈篇)] [십사경발휘(十四經發揮)]: 수소음심경은 심중(心中)에서 기시(起始)하며 출(出)하여 심계(心系)에 속(屬)하고 격(膈-심장과 비장 사이의 장격(障隔))으로 하행(下行)하여 소장(小腸)에 낙(絡)한다. 심계(心系)에 들어 있다. 즉 하나는 상(上), 폐(肺)에 상통(相通)하며 폐(肺)의 좌우(左右) 대엽간(大葉間)으로 내입(內入)한다. 하나는 폐엽(肺葉)에서 하행하여 곡절(曲折-변화)해서 후(後)로 향(向)하고 배부(背部)의 높이와 가즈런히 세맥(細脈)이 상련(相連)하여 척수(脊髓-등골)를 뚫고 신(腎)과 상통(相通)한다. 설명한 대로 오장(五臟) 계(系)는 모두 심(心)과 통(通)한다. 심(心)은 오장(五臟) 계(系)에 속한다.

수소음심경은 심(心)에서 기(起)하여 임맥(任脈)의 밖으로 순(循)하며 심장(心臟)에 속(屬)하고 격(隔)으로 하행(下行)하여 제상이촌(臍上二寸 - 배꼽 위의 이촌 위치)에서 소장(小腸)에 낙(絡)한다. 분지(分枝)는 심계(心系)에서 상행(上行)하여 인(咽)에 협(挾)하고 목(目)에 연(連)한다. 직행(直行)하는 지(枝)는 다시 심계(心系)에서 환거(還去-떠나온 곳으로 다시 돌아감)하고 폐(肺)로 상행(上行)하여 액하(腋下-겨드랑이 아래)로 천출(淺出)한다. 하행(下行)하여 상완(上腕) 간의 후렴(後廉)을 순(循)하고 태음(太陰)의 후(後)로 주행(走行)하여 주내(肘內廉 - 팔꿈치 내)로 하행(下行)한다. 전완(前腕)의 후렴(後廉)을 순(循)하여 수장(手掌) 후(後)의 수근골(手根骨-손목뼈)에 이른다.

수장(手掌)의 내염(內廉)으로 진입(進入)하여 소지(小指) 내(內)를 순(循)하여 지단(指端-소충(少衝))으로 출(出)한다.

[심경의 임상 요혈]

극천(極泉): 심경의 기시혈(起始穴), 정신병에 이용된다.

소해(少海): 합수혈(合水穴) 심실을 사한다. 중풍, 반신불수, 심통.

영도(靈道): 경금혈(經金穴), 심병, 정신병, 심흉통 질환다.

통리(通里): 낙혈(絡穴) 심의 만성병(慢性病)을 치료한다.

음극(陰極): 극혈(隙穴) 심의 급성병(急性病)에 주효하다.

신문(神門): 원혈(原穴), 수토혈(水土穴) 심의 허실을 조절하나 특히 사하는 혈이며, 정신병에 유효하고, 맥진처 또 맥진처, 심병.

소부(少府): 형화혈(滎火穴), 심화를 사하는 혈. 폐, 심허에 사용한다.

소충(小衝): 정목혈(井木穴) 보혈, 구급 질환에 출혈, 심의 급성병을 치료하는 혈처이다.

1.6 소장(小腸) The Small intestine

소장(小腸), 방광(膀胱), 담(膽)은 상생(相生)·상극(相剋)관계로 균형(均衡)을 유지한다. 한(寒)·열(熱) 균형에 담(膽) 기능이 중심에 있다. 방광(膀胱)은 심(心), 소장(小腸)은 폐(肺)와 상합(相合)한다. 폐(肺)-방광(膀胱)-심(心), 방광(膀胱)은 폐(肺)와 상통(相通, 육기(六氣))하고, 심(心)과 상합(相合)(오행-五行)한다. 붉은색 원(圓)은 임맥(任脈)이며 원내(圓內)에 십자 표기는 독맥(督脈)이다.

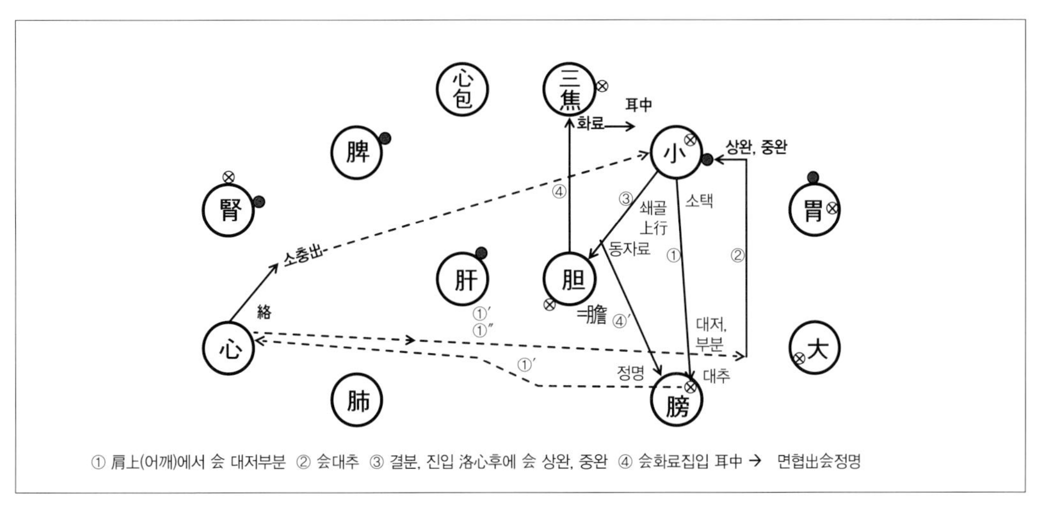

그림 9 소장경(小腸經)의 유주(流注)

[영추(靈樞)·경맥편(經脈篇)] [십사경발휘(十四經發揮)]: 수태양소장경은 19혈. 수태양맥은 소지단(小指端)에서 기(起)하고 수(手) 외측(外側)을 순(循)하여 완(腕)으로 상행하며, 과(踝-복사뼈) 중(中)으로 천출(淺出)하여 상행(上行)해서 주골(肘骨-팔꿈치) 하각(下角)을 순(循)하여 주내측(肘內側-팔꿈치) 2개의 골(骨) 간(間)으로 천출(淺出)하고 상행(上行)하며, 노외(臑外-팔꿈치 바깥쪽)의 후각(後角)을 돌아 견(肩)으로 천출(淺出)한다. 견(肩)을 순(循)하여 결분(缺盆)으로 내입(內入)하여 심(心)으로 낙(絡)하고 인(咽)으로 순(循)하여 격(膈)으로 하행(下行)해서 위(胃)에 이르러 소장(小腸)에 속(屬)한다. 별지는 결분(缺盆)에서 목을 돌아 내(頬-머리길)로 상행(上行)해서 목자(目眥-눈초리)에 이르며 환(還)하여 이중(耳中-귀속)으로 내입(內入)한다. 지(枝)는 협(頰-뺨)에서 갈라져 내안각(콧마루)으로 상행(上行)하여 비(鼻)에 이르며 목내지(目內眥-눈초리)에 이른다.

[소장경의 임상 요혈]

소택(小澤): 정금혈(井金穴) 급성병에 출혈, 구급 요법, 소생혈, 인후 편도선염, 하복병.

전곡(前谷): 형수혈(滎水穴) 소장의 실열.

후계(後谿): 수목혈(水木穴) 소장의 보, 실제는 독맥병의 주치혈, 류머티즘, 신실병, 안병(眼柄).

완골(腕骨): 원혈(原穴) 소장의 양기를 다스리는 혈, 진찰과 치료하는 혈이다.

양곡(陽谷): 경화혈(经火穴) , 소양을 대표하여서 위, 대장병과 한열을 다스린다.

양로(陽老): 극혈(隙穴) 소장의 급성병을 치료한다. 종기, 부스럼, 옴, 사마귀.

지정(支正): 낙혈(絡穴) 만성병을 치료한다.

소해(小海): 합토혈(合土穴) 소장실을 사한다. 류머티즘.

견정(肩貞): 견갑신경통(肩胛神經痛), 이명(耳鳴), 두통(頭痛), 치통(齒痛).

노수(臑水): 견박(肩膊)병, 견관절 질환을 주치한다. 흉통, 유방병에 이용한다.

천종(天宗): 견박(肩膊)병, 견관절 질환을 주치한다. 흉통, 유방병에 이용한다.

병풍(秉風): 견갑신경통(肩胛神經痛), 척골신경통(尺骨神經痛), 늑막염(肋膜炎), 폐염(肺炎).

곡원(曲垣): 견갑신경통(肩胛神經痛), 척골신경통(尺骨神經痛), 후두통(後頭痛), 항통(項痛), 폐염(肺炎)

견외수(肩外水): 견갑신경통(肩胛神經痛), 경근경련(頸筋痙攣), 견배한냉감(肩背寒冷感).

견중수(肩中水): 견갑신경통(肩胛神經痛), 경항부경련 (頸項部痙攣), 기관지염(氣管支炎), 해수(咳嗽), 시력감퇴(視力減退).

천창(天窓): 견경통(肩頸痛), 늑간신경통(肋間神經痛), 두통(頭痛) 인후종통(咽喉腫痛), 이명(耳鳴), 이롱(耳聾), 반신불수(半身不遂).

권료(顴髎): 구안와사, 귓병, 눈병, 치통, 어혈(瘀血).

청궁(聽宮): 귓병에 사용한다.

1.7 방광(膀胱) The Urinary bladder

소장화(小腸火) 경기(經氣)를 받은 방광한수(肪胱寒水) 경기(經氣)는 심중(心中)을 관통(貫通)하고 신(腎)으로 경기(經氣)를 연계하며 담(膽)과 밀접한 수생목(水生木) 관계가 된다. 방광은 주 기능이 근(膀胱主筋)이다. 근(筋)이 한수(寒水)로 유연성을 유지한다는 뜻이다. 방광과 심은 상합 관계가 있다. 또한 방광은 폐와 상통한다. 이 같은 이유에서 심, 방광, 폐, 심포 4개 장기를 각각의 장부로 분리해 생각하지 말고 서로 동시에 생각해야만 한다. 심·방광은 오수혈의 형혈에 해당한다. 붉은색 원(圓)은 임맥(任脈)이며 원내(圓內)에 십자 표기는 독맥(督脈)이다.

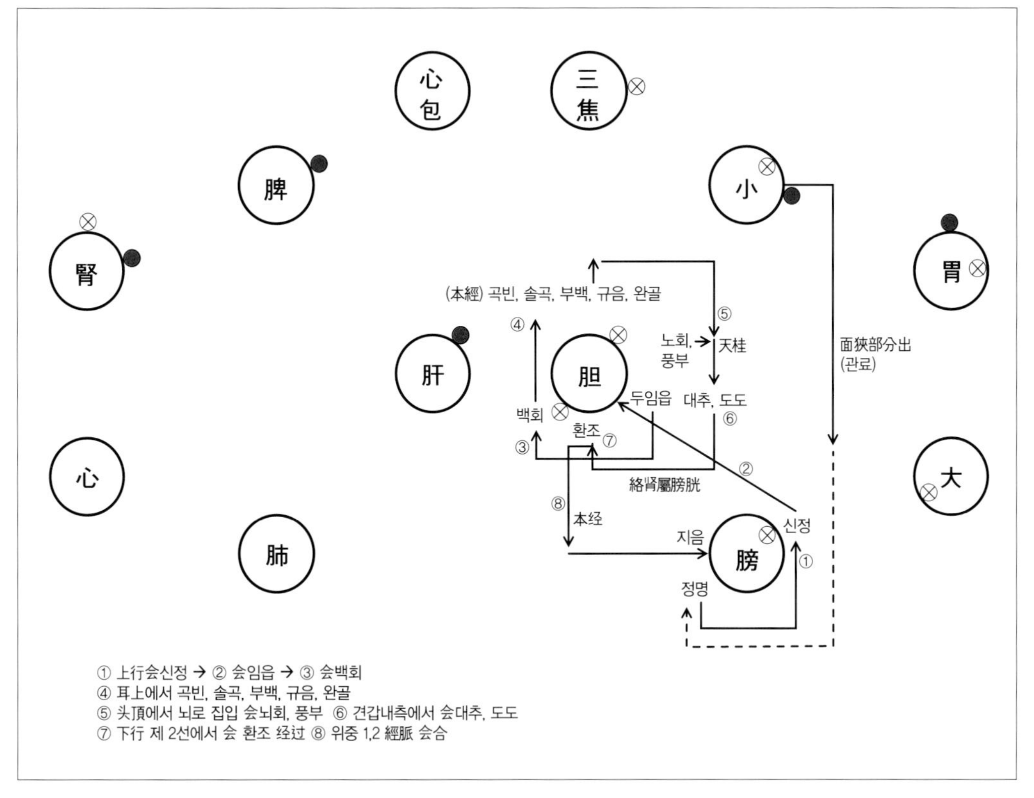

그림 10 방광경(膀胱經)의 유주(流注)

[영추(靈樞)·경맥편(經脈篇)] [십사경발휘(十四經發揮)]: 족태양방광경은 육십칠혈(六十七穴)이다. 족태양맥(足太陽脈)은 목내자(目內眥)에서 기시(起始)하여 상행(上行)하여 전상(巔上-머리 위)에서 교차(交差)하여 지(枝)는 전(巔-머리)에서 이(耳)의 상각(上角)에 도달한다. 직행(直行)하는 것은 전(巔-머리)에서 진입(進入)하여 뇌(腦)에 낙(絡)하고 환거(還去)하여 천출(淺出)하고, 갈라져 항(項-목덜미)으로 하행(下行)한다. 견(肩)·상완(上腕) 내(內)를 순(循)하여 배(背-등)를 협(挾)하고 요중(腰中-허리)에 이르러 신(腎)에 낙(絡)하며 방광(膀胱)에 속(屬)한다. 별지(別枝)는 요중(腰中)에서 둔부(臀部)을 뚫고 괵중(膕中-오금)으로 내입한다. 지(枝)는 비육(髀肉-넓적다리 살)의 좌우에서 따로 하행하여 갑(胛-어깨뼈)을 뚫고 배육(背肉-등살)을 협(挾)하여 비추(髀樞-넓적다리 근원)를 지난다.

[방광경의 임상 요혈]

청명(睛明): 방광경의 기시처(起始處).

찬죽(攢竹): 목열통(目熱痛)에 출혈, 그 외에 눈병에도 유효하다.

통천(通天): 두정통(頭頂痛), 신경성 두통(神經性 頭痛).

천주(天柱): 양실증, 심실, 방광실, 대장실 전체에 모두 유효하다. 진찰처로서 특히 유효하다.

대저(大杼): 모든 골병과 종기, 열병에 사용한다.

풍문(風門): 모든 풍병에 사용한다.

격수(膈水): 혈병(血病)과 횡격막 질병, 견갑통에 이용한다.

회양(會陽): 장강의 보조혈.

부분(附分): 해독혈(解毒穴)과 견갑통(肩胛痛)에 이용한다.

고항(膏亢): 양실증의 모든 질환에 유효하다.

위창(胃窓): 위병, 복병(腹柄)에 요혈.

지실(志室): 양실증의 반응처.

승부(承扶): 좌골 신경통에 사용한다.

위양(委陽): 대소변 불통과 삼초병에 이용한다.

위중(委中): 합토혈(合土穴) 발오금 아픈 병, 요통(腰痛), 열병시 낙맥출혈(絡脈出血).

승산(承山): 모든 근병에 작용, 장단지 아플 때 요혈.

비양(飛陽): 낙혈(絡穴).

부양(趺陽): 양교맥(陽蹻脈)의 극혈(郄穴). 두(頭), 요(腰), 배통(背痛)에 이용.

곤륜(崑崙): 경화혈(經火穴), 조관절병과 방광 실증의 질환에 이용.

신맥(申脈): 양교맥병의 통치 요혈.

금문(金門): 극혈(郄穴), 전간(癲癎), 소아경풍(小兒驚風), 하복통(下腹痛), 설사(泄瀉), 두통(頭痛), 이명(耳鳴).

경골(京骨): 원혈(原穴), 원기를 다스린다. 허실에 따라서 보사(補瀉).

속골(束骨): 수목혈(水木穴) 방광을 사하는 혈.

족통곡(通谷): 형수혈(滎水穴), 방광을 대표하여 담, 소장병을 주치.

지음(至陰): 정금혈(井金穴) 구급법, 급성병, 무통 분만에 구(灸) 3장.

1.8 신장(腎臟) The Kidney

방광(膀胱)에서 시작(始作)한 경기(經氣)가 상극(相克)의 반대인 신(腎)–비(脾)–간(肝)–폐(肺)–심포(心包) 순서로 연계된다.

폐(肺)에서 시작한 경기(經氣)가 신(腎)에서 모두가 상극(相克)으로 연계된다. 경기(經氣)가 심(心)으로 연계되지 않고 심포(心包)로 연계됨은 기능적 연계를 뜻한다. 붉은색 원(圓)은 임맥(任脈)이며 원내(圓內)에 십자 표기는 독맥(督脈)이다.

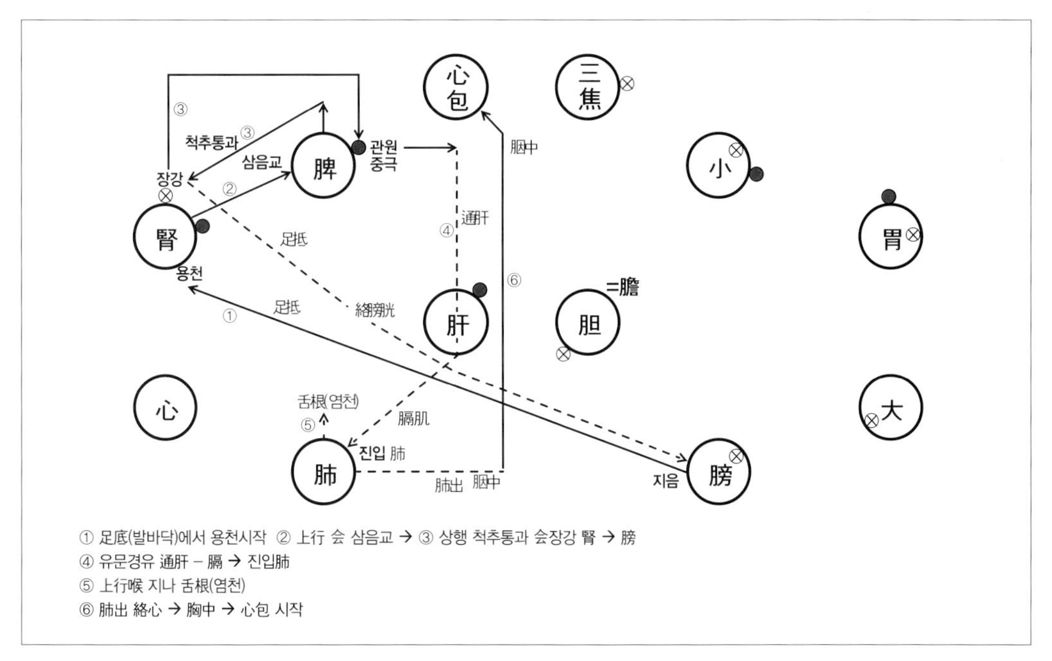

그림 11 신경(腎經)의 유주(流注)

[영추(靈樞)·경맥편(經脈篇)] [십사경발휘(十四經發揮)]: 족소음신경(足少陰腎經)의 맥(脈)은 소지(小趾－작은 발가락) 하(下)에서 기(起)하여 사행(斜行－비스듬히 이동하여)하여 족심(足心)으로 행(行)한다. 연골(然骨－연곡(然谷)) 하(下)로 천출(淺出)하여 내과후(內踝 後)를 순(循)하여 갈라져 근중(跟中－발꿈치)으로 진입(進入)하여 천내(腨內－장딴지)로 상행(上行)하며, 괵(膕－오금)의 내염(內廉)으로 천출(淺出)하여 고(股－넓적다리)의 내후렴(內後廉)으로 상행(上行)해서 배(背－등)를 뚫고 신(腎)에 속(屬)하며 방광(膀胱)을 낙(絡)한다.

직행(直行)하는 경(經)은 신(腎)에서 상행(上行)하여 간(肝)·격(膈)을 뚫고 폐(肺) 중(中)으로 진입(進入)하여 후롱(喉嚨－목구멍)에 순(循)하고 설(舌)의 근본(根本)에 협(挾)한다. 그 후는 폐(肺)에서 나와 심(心)에 낙(絡)하고 흉중(胸中)으로 주입(注入)한다. 양유간(兩乳間)을 흉중(胸中)이라고 한다.

[신경의 임상 요혈]

용천(勇泉): 정목혈(井木穴) 구급 요법의 요혈, 신의 급성병. 소변 질환, 발꿈치의 병.

연곡(然谷): 형화혈(滎火穴) 혀병, 자궁 및 생식기 염증, 소화불량.

태계(太谿): 수토혈(水土穴) 원혈 신의 원기를 조절. 신을 보사할 수 있다. 치통, 신염, 요통에 널리 이용한다.

수천(水泉): 극혈(郄穴) 급성병에 이용한다.

태종(太種): 낙혈(絡穴).

조해(照海): 음교맥 통혈(統穴).

부류(復留): 경금혈(經金穴) 신을 보하는 요혈.

교신(交信): 부류의 보조혈.

축빈(築賓): 장단지의 병과 해독 작용, 신염에 이용한다.

음곡(陰谷): 합수혈(合水穴) 전신(오장)의 한열을 조절, 신병과 고혈압, 생식기병에 요혈.

횡골(橫骨): 하복부(下腹部)와 생식기병의 요혈.

항유(盲俞): 신병의 치료점. 허리 둘레와 복부의 군살 제거.

신봉(神封): 신경심으로 들어가 심포경에 발생.

유부(俞府): 신경이 끝나는 혈처.

1.9 심포(心包) The Pericardium

심포, 삼초는 유명무형(有名無形)의 화(火)로 소양, 궐음의 양화(兩火) 관계이며. 삼초에 대한 정의는 다양하다. 뇌(腦) 기능으로 해석함을 적용하면 심포는 삼초에 의한 혈(血) 순환(循環)으로 해석된다. 심포는 주기능이 맥(心包主脈)이다. 붉은색 원(圓)은 임맥(任脈)이며 원내(圓內)에 십자 표기는 독맥(督脈)이다.

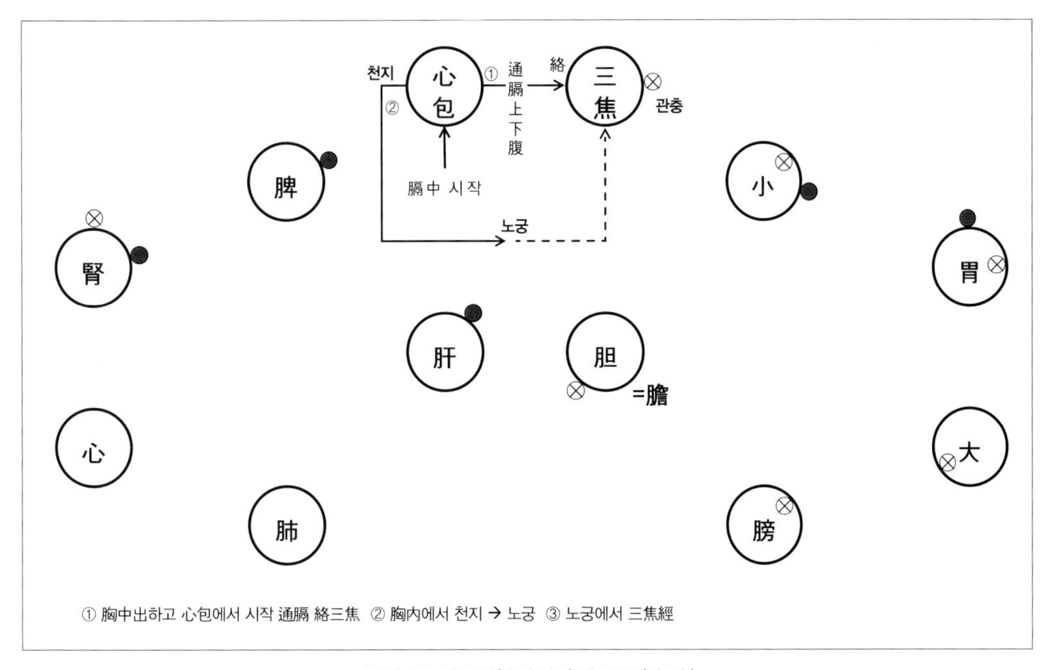

그림 12 심포경(心包經)의 유주(流注)

[영추(靈樞)·경맥편(經脈篇)] [십사경발휘(十四經發揮)]: 수궐음심포경은 9혈(穴)이며, 경혈(經血)이 많고 기(氣)가 적다. 수(手)의 지(枝)는 흉(胸)을 순하여 늑복(肋腹-갈비뼈)으로 천출(淺出)하여 늑복(肋腹) 3촌(寸)을 하행(下行)하여 환거(還去)해서 상행(上行)하여 액하(腋下-겨드랑이)에 이르고, 하행(下行)하여 노내(臑內 - 팔꿈치 내)에서 순(循)하여 태음소음간 (太陰少陰間)을 주행(走行)하여 주중(肘中-팔꿈치 중앙)으로 내입(內入)한다. 전완(前腕)으로 하행(下行)하여 양이근(兩二筋) 간(間)으로 주행(走行)하고 수장(手掌-손바닥) 중(中)으로 내입하며 중지(中指)를 순(循)하여 단(端-끝)으로 출한다. 별지(別枝)는 수장(手掌) 중(中)에서 소지(小指)의 차지(次指) 즉, 제 4지(指)를 순(循)하여 단(端)으로 출(出)한다.

[심포경의 임상 요혈]

중충(中衝): 정목혈(井木穴), 구급시에 출혈, 급성병에 사용, 심보, 심흉통.

노궁(勞宮): 형화혈(滎火穴), 열병, 노병(勞病)에 이용, 피로의 요혈.

태릉(太陵): 수토혈(水土穴), 원혈, 원기를 조절, 사하는 혈, 심병의 주치혈.

내관(內關): 낙혈(絡穴).

간사(間使): 경금혈(經金穴), 심(心), 흉(胸), 두(頭), 정신병, 심통.

극문(郄門): 극혈(郄穴), 급성병에 주로 이용. 코피, 정신병에 이용.

곡택(曲澤): 합수혈(合水穴), 고혈압, 중풍, 심병, 반신불수에 이용한다.

천지(天池): 심포경이 끝나는 곳.

1.10 삼초(三焦) The Triple energizer

삼초(三焦), 담(膽)은 소장(태양경)을 경유하여 연계된다.

삼초(三焦)는 소장상화이기 때문이라 생각된다. 붉은색 원(圓)은 임맥(任脈)이며 원내(圓內)에 십자 표기는 독맥(督脈)이다.

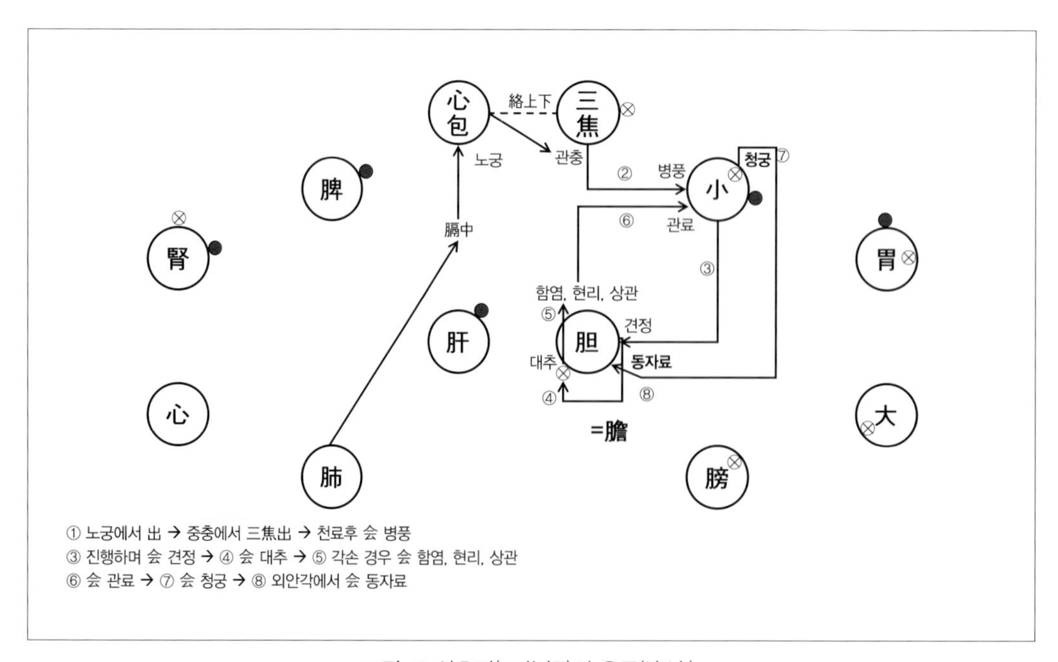

그림 13 삼초경(三焦經)의 유주(流注)

[십사경발휘(十四經發揮)]: 수소양삼초경의 맥은 소지(小指)의 차지(次指) 단(端)에서 기시(起始)하여 상행하여 양지(兩指) 간(間)으로 천출(淺出)하여 수의 표측(表側)과 완(腕)을 순하여 비외(臂外-팔 바깥부위)의 양골(兩骨) 간(間)으로 천출(淺出)하며, 상행하여 주(肘-팔꿈치)를 뚫고 노외(臑外-팔꿈치 바깥부위)를 순하여 견(肩)으로 올라가서 족소양(足少陽)의 후측으로 교차(交差)하여 천출(淺出)해서 결분(缺盆)으로 단중(膻中)에 진입(進入), 산(散)하여 심포(心包)에 낙(絡)하고 격(膈)으로 하행(下行)하여 삼초(三焦)에 속 한다.

별지(別枝)는 단중(膻中)에서 상행(上行)하여 결분(缺盆)에서 천출(淺出)하며, 항(項-목덜미)으로 상행해서 이후(耳後)에 연결되고, 직상하여 이상각(耳上角)으로 출(出)하였다가 환거(還去)하여 협(頰-뺨)으로 상행해서 이(頤-턱)에 이른다. 별지(別枝)는 이후(耳後)에서 이중(耳中)으로 내입(內入) 하였다가 천출(淺出)해서 이전(耳前)으로 주행(走行)하며 상관(上關)의 전(前)을 지나 협(頰-뺨)에서 교차(交差)하여 목외지(目外眥)에 이른다.

[삼초경의 임상 요혈]

관충(關衝): 정금혈(井金穴) 인사불성, 급성병에 출혈, 인후병, 하복통.

액문(液門): 형수혈(滎水穴), 삼초의 열, 류머티즘, 알레르기, 차멀미, 인사불성.

중저(中渚): 수목혈(水木穴) 삼초의 보혈, 요통, 완관절통, 원기쇠약.

양지(陽池): 원혈(原穴) 삼초의 허실을 치료, 자궁 위치 이상, 원기를 조절, 구안와사 등.

외관(外關): 낙혈(絡穴) 감기, 두통, 반신불수, 한열, 협흉통, 견통.

지구(支垣): 경화혈(經火穴), 삼초의 열을 치료, 위와 대장을 조절, 협통, 흉통 질환.

회종(會宗): 극혈(郄穴) 삼초의 급성병을 치료한다.

삼양락(三陽絡): 삼초의 전체적인 질병과 출혈성 병에 이용한다.

천정(天井): 합토혈(合土穴) 삼초의 기능을 억제하는 혈. 삼초실에 이용, 연주창.

노회(臑會): 견갑통의 요혈. 사지의 열을 내린다.

견료(肩店): 삼초실의 주요 반응처. 류머티즘에 이용한다.

천료(天店): 귀, 치통에 사용한다.

예풍(風): 혈압, 구안와사, 신경통, 치, 귀, 안병(眼病).

화료(和店): 혈압, 구안와사, 신경통, 치, 귀, 안병(眼病).

이문(耳門): 혈압, 구안와사, 신경통, 치, 귀, 안병(眼病).

사죽공(絲竹空): 주로 안병(眼病)과 두통에 사용된다.

1.11 담(膽) The Gallbladder

담(膽)은 대장(大腸)을 제외하고 모두 교회(交會)하고, 비(脾)는 신(腎)을 제외하고 모두 교회(交會)한다. 각 경에 비하여 담(膽)·비(脾)만이 다경(多經)과 교회(交會)함은 담(膽)·비(脾)가 중심(中心)이라는 뜻으로 해석된다.

소장(小腸), 방광경(膀胱經)에서는 한·열이 원인에 따라 소장이나 방광으로 편대됨을 의미하고 담에서는 한·열이 교체되는 한·열 왕래(往來) 증(證)으로 나타난다. 붉은색 원(圓)은 임맥(任脈)이며 원내(圓內)에 십자 표기는 독맥(督脈)이다.

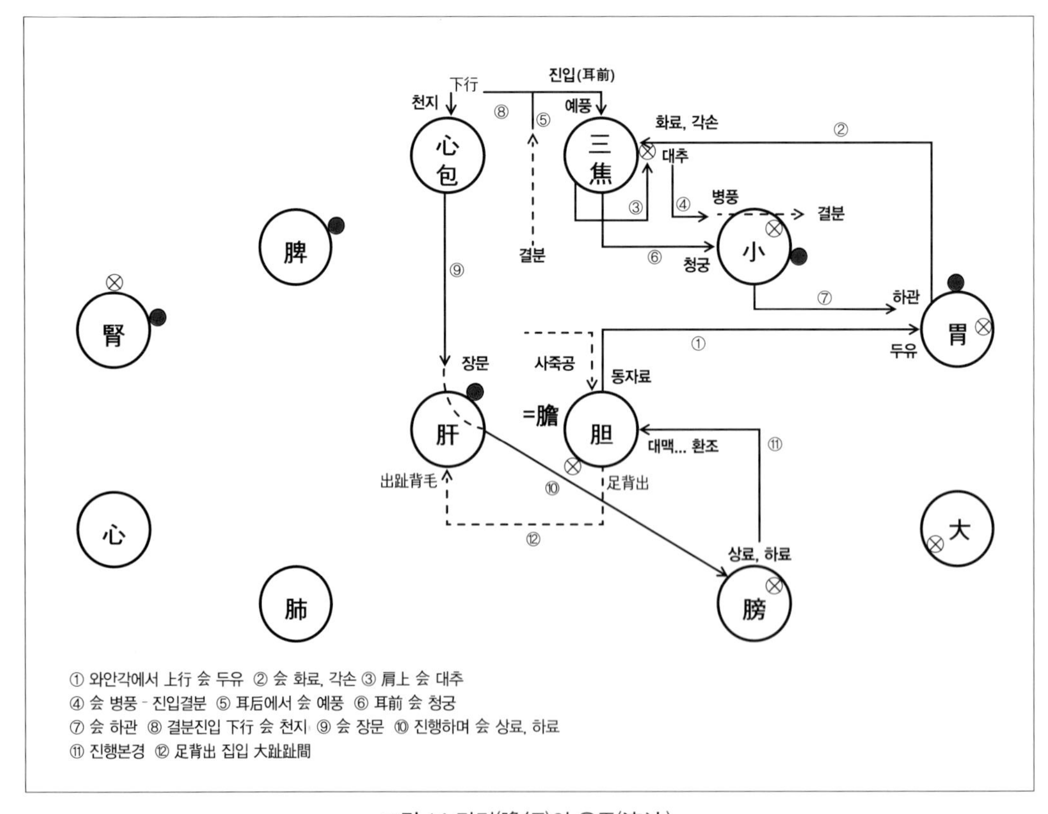

그림 14 담경(膽經)의 유주(流注)

[영추(靈樞)·경맥편(經脈篇)] [십사경발휘(十四經發揮)]: 족소양담경은 목예지(目銳眥)에서 기(起)하여 상행(上行)해서 각(角)(두각(頭角))으로 하행(下行)하여 이(耳) 후(後)로 내려간다. 경(頸-목)을 순(循)하

여 수소양(手少陽)의 앞을 주행(走行)하여 견상(肩上)에 이르러 환거(還去)하여 소장(小腸)의 후(後)로 교출(交出)하여 결분(缺盆)으로 내입(內入)한다. 별지(別枝)는 이(耳) 후(後)에서 이(耳) 중(中)으로 진입(進入)하여 예풍(翳風) 부위(部位)를 지나고 청궁(聽宮)을 지나 천출(淺出)하여 이(耳) 전(前)으로 주행(走行)해서 다시 청회(聽會)로부터 목예지(目銳眥)의 부위(部位)에 이른다. 다른 하나의 분지(分枝)는 목예지(目銳眥)에서 갈라져 대영(大迎)에 이르러 수소양과 합(合)해 목하(目下)에 이르고 하향(下向)하여 협거(頰車) 혈(穴)을 지나 경(頸)으로 하행(下行)해서 결분 (缺盆)으로 교합(交合)하며, 흉중(胸中)으로 하향(下向)하여 격(膈)(횡격막 (橫隔膜))을 뚫고 간(肝)에 낙(洛)하고 담(膽)에 속(屬)한다.

협복(脇復-겨드랑이)의 이(裏-속)를 연(沿-따라가다)하여 기충(氣衝)으로 나와서 모제(毛際)-음모(陰毛)-를 환요(環繞-빙 둘러쌈)하고 횡향(橫向)하여 고관절(股關節) 부(部)에 진입(進入)한다. 또한, 직행(直行)하는 분지(分枝)는 결분(缺盆)에서 액(腋)으로 하향(下向)하여 흉측(胸側)으로 연(沿)해 계협(季脇-옆구리)을 지나 하행(下行)해서 비양(髀陽)을 순행(循行)하여 슬(膝-무릎)의 외렴(外廉)으로 천출(淺出)한다.

외보골(外補骨)[대퇴골(大腿骨) 외과(外顆-몸 바깥쪽)] 전(前)으로 하향(下向)해서 곧장 절골단(絕骨端)으로 하행(下行)하여 외과(外顆) 전(前)으로 나와 족부(足胕-발등)를 돌아 상행(上行)해서 소지(小趾)의 차지(次趾) 간(間)으로 진입(進入)한다.

[담경의 임상 요혈]

동자료(瞳子店): 모든 눈병, 두통, 강한 자극은 피한다. 특히 출혈에 주의한다.

청회(聽會): 상치통, 구안와사, 불면증, 눈병.

함염(頷厭): 맥진처, 두기(頭氣)의 진찰, 측두통.

곡빈(曲): 구안와사(口眼喎斜), 중풍, 고혈압, 귀 눈병.

두규음(頭竅陰): 신경성병, 후 두통 이통(耳痛), 불면증.

완골(完骨): 신경성병, 후 두통, 이통(耳痛), 불면증.

양백(陽白): 전 두통, 눈병, 구안와사.

두임읍(頭臨位): 전 두통, 눈병, 구안와사, 견통, 신경성병, 정신병.

목창(目窓): 목병(目病)의 요혈, 두통, 코병.

뇌공(腦空): 후 두통, 두통, 뇌질환, 로병(勞病) 등.

풍지(風池): 모든 풍병, 정신 및 신경성병, 견병, 혈압병.

견정(肩井): 담실의 진찰처, 견병(肩病), 빈혈증, 유병(乳病), 중풍.

일월(日月): 담(膽)의 모혈(募穴), 진찰과 신병의 요혈.

경문(京門): 신(腎)의 모혈(募穴), 신병의 요혈.

대맥(帶脈): 대요통(帶要痛)의 요혈.

거료(居庁): 대요통(帶要痛)의 하체 측병, 변비, 맹장염.

환도(環跳): 하지통의 요혈, 중풍, 혈압병, 반신불수, 하지 신경통의 요혈.

풍시(風市): 하지통의 요혈, 중풍, 혈압병, 반신불수, 하지 신경통의 요혈.

족양관(足陽關): 족한병(足寒病)의 요혈, 한병(寒病)의 요혈.

양릉천(陽陵泉): 합토혈(合土穴), 슬병(膝病), 모든 근병, 하지통, 측병(側病).

외구(外丘): 담의 급성병을 주치, 하지병.

광명(光明): 낙혈(絡穴).

양보(陽輔): 경화혈(经火穴), 담을 사(瀉)하는 요혈, 담실의 요혈.

현종(懸鐘): 수회(髓會), 모든 골수병, 빈혈, 변비, 원기 허약, 중풍 예방, 반신불수 등.

구허(丘墟): 원혈(原穴), 원기를 조절한다.

족임읍(足臨立): 수목혈(水木穴), 담목의 대표 혈로서 다른 장기병을 치료할 때에 이용. 요통, 대맥병의 요혈.

지오회(地五會): 발등이 아플 때 사용한다.

협계(俠谿): 형수혈(滎水穴), 담을 보하는 요혈.

족규음(竅陰): 정금혈(井金穴), 급성병 등에 출혈, 담의 허실 기능을 조절한다.

1.12 간(肝) The Liver

간(肝)은 비(脾)와 교회한다. 상합·상통 이론 상 간, 대장은 상합(相合)·상통(相通)하는 특수 관계이나 유주적으로는 해석되지 않는다. 붉은색 원(圓)은 임맥(任脈)이며 원내(圓內)에 십자 표기는 독맥(督脈)이다.

[영추(靈樞)·경맥편(經脈篇)] [십사경발휘(十四經發揮)]: 족궐음간경은 다혈(多血) 소기(小機)이고 족궐음(足厥陰)의 맥(脈)은 대지취모(大趾聚毛) 상(上)에서 기시(起始)하여 족부(足胕-발등)의 상렴내과(上廉內顆)를 상거(相去)하여 일촌(一寸)을 순(循)한다. 과(顆-둘레)를 상행(上行)하여 팔촌(八寸)에서 태음(太陰) 후(後)로 교차(交差)하여 천출(淺出)해서 괵(膕-오금)의 내염(內廉)으로 상행(上行)한다. 고(股-넓적다리)를 요(繞-둘러쌈)하여 음중(陰中)으로 내입(內入), 음기(淫器)를 환요(環繞)하고 상복(上服)에 저(抵-이르다)하여 위(胃)를 협(挾)하고 간(肝)에 속(屬)하며 담(膽)에 낙(洛)한다. 상행(上行)하여 격(膈)을 관통(貫通)하고 협

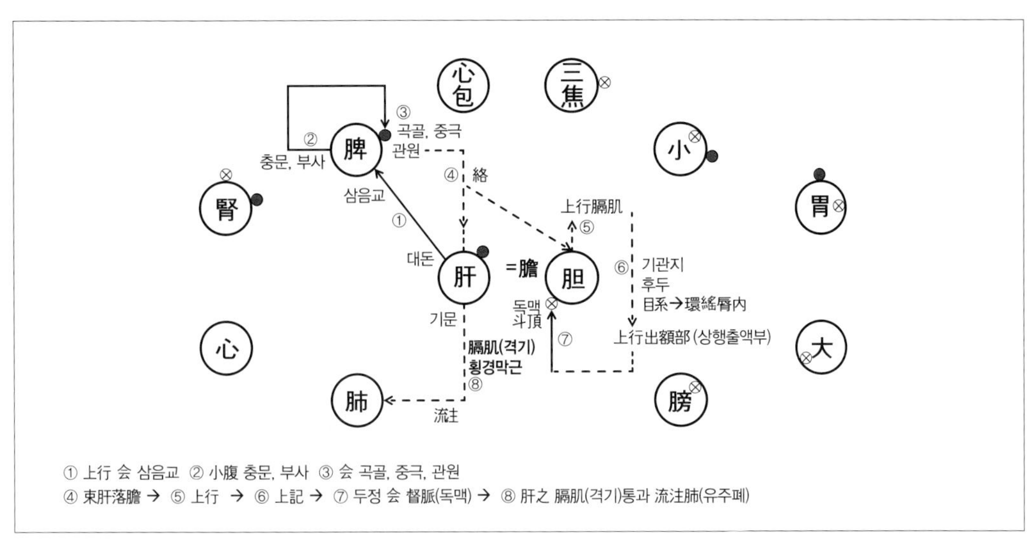

그림 15 간경(肝經)의 유주(流注)

륵(脇肋- 겨드랑이 갈비뼈)에 분포(分布)하며, 영(嶺)에 회(會)한다. 별지(別枝)는 목계(目系)에서 협이(挾裏)로 하행(下行)하여 순내(唇內)를 환요(環繞)한다. 분지(分枝)는 다시 간(肝)에서 갈라져 격(膈)을 관통(貫通)하고 상행(上行)하여 폐(肺)에 주(注)한다.

[간경의 임상 요혈]

태돈(太敦): 정목혈(井木穴), 구급 요법, 급성병에 출혈, 생식기병, 부인병, 간병.

행간(行間): 형화혈(滎火穴), 간열(肝熱), 간화를 제거, 눈병, 생식기의 염증.

태충(太衝): 수토혈(水土穴), 원혈, 사관혈 중 1혈, 기혈을 크게 순환.

중봉(中封): 경금혈(經金穴), 간병을 조절, 특히 간실에 이용한다.

여구(蠡溝): 낙혈(絡穴), 이기(利氣), 성욕 증진에 이용한다.

중도(中都): 극혈(隙穴), 간의 급성병에 이용한다.

슬관(膝關): 슬 관절통에 이용한다.

곡천(曲泉): 합수혈(合水穴), 간을 보한다. 특히 하복병과 생식기병에 사용한다.

장문(章門): 비의 모혈(募穴)로 이용된다.

기문(期間): 간의 모혈(募穴), 기침, 천식, 흉륵병(胸肋病), 근통(筋痛).

舍岩의 思考

[병증(病症) 해설 및 배혈(配穴) 해석]

2. 오운육기(五運六氣)의 개요

2. 오운육기(五運六氣)의 개요

오운(五運)이란, 목운(木運), 화운(火運), 토운(土運), 금운(金運), 수운(水運)의 총칭이다. 운(運)이란, 윤전운동(輪轉運動-회전운동)하여 왕래부지(往來不止-움직임이 그치지 아니한다)한다는 뜻이며, 오행을 천간에 배합시켜 운용하여, 세년(歲年)과 각 계절의 기후 변화의 정상(正常)과 이상(異常)을 분석하여 설명하는 것이다. 또한 오운을 대운(大運), 주운(主運), 객운(客運) 등의 3종으로 구분한다.

육기(六氣)란 풍(風)·한(寒)·서(暑)·습(濕)·조(燥)·화(火)의 총칭이다. 또한 육기(六氣)는 항상 삼음삼양(三陰三陽)으로 대표되며, 지지(地支)를 결합해서 일년 중의 정상 기후 변화와 각 연(年)의 기후의 이상 변화를 설명하는 데 쓰인다.

다음은 삼음삼양의 특징을 나타내는 표이다.

음양	삼음삼양	음양(陰陽)의 영향
음(陰)	(수, 족)태음(太陰)	음(陰)이 많다.
	(수, 족)소음(少陰)	음(陰)이 조금 있다.
	(수, 족)궐음(厥陰)	음(陰)이 아주 약간 있다.
양(陽)	(수, 족)태양(太陽)	양(陽)이 많다.
	(수, 족)양명(陽明)	양(陽)이 꽤 많이 있다(음으로 바뀌기 직전).
	(수, 족)소양(少陽)	양(陽)이 조금 있다.

매년 육기(六氣)는 주기(主氣). 객기(客氣)의 2종으로 나누어진다. 주기(主氣)는 정상 상태를 설명하는데 쓰이고, 객기(客氣)는 변화를 측정하는데 쓰인다. 또한 객기(客氣)를 주기(主氣)에 가(加)하여 이를 객주가임(客主加臨)이라 칭하는 데, 이는 기후의 복잡한 변화를 진일보하여 분석하는데 쓰인다.

후(候)는 외후(外候)나 외상(外象)으로 사물의 객관적 징후(徵候)이다. 후는 곧 상으로 자연의 현상이다. 이러한 징후를 관찰하는 것이 자연을 연구하고 객관적 법칙을 찾아내는 근본적인 방법이다.

운기칠편대론(運氣七編大論)의 의의는 다음과 같다. 첫째, 운기칠편은 상(象)을 살필 것을 강조하였다. 둘째, 천상(天象)은 만상의 근본임을 강조하였다. 운기에서는 칠요(七曜)와 오성(五星)에 대한 관찰을 극히 중시한다. 일월의 운행을 관측할 뿐만 아니라, 밤에는 28수를 좌표 삼아 천간이 오운으로 화하는 근거와 음양이 소장 변화하는 징조를 나타내어 천상과 만상이 근본과 지엽의 관계가 있음을 천명하였다. 셋째, "물후를 살피는 첫걸음이고, 천지가 운동 변화하는 법칙을 파악하는 본원[후지소시(候之所始), 도지소생(道之所生)]"이라는 법칙을 제시하였다.

간지(干支)란 천간(天干) 지지(地支)의 약칭이다. 천간(天干)은 갑(甲), 을(乙), 병(丙), 정(丁), 무(戊), 기(己), 경(庚), 신(辛), 임(壬), 계(癸)의 10개로서 십간(十干)이라고 칭한다. 地支는 자(子), 축(丑), 인(寅), 묘(卯), 진(辰), 사(巳), 오(午), 미(未), 신(申), 유(酉), 술(戌), 해(亥)의 12개로서 십이지(十二支)라고 칭한다.

천간(天干), 지지(地支)는 각기 음양의 상이(相異)한 속성을 가지고 있다. 천간(天干)은 양(陽)이고, 지지(地支)는 음(陰)이다. 또한 천간 중에서도 음양(陰陽)이 있고, 지지 중에서도 음양(陰陽)이 있다.

예컨대 천간(天干) 중의 갑(甲), 병(丙), 무(戊), 경(庚), 임(壬)은 양간(陽干)에 속하고, 을(乙), 정(丁), 기(己), 신(辛), 계(癸)는 음간(陰干)에 속한다. 지지(地支) 중의 자(子), 인(寅), 진(辰), 오(午), 신(申), 술(戌)은 양지(陽支)에 속하고, 축(丑), 묘(卯), 사(巳), 미(未), 유(酉), 해(亥)는 음지(陰支)에 속한다.

천간(天干)은 운(運)을 주(主)하고, 지지(地支)는 기(氣)를 주(主)한다. 즉, 오운(五運)은 천간을 오행에 배속시켜 운용하여 세운(歲運)을 추측하는 것이고, 육기(六氣)는 지지(地支)를 삼음삼양(三陰三陽)에 배속시켜 운용하여 세기(歲氣)를 추측하는 것이다. 그 배합 방식으로써 일반적으로 상용되는 것은 다음의 3종이다.

가. 천간(天干)에 오운(五運)을 배합

甲	乙	丙	丁	戊
己	庚	辛	壬	癸
|	|	|	|	|
土	金	水	木	火

나. 지지(地支)에 오행(五行)을 배합

寅	卯	巳	午	申	酉	亥	子	辰	戌	丑	未
木		火		金		水		土			

다. 지지(地支)에 삼음삼양(三陰三陽)의 육기(六氣)를 배합

子	丑	寅	卯	辰	巳
午	未	申	酉	戌	亥
|	|	|	|	|	|
少陰	太陰	少陽	陽明	太陽	厥陰
君	濕	相	燥	寒	風
火	土	火	金	水	木

사람과 천지의 상응 가운데 하나는 생리 측면에서 생명이 정상적 기후 변화에 기원함을 밝히고 있다. 『소문(素問) 천원기대론(天元紀大論)』에서는 "하늘에서는 기가 되고 땅에서는 형체가 되는데 형기가 서로 감응하여 만물을 변화 생성한다[재천위기(在天爲氣), 재지위형(在地爲形), 형기상감이화생만물(形氣相感而化生萬物)]"고 하였다. 또한 각종 기화가 각기 다른 특징으로 인체에 작용함을 논하기도 하였다. 『오운행대론(五運行大論)』에서는 "조기는 말리고, 서기로 찌고, 풍기로 움직이고, 습기로 적시며, 한기로 단단하게 하고, 화기로 따뜻하게 한다(燥以乾之, 暑以蒸之, 風以動之, 濕以潤之, 寒以堅之, 火以溫之)"고 하였다.

『소문(素問) 지진요대론(至眞要大論)』에서 오운 육기는 천지 운동의 기본 법칙이고 인체 생명 활동과 자연계 변화의 상응하는 법칙이라고 하였으며, "한(寒), 서(暑), 건(燥), 습(濕), 풍(風), 화(火)는 인체의 생리 변화에 연관되어 동쪽은 풍을 낳고 풍은 목을 낳으며 목은 신맛을 낳고 신맛은 간을 낳고 간은 근육을 낳고 근육은 심장을 낳는다"고 한 것은 사람과 자연이 상응하는 관계에 있음을 말해준다.

그리고 오행의 상생, 상극, 장부, 육기의 관계는 다음과 같다.

五行	木	火	土	金	水
相生	水生木	木生火	火生土	土生金	金生水
相剋	金克木 (木畏金)	水克火 (火畏水)	木克土 (土畏木)	火克金 (金畏火)	土克水 (水畏土)
五色	靑	赤	黃	白	黑
장부 (臟腑)	간. 담	심장. 소장 심포. 삼초	비. 위	폐. 대장	방광. 신장

다음 페이지에 계속

五行	木	火	土	金	水
육기	궐음	소음(少陰)	태음	양명	태양
(六氣)	(厥陰)	소양(少陽)	(太陰)	(陽明)	(太陽)

舍岩의 思考

[병증(病症) 해설 및 배혈(配穴) 해석]

3. 상합(相合), 상통(相通)의 이해 및 유주적(流注的) 해석

3. 상합(相合), 상통(相通)의 이해 및 유주적(流注的) 해석

상합(相合)은 음(陰)·양(陽)이 오행(五行)함을 뜻한다. 행(行)은 음(陰)과 양(陽)이 만나고 헤어짐을 영구 반복하는 동적(動的)인 의미이다.

상합(相合)은 양(陽)이 음(陰)을 극(克)하는 관계이며 극(克)하여 새로운 상(象)을 창조(創造)한다. 정혈(井穴)을 예로들면 다음과 같다. 정혈(井穴)은 금상(金象)을 창조한다. 전체적으로 금상(金象)이므로 내적으로도 상합(相合)한다고 해석할 수 있다.

간혹 일침(一針)으로 치료하는 경우가 있는데 해당 혈(穴)이 어떤 증세에 요혈(要穴)이라기보다 그 혈(穴)로 인한 상생(相生), 상극(相剋)과 상합(相合), 상통(相通)의 관계로 작용(作用)한다고 해석한다. 예로서 인후종통시 소상혈(咽喉肿痛是 少商穴)이 사용되나, 경우에 따라 상양혈(商陽穴)도 그에 상당하는 효과가 있는 것은 인후(咽喉) 부위를 간(肝)의 영역으로 언급한 사암의 사고(思考)를 적용하면 상양(商陽)에 의해 대돈혈(大敦穴)이 활성되는 까닭이다. 같은 인후종통이라도 원인에 따라 요혈이 될 수도 있고, 안될 수도 있다.

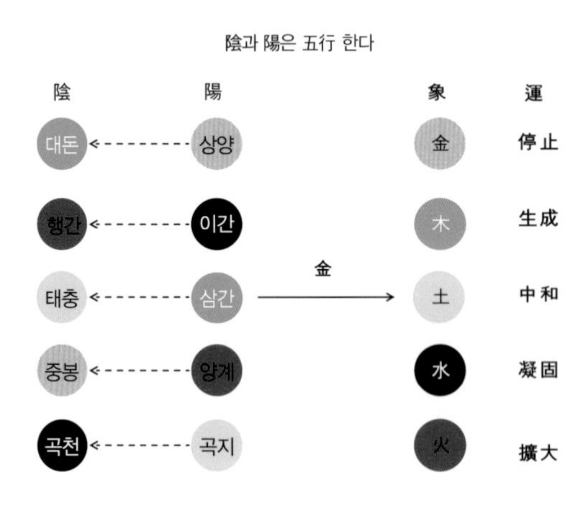

그림 16 상(象)과 운(運)의 생성(生成)

가. 간(肝)과 대장(大腸) 경의 유주(流注)

청색은 대장경(大腸經) 유주, 적색은 간경(刊經) 유주, 경기(經氣)가 순서대로 유주하며 폐에서 양경이 회합한다고 생각할 수도 있으나, 간과 대장이 상합하여 금상을 창조하는 오수혈의 정혈(井穴)과 일치한다. 십선혈(十宣穴)과 사관혈(四關穴)인 합곡(合谷), 태충(太衝)의 배혈이 기혈 균형을 갖게 함은 간(肝)과 대장(大腸)의 유주로 해석할 수 있다. 창조된 금상(金象)의 기능은 폐(肺) 기능과 같다. 십선(十宣)과 사관혈(四關穴)은 정신 혼미나 기혈(氣血) 불균형(不均衡)의 제증(諸症)에 사용된다. 두뇌의 기능이 보강되는 것이므로 뇌 기능, 십선혈, 사관혈(四關穴), 폐주피모(肺主皮毛)이므로 피부(皮膚)도 금상으로 해석할 수 있다.

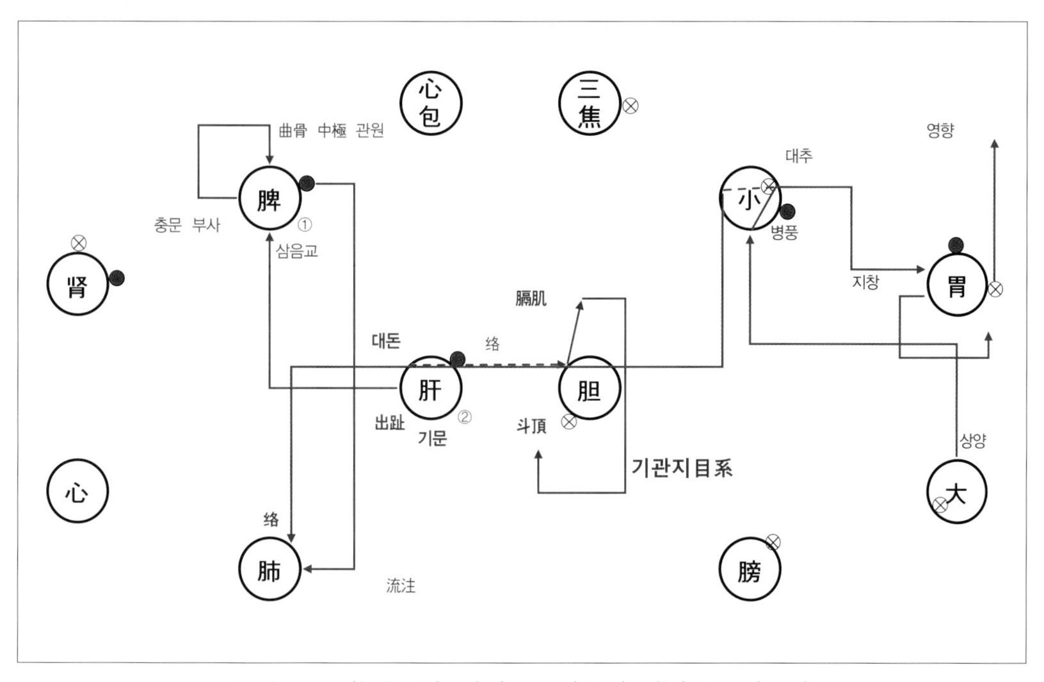

그림 17 상합(相合, 金): 간(肝)과 대장(大腸) 경(經)의 유주(流注)

나. 심(心)과 방광(膀胱) 경의 유주(流注)

청색은 방광경(膀胱經), 적색은 심경(心經) 유주(流注), 형혈에 해당한다. 심경이 방광경에 접하고 담경에서 회(會)한다. 심경은 유주상 어떤 경과도 회합하지 않으나 방광경기(膀胱經氣)가 심중을 관통한다. 양경(兩經)이 상합(相合)하여 목상을 창조하는데 이는 담(膽)의 기능에 해당한다. 예를 들어 "양수편고(陽水偏枯) 위지반신불수(謂之 半身不遂)"라는 사암의 사고를 적용하여도 양경의 상합 관계를 이해할 수 있다. 양수는 방광한수(膀胱寒水)이며 부족(不足)시 반신불수가 된다. 이는 중풍 증세이며 환자는 반신불수(半身不遂) 또는 그에 해당하는 증상을 갖게 된다. 따라서 증상에 의해 신체는 정상적 활동이 불가하므로 비정상적 목상이라 할 수 있다. 중풍 환자의 혈압 이상, 언어 이상, 뇌 기능 저하, 소변불리(小便不利), 요실금(尿失禁) 등은 기본적으로 형혈(滎穴)의 상합 불리가 원인이다. 또한 담주골이므로 특히 관절의 변형, 염증 등도 기본적으로 형혈의 불리로 해석한다.

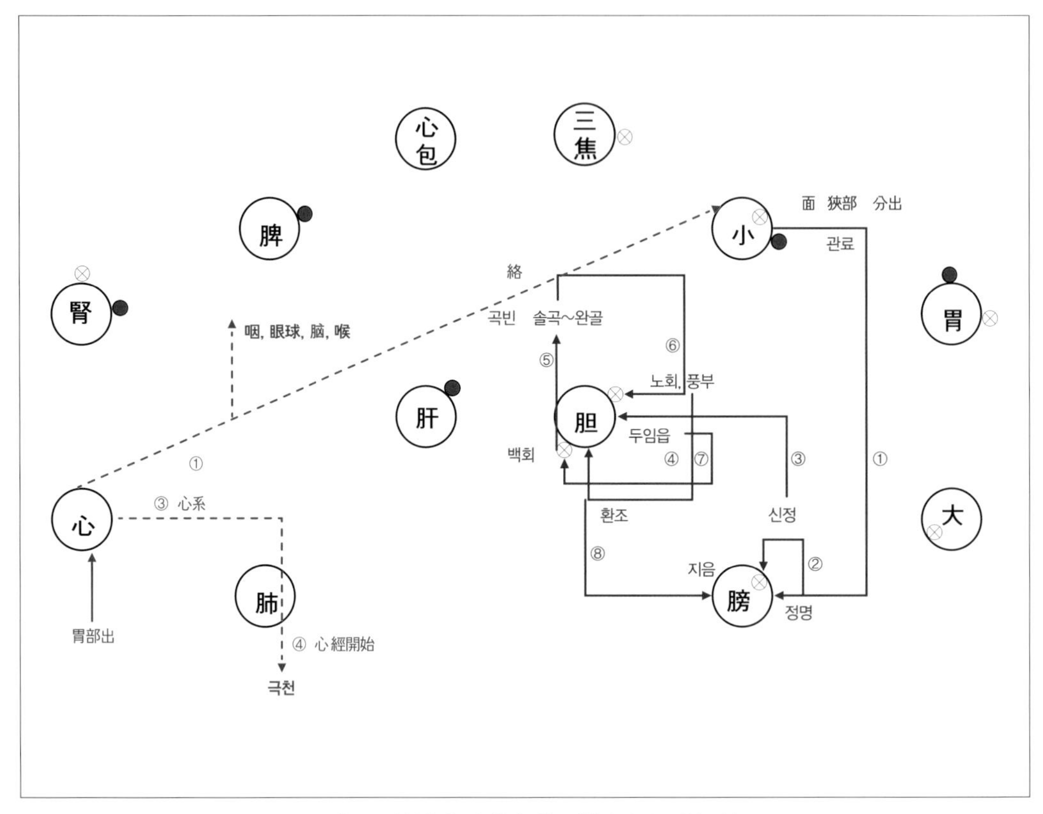

그림 18 심(心)과 방광(膀胱) 경(經)의 유주(流注)

다. 비(脾)와 담(膽) 경의 유주(流注)

청색은 담, 적색은 비경의 유주, 수혈에 해당한다. 양경(兩經)이 위(胃)에서 회합하고 상합하여 토상을 창조한다. 따라서 토상은 위의 기능에 해당한다고 해석할 수 있다. 중초기능에 해당하며 토는 불균형을 중화 조절한다. 담이양부지왕(膽而陽腑之旺)이므로 비(脾)에 의해 부(腑) 기능이 좌우된다.

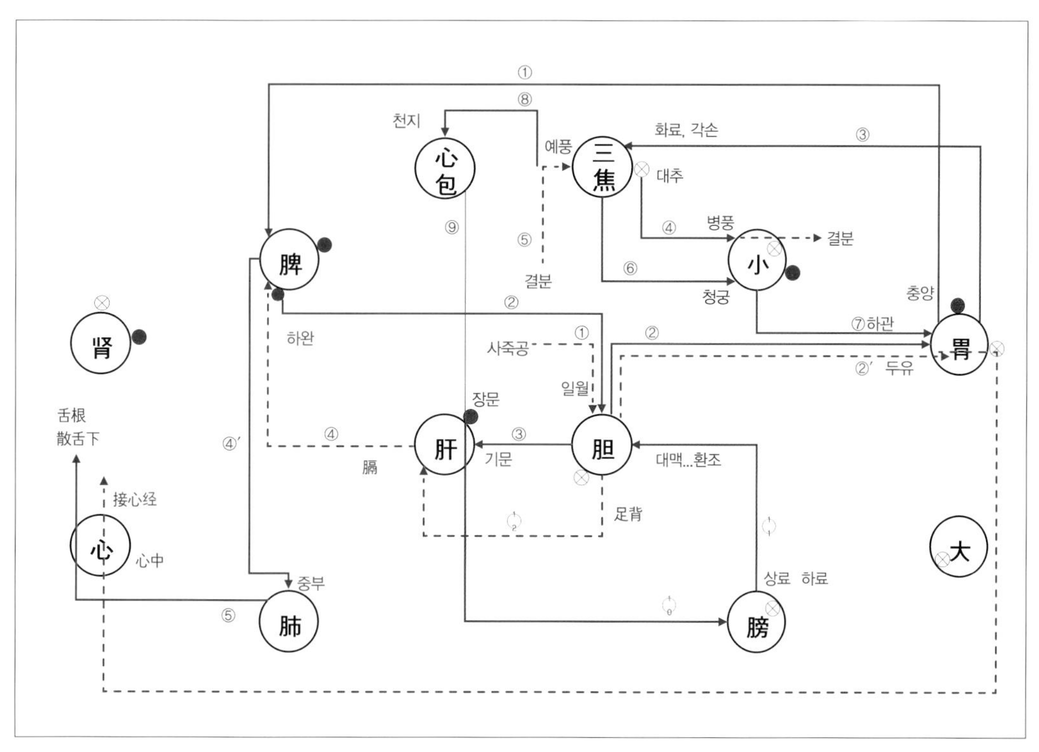

그림 19 비(脾)와 담(膽) 경(經)의 유주(流注)

라. 폐(肺)와 소장(小腸) 경의 유주(流注)

청색은 소장 적색은 폐의 유주, 경혈(經穴)에 해당한다. 경혈은 음금(陰金)과 양화(陽火)가 상합하여 수상을 창조한다. 양경(兩經)의 유주는 방광에서 회(會)한다. 경혈은 방광기능을 의미한다. 삼초는 소장 화(火)의 상화(相火)로 소장이 폐와 상합(相合)하므로 삼초도 폐와 상합(相合)한다고 해석된다.

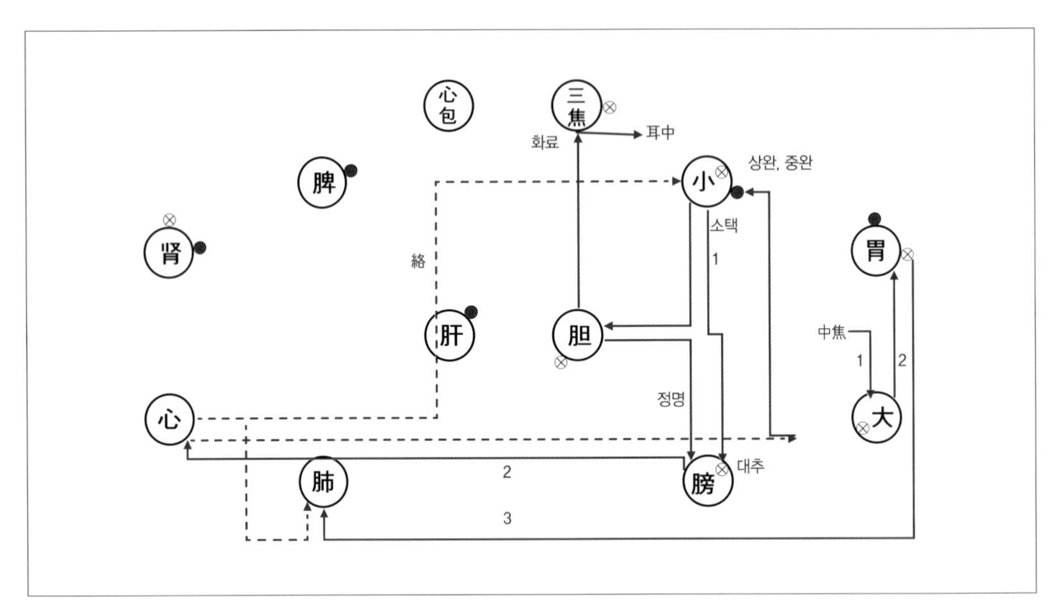

그림 20 폐(肺)와 소장(小腸) 경(經)의 유주(流注)

마. 신(腎)과 위(胃) 경의 유주(流注)

청색은 위, 적색은 신경 유주로 합혈(合穴)에 해당한다. 양경(兩經)은 상합하여 화상을 창조한다. 화는 음화로 심포화(心包火)에 해당한다. 토극수의 관계이며 맥(脈)을 주(主)한다. 위주혈과 일치한다. 정혈부터 합혈까지 정혈은 금상으로 폐 기능과 같으므로 기를 주하고 합혈은 화상으로 심포 기능이며 혈을 주한다 정(井)·합혈(合穴)은 음(陰)기능, 형(滎)·수·경혈(經穴)은 양(陽) 기능으로 구성되었다. 정혈부터 합혈까지 순서대로 음장과 양부는 상생으로 진행되나 상합 후에 창조된 정혈부터 합혈까지는 상극으로 진행한다. 극중유생이다.

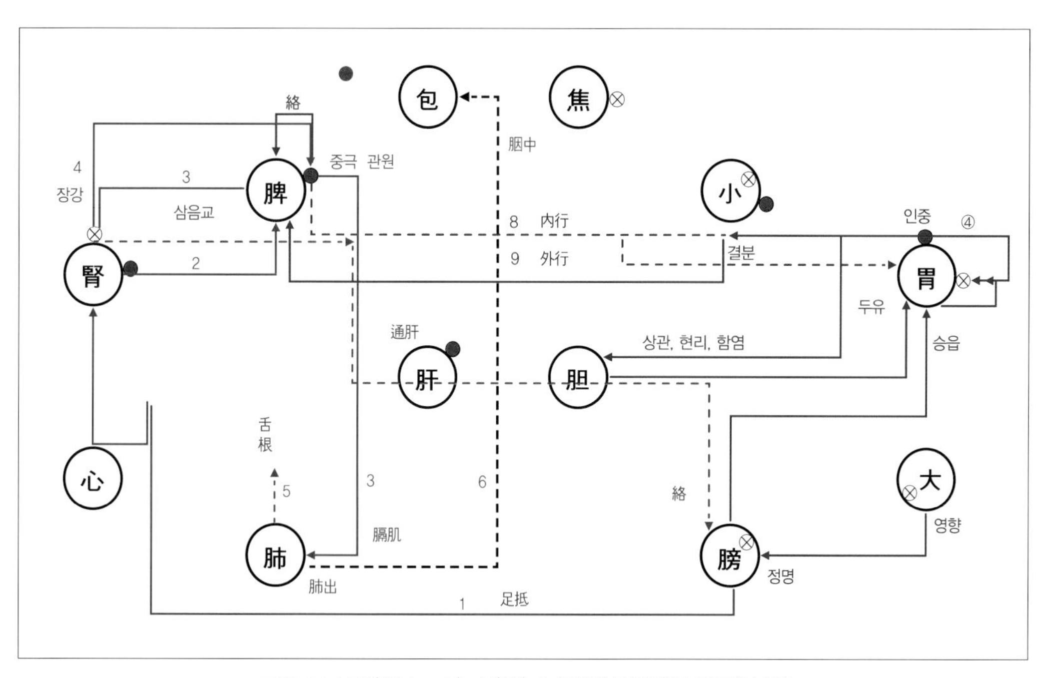

그림 21 상합(相合, 火): 신(腎)과 위(胃) 경(經)의 유주(流注)

3.1 장·부와 팔맥교회혈(八脈交會穴)의 구성

팔맥교회혈(八脈交會穴)을 장·부에 연계하였다. 약 360여 혈을 오행(五行) 이론(理論)으로 각경 5혈씩 60혈로 오수혈이 조성되었고, 대표적인 8맥을 선정하여 팔맥 교회혈이 되었다.

대맥(帶脈)은 족(足) 임읍(臨泣), 충맥(衝脈)은 공손(公孫), 양유맥(陽維脈)은 외관(外關), 음유맥(陰維脈)은 내관(內關), 독맥(督脈)은 후계(後谿), 임맥(任脈)은 열결(列缺), 양교맥(陽蹻脈)은 신맥(申脈), 음교맥(陰

蹻脈)은 조해(照海)와 통한다.

<table>
<tr><th colspan="3">표. 팔맥교회혈(八脈交會穴)</th></tr>
<tr><th>八穴</th><th>通하고 있는 血脈</th><th>會合穴</th></tr>
<tr><td>足太陰: 공손(公孫)</td><td>충맥(衝脈)</td><td rowspan="2">心, 胸, 胃(内臟)</td></tr>
<tr><td>手厥陰: 내관(內關)</td><td>음유맥(陰維脈)</td></tr>
<tr><td>手太陽: 후계(後谿)</td><td>독맥(督脈)</td><td rowspan="2">項部, 肩胛部, 耳, 内眼角(外經)</td></tr>
<tr><td>足太陽: 신맥(申脈)</td><td>양교맥(陽蹻脈)</td></tr>
<tr><td>足少陽: 임읍(臨泣)</td><td>대맥(帶脈)</td><td rowspan="2">項部, 肩胛部, 頰, 耳, 外眼角(外經)</td></tr>
<tr><td>手少陽: 외관(外關)</td><td>양유맥(陽維脈)</td></tr>
<tr><td>手太陽: 열결(列缺)</td><td>임맥(任脈)</td><td rowspan="2">咽喉, 胸膈(内臟)</td></tr>
<tr><td>足少陰: 조해(照海)</td><td>음교맥(陰蹻脈)</td></tr>
</table>

참고로 오수혈(五輸穴)은 12경맥 안에 목화토금수(木火土金水)의 성질을 가진 혈들의 조합으로 다음 표과 같이 요약된다.

경락		井 (木, 金)	滎 (火, 水)	俞 (土, 木)	經 (金, 火)	合 (水, 土)
金	수태음폐경	소상(少商)	어제(魚際)	태연(太淵)	경거(經渠)	척택(尺澤)
	수양명대장경	상양(商陽)	이간(二間)	삼간(三間)	양계(陽谿)	곡지(曲池)
土	족양명위경	여태(厲兌)	내정(內庭)	함곡(陷谷	해계(解谿)	족삼리
	족태음비경	은백(隱白)	대도(大都)	태백(太白)	상구(商丘)	음릉천
火	수소음심경	소충(少衝)	소부(少府)	신문(神門)	영도(靈道)	소해(少海)
	수태양소장경	소택(少澤)	전곡(前谷)	후계(後谿)	양곡(暘谷)	소해(小海)
水	족태양방광경	지음(至陰)	통곡(通谷)	속골(束骨)	곤륜(崑崙)	위중(委中)
	족소음신경	용천(涌泉)	연곡(然谷)	태계(太谿)	부류(復溜)	음곡(陰谷)
火	수궐음심포경	중충(中衝)	노궁(勞宮)	대릉(大陵)	간사(間使)	곡택(曲澤)
	수소양삼초경	관충(關衝)	액문(液門)	중저(中渚)	지구(支溝)	천정(天井)
木	족소양담경	규음(竅陰)	협계(俠谿)	임읍(臨泣)	양보(陽輔)	양릉천
	족궐음간경	대돈(大敦)	행간(行間)	태충(太衝)	중봉(中封)	곡천(曲泉)

결국 오수혈(五輸穴) 배합으로 팔맥교회혈(八脈交會穴)을 배혈한다면 다음 표와 같이 나타난다.

오수혈(五輸穴)		음경(陰經)	양경(陽經)
정(井)	간(肝) 질환 주치	대돈(大敦)	상양(商陽)
형(滎)	심(心) 질환 주치	내관(內關)	신맥(申脈)
수(腧)	비(脾) 질환 주치	공손(公孫)	임읍(臨泣)
경(經)	폐(肺) 질병 주치	열결(列缺)	후계(後谿), 외관(外關)
합(合)	신장(腎臟) 질환 주치	조해(照海)	삼리(三里)

아래 그림은 팔맥교회혈이 임맥(염천, 천돌)과 독맥(풍부, 아문)을 경유하여 뇌에 진입됨을 보여 주며, 비와 담은 상합하여 토(土)가 된다. 심포와 삼초는 상화이며, 방광과 신은 수(水)이므로 팔맥교회혈의 내면적 기능은 토(土), 화(火), 수(水)로서 인체의 생리 활동이 토(土)의 중재 하에 화(火)와 수(水)의 대립 관계로 해석할 수 있다. 목과 금은 배제되었는데 이는 목의 성장, 금의 수렴작용(收斂作用)으로 화, 수의 대립 기능을 보조한다는 의미가 된다. 또한 신, 방광이 족(足), 폐, 소장이 수(手)이고 족과 연계되며 담, 비가 체(體), 심포, 삼초가 심(心), 독, 임맥이 뇌(腦)를 주관함을 알 수 있다. 수(手)는 수장(열결, 조해), 족은 과(조해, 신맥)에 분포되어 있으나 팔, 다리 전체를 주관한다고 해석된다. 즉 팔맥 교회혈(八脈交會穴)은 인체를 두뇌(頭腦), 몸체(身體), 심장(心臟, 혈순환), 수(手), 족(足)으로 구분한 기본적인 경맥(經脈)임을 알수 있다.

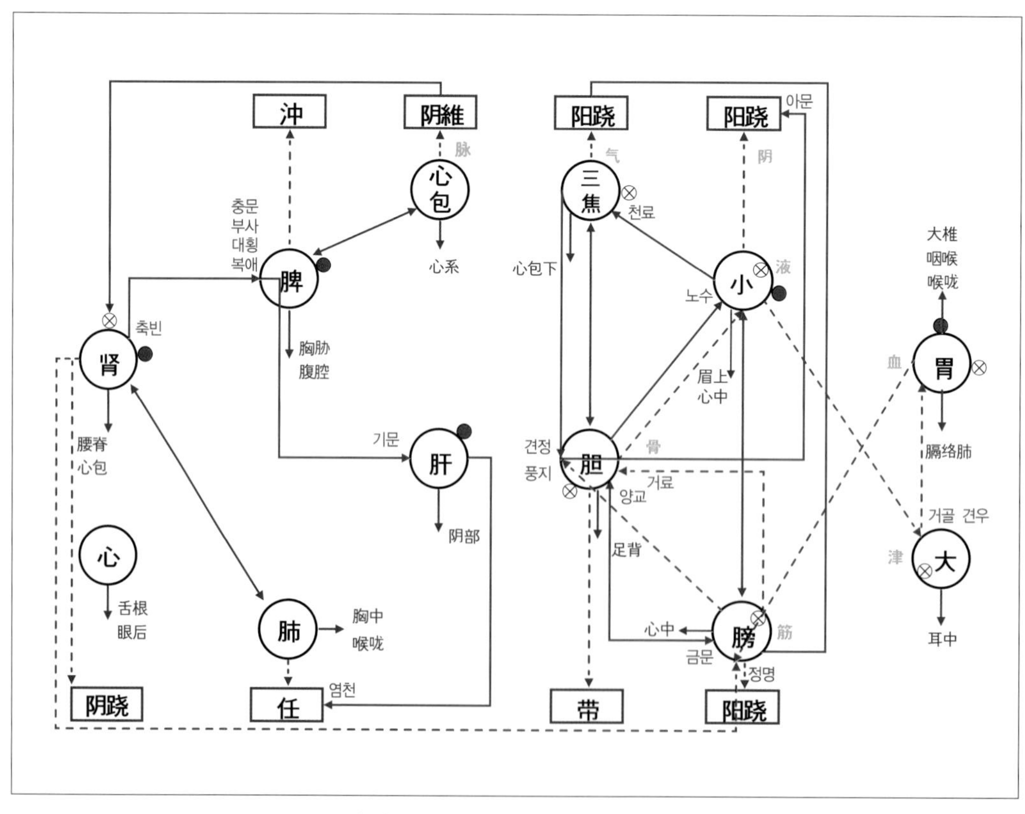

그림 22 장(臟)·부(腑)와 팔맥교회혈(八脈交會穴)의 구성

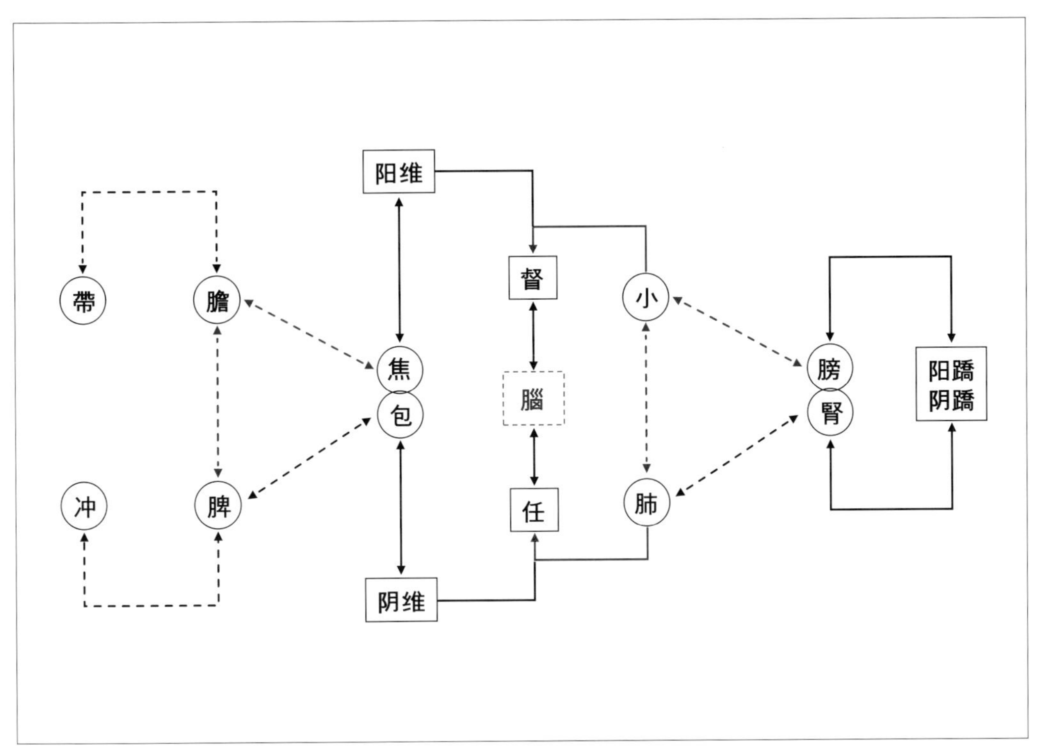

그림 23 팔맥교회혈(八脈交會穴)

[장부의 주 기능 이해]

장(腸)의 주 기능에 대한 기능은 잘 알고 있지만 부(腑)의 주 기능 역시 이해해야 한다.

대장주진, 소장주액, 방광주근, 담주골(관절), 초주기(및 뇌신경) 포주맥 6부의 문제는 급성이기 때문에 반드시 숙지해야 한다.

- **위주혈:** 간(肝)에 저장된 혈액(血液)을 온몸으로 돌리는 것이 위(胃)의 기능이라는 말이다.
- **대장주진:** 간(肝)에 저장된 혈(血)을 진(津)으로 바꾼 뒤 이 진액(津液)을 온몸으로 분포한다. 피부(皮膚)가 건조하거나 변비(便秘) 등 진(津)을 주관하는 대장(大腸)이다.
- **방광주근:** 양수(陽水)가 부족하면 사지불수(四肢不隨)가 된다. 양수(陽水)란 방광수(膀胱水)로, 방광의 양수가 근(筋)을 자양하지 못하면 나무가 마르듯 전신 근육도 뒤틀려 움직임이 자유롭지 못한다.
- **소장주액:** 소장(小腸)이 전신의 액(관절의 활액) 등을 주관한다. 오십견(五十肩) 증상에 소장경을 이용하는 것은 여기에 근거(根據)한다. 노년에서 많이 나타나는 무릎 통증(痛症)은 같은 활액의 문제이나 심장(心臟)과 소장(小腸) 문제로 두개 장부를 잘 봐야 한다.

- **심포주맥:** 심포(心包)가 안정적인 맥(脈)을 유지하게 한다. 부정맥(不整脈) 등 심장(心臟)의 물리적인 활동을 심포(心包)가 주관한다.
- **삼초주기:** 인체(人體)의 항상성(homeostasis) 및 교감(交感) 및 부교감(副交感)신경은 삼초(三焦)가 주관한다. 한의학적으로 생각하면 삼초(三焦)와 상합(相合)관계인 폐(肺)는 호흡(呼吸) 시 대기 중 산소(酸素)를 몸 안으로 빨아들이며, 삼초(三焦)는 이를 각 세포에 전달한다.

3.2 장(臟)·부(腑)간의 관계

– 상합(相合), 표리(表裏), 상교(相交), 상통(相通), 교통(交通)

장(臟)·부(腑) 간의 관계 중 상합(相合)이론은 오수혈(五輸穴) 배혈의 기본 이론(상합–相合)으로 오종(五種)의 관계이며 이에 상화(相火)가 포함되며 장, 부간의 관계는 육종(상통)이 된다.

태음은 태양, 소음은 소양, 궐음은 양명과 상통하며 수태음은 족태양, 족태음은 수태양 수소음은 족소양, 족소음은 수소양, 수궐음은 족양명, 족궐음은 수양명과 상통(相通)관계이다.

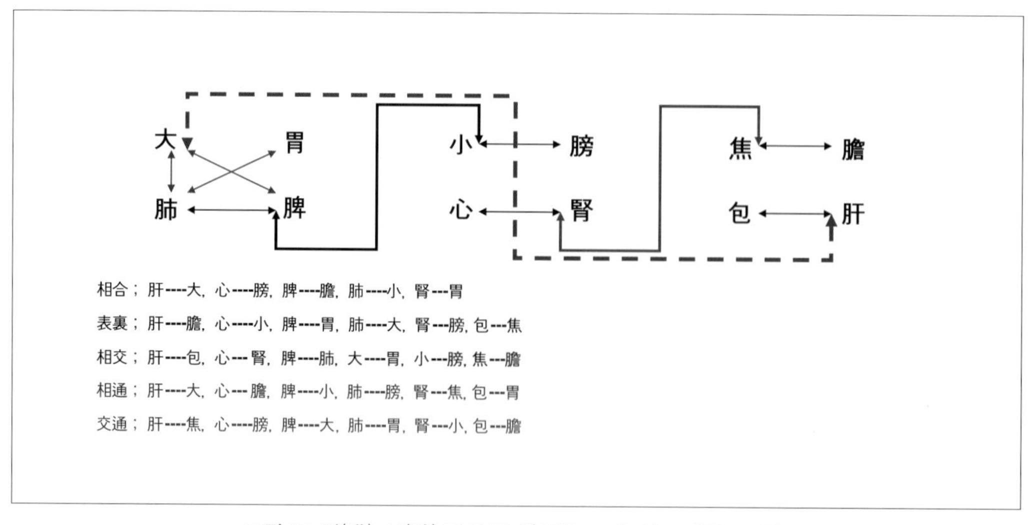

그림 24 장(臟), 부(腑) 간의 관계(상합, 표리, 상교, 상통, 교통)

예를 들어 폐와 관계되는 장.부와의 관계를 다음과 같이 표시할 수 있다.

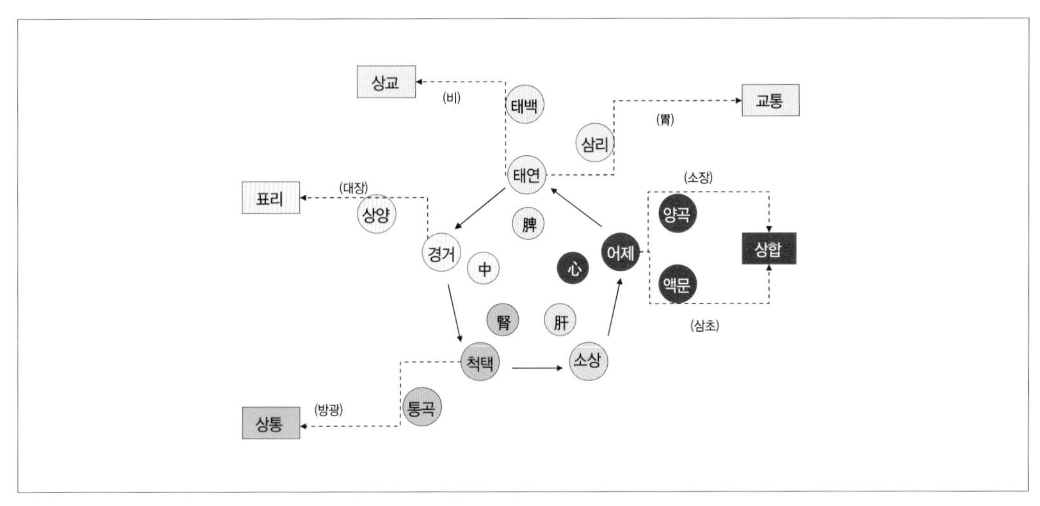

그림 25 폐(肺와) 관계(關係)되는 표리(表裏), 상교(相交), 교통(交通), 상통(相通), 상합(相合)의 구성도(構成圖)

오수혈 각 경의 본(간대돈, 심소부, 심포노궁, 비태백, 폐경거, 신음곡, 대장 상양, 방광 통곡, 담족임읍, 소장양곡, 삼초지구, 위족삼리)은 타경(他經)의 원(原)으로 해석한다.

즉, 대돈은 심소충, 심포중충, 비은백, 폐소상, 신용천의 원(原)으로 각 경(經) 목경기(木經氣)의 원(原)이며 음중구양(陰中求陽)이므로 대돈은 양경의목(대장삼간, 방광속골, 담족임읍, 소장후계, 삼초중저 위함곡)의 원(原)으로도 해석한다. 즉, 족임읍을 보, 사하면 6양경의 목혈 기능에 영향을 주고 대돈을 보, 사하면 12경 전체의 목혈 기능에 영향을 준다. 그러므로 각 경(經)의 목(木)을 보, 사하는 방법과 대돈과 함께 보, 사하는 것은 상당한 차이가 있다.

참고로 장부(臟腑)의 기본 혈자리는 다음과 같다.

장(臟)	오수혈	대표혈	부(腑)	오수혈	대표혈
간(목)	정(井)	대돈	대장(금)	정(井)	수삼리
심(화)	형(滎)	소부	방광(수)	형(滎)	통곡
심포	형(滎)	노궁	담낭(목)	수(俞)	임읍
비(토)	수(俞)	태백	소장(화)	경(經)	양곡
폐(금)	경(經)	경거	삼초	경(經)	지구
신(수)	합(合)	음곡	위(토)	합(合)	족삼리

[신(腎)과 위(胃)의 상합 관계]

신장(腎臟)과 위장(胃腸)은 무(戊, 胃土) 계(癸, 腎水)의 관계로 오수혈의 합혈(合穴)에 해당한다. 신(腎)과 위(胃)의 상합(相合) 관계로 인해 화(火)를 만들며 오수혈의 합혈은 신도 위도 아닌 화(火)라고 이해한다. 화(火)는 유주상으로 심포화를 말한다. 심포화는 주맥의 역할을 한다.

온 몸에 혈액(血液)이 산포되는 것은 심포화의 영향(影響) 하에 있다고 본다. 모든 혈관이 심장과 연결된 것과 같은 신과 위의 상합 관계는 내관(內關)혈(穴)의 기능으로 알 수 있으며 내관혈이 심(心)·흉(胸)·위(胃)의 증세를 조절할 수 있다는 선인들의 의견과 일치한다.

오수혈의 합혈(合穴)의 임상 응용은 주로 만성 질환(慢性疾患)에 광범위하게 사용할 수 있다.

특히 노년(老年)에 나타나는 각종 혈관(血管) 질환과 음양(陰陽)의 부조화(不調和)의 조절(調節) 등에 적용한다. 모든 증세는 정·형·수·경·합 등 오수혈 모두에서 나타날 수 있다. 하지만 특히 심혈관(心血管) 증상과 고령화로 인한 신(腎) 기능(機能) 저하(低下) 등으로 나타날 수 있는 증상에 사용한다고 이해한다. 즉 마지막 단계에 이른 각종 만성 질환(慢性疾患)에 적용한다고 보면 된다.

예를 들어 위(胃)는 주혈(主血)한다. 고령으로 인한 위(胃) 기능(機能) 저하(低下), 위한(胃寒)으로 인한 소화 기능(消化器能) 저하(低下), 심혈관(心血管) 증상이 복합적으로 연관되어 만성 질환의 마지막 단계에서 나타날 수 있다.

[간(肝)과 대장(大腸)과의 상합 관계]

대장(大腸)의 경우, 상양에서 시작해서 소장경과 회(會)한 뒤 소장경을 경유, 폐(肺)로 낙하(洛下)하고 원(原) 지류는 대추를 거쳐 위(胃)로 향한다. 이후 위(胃)에서 본 대장경이 유주한다. 간경은 대돈(大敦)에서 시작하여 삼음교(三陰交) 즉 비경(脾經)과 회(會)하고 하지(下肢)를 상승, 음부를 돌아 간을 통과 지맥이 폐로 흐른다. 간에서 동시에 담으로 낙하는 본류가 유지된다.

우리가 많이 사용하는 사관혈인 합곡과 태충 역시 폐 기능을 상승시킨다. 폐(肺) 기능은 뇌(腦)를 자극해 정신이 맑아지도록 하는 것과 관계 있다. 합곡(合谷)과 태충(太衝)은 경락 상 간과 대장에 속해 있기 때문에 오수혈의 정혈(井穴) 기능을 한다고 볼 수 있다.

또 혼미(昏迷) 상태(狀態)에서 십선(十宣)을 사용하는 이유 역시 정신이 돌아오게 하는 것이다. 이 같이 정혈을 성뇌(醒腦)하는데 사용하는 것을 보면 정혈들과 손끝, 발끝 부위는 역시 폐(肺)의 영역인 것이다.

폐(肺)의 역할 중 하나인 폐주피모(肺主皮毛)를 연상해 보면 폐의 영역에 속한 합곡(合谷)과 태충(太衝)혈 역시 피부 질환에 쓸 수 있지 않을까 생각해 본다. 피부에 나타나는 제증상에 사용할 수 있는 대장경의 대장의 역할 중 하나는 대장주진(大腸主津)이다.

피부 질환 환자를 치료하면서 진(津)을 생각할 때 진(津)이 간(肝)으로부터 얻어지는 것이기 때문에 대장경 단독(單獨)으로 생각하는 것보다 간(肝)의 기능까지 두루 살펴가면서 진료하는 것이 더욱 효과적이다.

일반적으로 한의학을 공부하면서 해당 경의 혈자리 순서대로만 외우거나 해당 경락의 흐름만을 단편적으로 외울 경우, 이 같은 개념이 낯설 수 있다. 하지만 실제 경락이 개별적으로 움직이는 것이 아니라 유기적(有機的)으로 연결되어 있다는 개념에서는 개별 경락의 흐름과 함께 다른 경락과 어우러져 상호 작용(相互作用)하는 역학(力學) 관계(關係)를 살필 수 있어야 한 단계 높은 진료가 가능할 것이라 생각한다.

환자 치료 시 폐 정·승·한·열격의 비중이 거의 30~40%를 차지한다. 인체의 기(氣)의 대사(代謝)임과 동시에 현대인의 다양한 생활 습관으로 인한 기력(氣力) 저하가 원인일 것이다. 또 정혈이 오수혈의 시작이듯 인체 활동의 기본이 폐(肺)의 기능이 아닌가 한다.

[비(脾)와 담(膽)의 관계]

오수혈에서 비(脾)와 담(膽)의 관계는 수(兪)혈의 개념으로 중앙토의 개념을 가진 상합 관계로 본다. 오수혈에 있어 음장인 간심비폐신의 정·승·한·열격을 쓸 때 오수혈은 반드시 상합 관계라는 전제가 있어야 한다. 간경을 치료하려면 동시에 대장이 같이 영향을 받는다. 비경(脾經)의 사암침법을 쓰면 비장(脾臟) 뿐 아니라 담(膽)에 까지 침 치료의 영향을 준다는 것을 전제로 한다.

아울러 이는 상합(相合)이고 오행이 육기로 발전된 것이기 때문에 육기에 해당하는 상통(相通) 관계 또한 반드시 염두에 두어야 한다. 따라서 진단 시 상합(相合)과 상통(相通) 관계를 동시에 고려해 하기를 바란다.

족태음비를 중심으로 보았을 때 비(脾)와 상합(相合)하는 장기는 족소양담이며 수태양소장과 상통(相通)하기 때문에 상합(相合) 관계에 해당하는 담(膽)을 살피고 상통에 해당하는 소장(小腸)의 상황도 동시에 진단해야 비장(脾臟)의 현재 상태를 보다 더 정확하게 파악할 수 있다.

진단(診斷)은 맥진(脈診)이나 복진(腹診), 근육(筋肉), 경락(經絡), 정신(精神)이나 담(膽)이나 소장(小腸)의 상태가 인체(人體) 상태에 미치는 영향을 살피는 것을 말한다.

비(脾)와 담(膽)의 상합(相合)은 토상(土像)을 창조한다. 이는 위(胃)의 기능과 일치한다고 보면 편하다. 또 토상(土像)이란 경락학적으로 봤을 때 비경(脾經)과 담경(膽經)을 더하면 위(胃)의 기능이 된다고 풀이할 수도 있다.

[심장(心臟)과 방광(膀胱) 관계]

이 두 관계는 방광(膀胱) 주근의 의미를 되새겨야 할 필요가 있다. 일반적으로 방광경(膀胱經)이 신체의 뒷 부분에 광범위하게 흐르고 있기 때문에 주로 방광 경락의 유주만 생각한다. 임상에서 보면 대부분의 근육통(筋肉痛)은 방광경을 따라 발생해서 방광경을 치료하지만 방광경이 유주하는 곳 이외의 근(筋) 문제에 있어 방광(膀胱)과 근(筋)의 관계를 많이 생각하지 않는 것이 현실이다.

잊지 말아야 할 부분은 방광경 경락의 흐름 외에도 인체의 각 부분의 근(筋)의 활동이 방광 기능의 영역에서 벗어날 수 없다고 이해하는 것이 좋다.

3.3 오행과 상(五行·象)

오 행 (五行)

- 음(陰)과 양(陽)이 혼합(混合)하는 과정(過程).
- 음(陰)과 양(陽)의 정지 상태의 기본(基本) 물질(物質)이 아닌 순환(循環) 운동(運動)을 하는 힘.
- 음(陰)과 양(陽) 각각의 다섯 요소(要素) 사이의 상대적(相對的) 성질(性質)을 분류(分類)하는 것을 주체(主體)로 한다.
- 음(陰)과 양(陽) 사이에는 온화(溫和)하고 평화적(平和的)인 교체(交替)와 순환(循環)이 끊임없이 되풀이된다.
- 순환(循環), 혼합(混合), 과정(過程)을 상합(相合), 상통(相通), 상교(相交), 표리(表裏), 교통(交通)으로 설명(說明)한다.

상(象)

- 육체적(肉體的) 동정(動靜)은 형(形)에 있고 정신적(精神的) 동정(動靜)은 상(象)에 있다.
- 칠정(七情) 육감(六感)은 상(象)으로만 표현(表現)되므로 상(象)을 통하여 정신(精神)을 알 수 있다.
- 무형(無形)이 유형(有形)으로 전환(轉換)되는 과정(過程)에서 나타난다.
- 상(象)의 관찰(觀察)은 사유(事由)와 인식(認識)에 의하여 가능하다.
- 표면(表面)에서 율동(律動)하는 생명력(生命力)이며 운(運)이다.

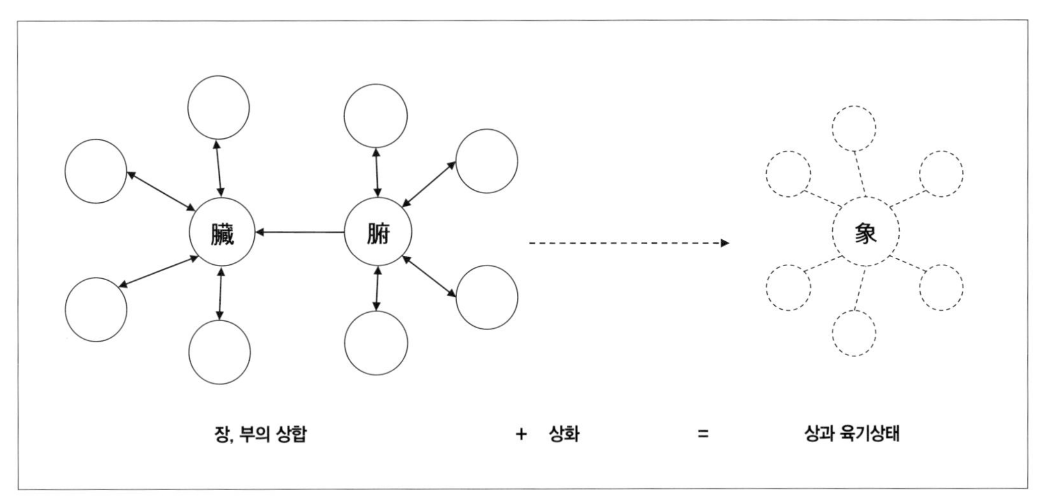

그림 26 장(臟)·부(腑)의 상합(相合) 후 상(象)과 육기 상태

상합(相合)은 음양(陰陽)의 기본(基本)이며 상합(相合)된 상(象)은 상화(相火)의 영향으로 육기(六氣)의 영향을 받는다.

인체(人體) 생리(生理) 기능(機能)의 기본은 오행(五行)(오수혈)이며 주변 환경은 육기(六氣)(육경)의 영향을 받는다.

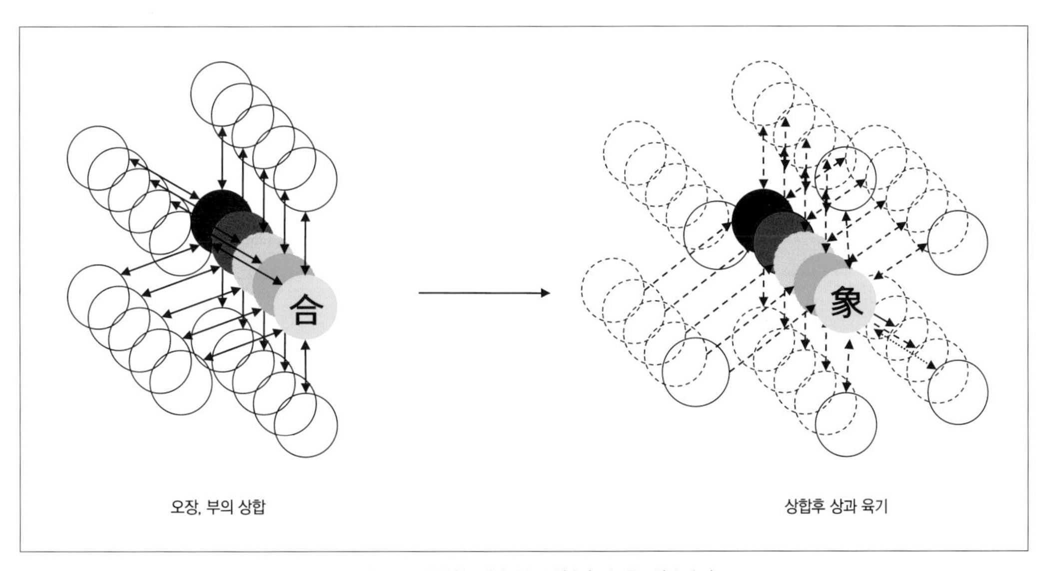

그림 27 상합(相合) 후 상(象)과 육기(六氣)

舍岩의 思考

[병증(病症) 해설 및 배혈(配穴) 해석]

4. 인체 부위의 오행(五行) 적용

4. 인체 부위의 오행(五行) 적용

신체의 오행적 구분은 사암의 병증 진단시 기록된 내용을 참조하고 이론으로 확인된 내용이다.

인체(人體)의 모든 부위는 12경의 영향을 받으나 부분별로 특정(特定)한 경(經)이 주(注)한다는 의미로 해석한다.

“금(金)”으로 표기된 부위는 손끝에서 첫 관절까지로 각 경의 정혈에 해당한다. 정혈(井穴)은 음목과 양금의 상합(相合)이므로 간(肝)과 대장(大腸)의 관계에 해당한다.

“목(木)”으로 표기된 부위는 첫 관절에서 수장까지로 각 경의 형혈에 해당한다. 형혈(形穴)은 음화와 양수의 상합(相合) 관계이므로 심(心)(심포,心包)과 방광(膀胱)의 관계에 해당한다.

“토(土)”로 표기된 부위는 “목” 끝 부위부터 완관절까지로 각 경의 수혈에 해당한다. 수혈은 음토와 양목의 상합(相合) 관계이므로 비(脾)와 담(膽)의 관계에 해당한다.

“수(水)”로 표기된 부위는 완관절(腕關節)에서부터 주관절까지로 각 경의 경혈에 해당한다. 경혈(經穴)은 음금(陰金)과 양화(陽火)의 상합(相合) 관계이므로 폐(肺)와 소장(小腸)(삼초)의 관계에 해당한다.

“화(火)”로 표기된 부위는 주관절부터 견관절(肩關節)까지로 각 경의 합혈(合穴)에 해당한다. 합혈(合穴)은 음수와 양토의 상합(相合) 관계이므로 신(腎)과 위(胃)의 관계에 해당한다.

위의 사항을 임상에 적용하여 진단 활용이 가능하다. 예를 들면 관절염 환자가 수지(手指)의 두 번째 관절부터 이상이 발생했다면 이는 형혈(滎穴)에 해당하므로 우선은 심(心)과 방광(膀胱)의 기능(器能)을 점검하며, 동시에 골(骨)은 음(陰)적으로는 신(腎)이 주(注)하나 양(陽)적으로는 담주골(膽注骨)임을 감안하여 진단한다. 또한 다섯 수지(手指) 중 어떤 수지(手指)부터 문제가 생겼는지 확인하여 각 수지의 해당 경을 참조하여 진단한다.

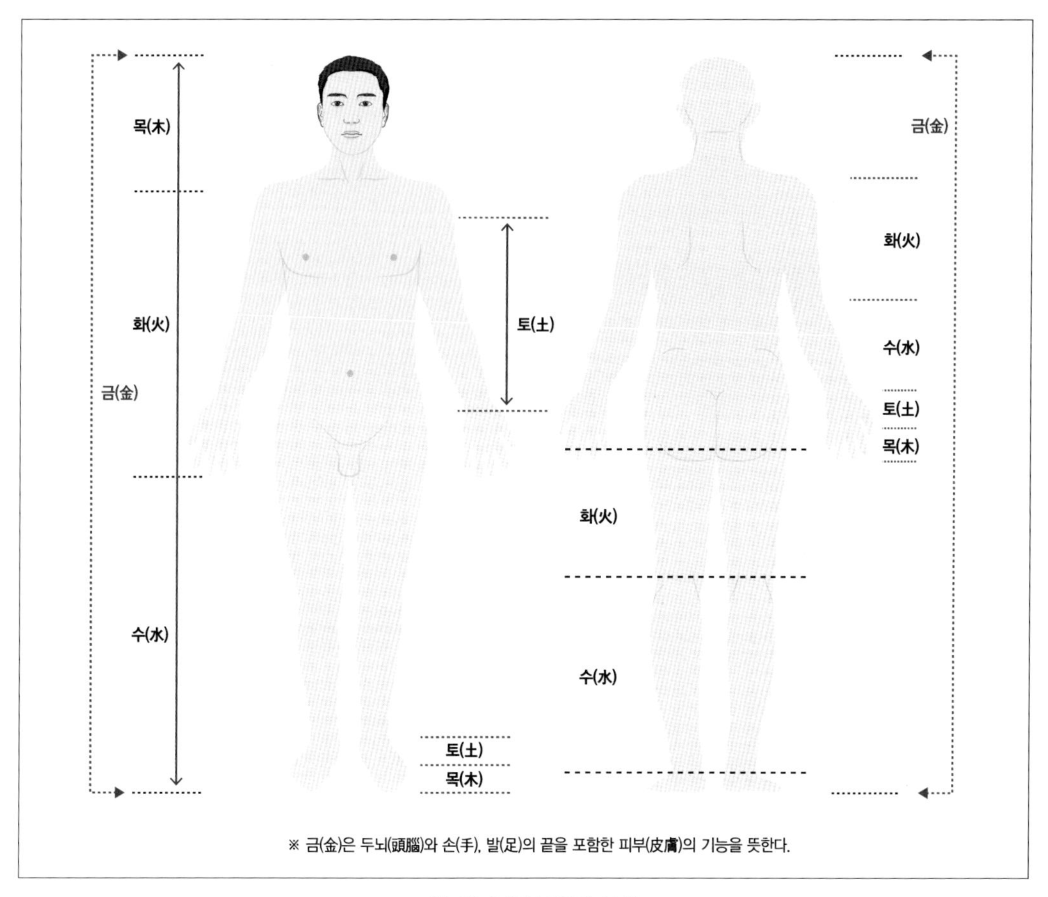

※ 금(金)은 두뇌(頭腦)와 손(手), 발(足)의 끝을 포함한 피부(皮膚)의 기능을 뜻한다.

그림 28 인체 부위의 오행

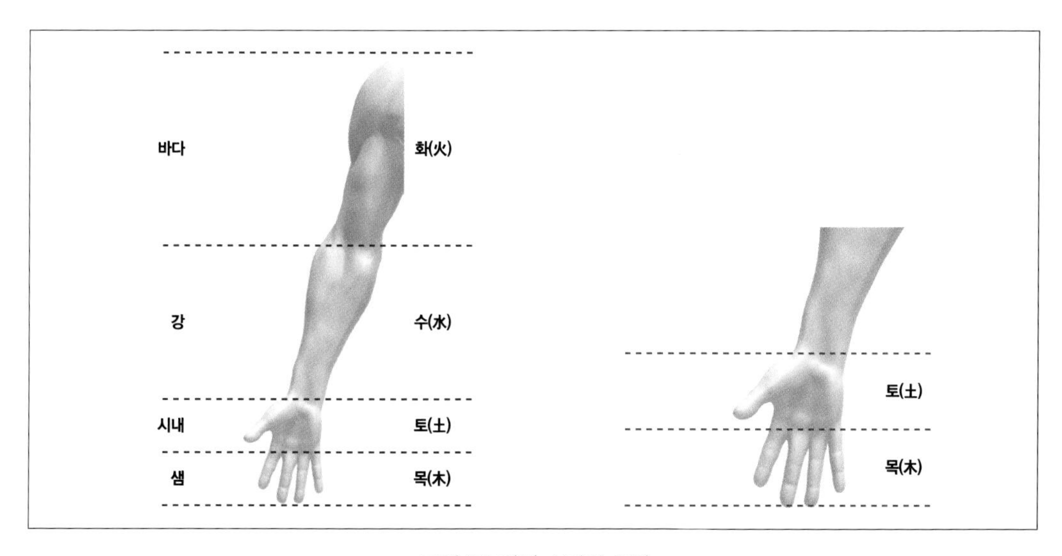

그림 29 인체 수지의 오행

舍岩의 思考

[병증(病症) 해설 및 배혈(配穴) 해석]

5. 정·승·한·열격 (正·勝·寒·熱格)의 해석

5. 정·승·한·열격(正·勝·寒·熱格)의 해석

정·승·한·열격(正·勝·寒·熱格)은 사암이 창안한 배혈 방법으로 실제 임상에서는 유주 방향의 정·역 방향으로 시술한다. 오행 침법의 보사법과 같다. 한·열격은 배혈 내역이 승격과 같은 의미이므로 정·승격에 대해서만 설명한다. 정(正)·승(勝)이라는 표현은 해당 경의 해당 혈 기능이 문제가 아니라 주변의 문제라는 뜻이다. 수 백년 전의 일반적 의식은 주변 환경의 영향이 절대적이었으며 특히 계절 변화를 중심으로 판단하고 실행하였다. 이러한 사고(思考)는 계절이 봄으로 바뀌었는데도 겨울이 끝나지 않은 듯 봄같지 않은 경우를 봄이 불급(不及)된 상태로 인식하였고, 또한 봄이 되었으나 여름의 기운(氣運)이 조기에 느껴지는 경우를 봄이 태과(太過)된 상태로 인식하였다.

부연하면 폐정격(肺虛證)인 경우 보(태연, 태백), 사(어제, 소부)로 배혈하였는데 이는 폐의 본(本)인 경거의 문제가 아니라 토(土)가 부족하거나 경거의 관인 화(火)가 과(過)하기 때문이다.

폐승격(肺實證)은 보(어제, 소부), 사(척택, 음곡)로 배혈하였다. 이 또한 폐의 본인 경거의 문제가 아니라 관인 화(火)가 부족하거나 관의 관인 수(水)가 과(過)하다는 뜻으로 보·사(補·瀉)가 아닌 정·승격으로 표현한 것이라 해석된다.

폐(肺) 열격은 보(補)(어제, 소부), 사(瀉)(척택, 음곡)로 배혈(配穴)하여 승격과 같으나 이는 폐(肺)의 경우에 국한된다.

이 경우에는 한(寒)·열(熱) 관계로 해석하는데 한(寒)하기에 보화하고 화(火)의 관인 수(水)를 사한 것이며, 폐(肺) 한(寒)격은 보(補)(척택, 음곡), 사(태백, 태연)로 배혈(配穴)하여 열하기에 보수하고 수(水)의 관인 토(土)를 사(瀉)하였다.

이는 정·승격과 한·열격을 해석하는 것에 차이가 있다. 증세를 정·승으로 이해하는지, 한·열로 이해하는지에 따라 다른 것은 동양의학적 이론 자체가 이해에 따라 달라질 수 있는 특수성 때문으로 해석한다. 따라서 승·한·열 삼격의 배혈(配穴) 의미가 같으므로 넓게는 정·승격으로 구분한다.

정격(正格)은 각 경의 본(폐경의 경거, 심의 소부와 같은 혈)의 문제가 아니라 다른 영향으로 기능이 비정상 및 저하된 것이다. 외부 요인으로 본 기능에 문제가 생기면 정격을 사용한다는 의미이다.

승격(勝格)은 본의 문제가 아닌 외부 영향으로 기능이 항진된 것을 치료하는 것이다. 때문에 사암 도인은 보법, 사법이 아닌 정격, 승격이라 말했다.

경거는 금의 금혈로 수렴 역할을 하며 비경의 상구, 심경의 영도, 간경의 중봉, 신경의 부류 등은 각 경락의 본으로 본다. 경거의 기운이 떨어지면 각경의 금 기운이 저하된다. 이것이 본이다.

정격의 예로 폐정격은 태연, 태백 보 어제, 소부를 사한다. 태연과 태백을 보하는 것은 경거를 돕는 토생금의 의미이다. 어제 소부는 화의 기운을 눌러 금을 살리는 것으로 경거를 살리는 의미로 화극금이다. 결국 경거를 돕는다. 즉 사암 침법은 본을 밀고 당기기 때문에 강력한 치료 효과가 있다.

폐승격(肺實證)의 경우, 소부, 어제보 음곡, 척택을 사한다. 소부, 어제를 보하는 의미는 화기를 강하게 하여 경거(금)를 누르기 위함이며 음곡, 척택을 사한 것은 경거를 누른 화를 돕기 위한 것이다. 결국 승격에서도 핵심은 경거에 있다.

침 4개를 놓는 것은 정격(正格)이든 승격(勝格)이든 각 경의 본을 돕기 위함으로, 이것이 정격과 승격의 개념이며 어떤 것을 사용해도 각 방의 구성이 추구하는 것을 분명히 알고 치료하는 것이 바른 사암 침법의 사용법이다.

한격(寒格)은 열증(熱症)에 사용하며 열격(熱格)은 한증(寒症)에 사용한다. 예를 들어 간한격은 행간, 소부를 보하고 음곡과 곡천을 사한다. 이는 보화사수(補火寫水)의 의미이다. 소부는 행간을 지원하며 각 경락 화혈(火穴)의 원천이다. 즉 '소부를 보'하는 것은 각 경락의 화혈을 모두 보하는 것이다. 음곡 또한 각 경의 수혈(水穴) 원천으로 수가 화를 극해 차가워지는 것을 막기 위해 사용한다. 한격을 최초에 생각한 것은 수(水)의 항진으로 너무 차가워지는 현상을 치료하기 위해서이다.

5.1 정·승·한·열격(正·勝·寒·熱格)의 운용론

침(針) 하나라도 적게 쓰는 것이 좋으므로 반드시 정해진 4개의 침자리를 다 쓸 필요는 없다고 생각한다. 정·승·한·열격(正·勝·寒·熱格)에는 반드시 원천 혈이 있으므로, 나머지 혈은 빼도 된다. 침을 놓는 순서 역시 얽매일 필요는 없다. 우선 자경을 취하고 원경을 사용할 것을 권한다.

혹 한격은 정승격의 승격과, 열격은 정격과 의미가 유사하다고 생각해 정격과 한격을 혼용해 쓰지 않으려는 경우도 봤다. 하지만 필자의 경험에 따르면 정격과 한열격 또는 승격과 한열격을 혼용해도 진단이 정확하면 별다른 문제가 없었다.

예를 들어 위가 허한 환자에게 먼저 위정격(양곡, 해계 보/족임읍, 함곡 사)을 사용한 뒤, 위의 열증상이 있다면 위한격(양곡, 해계 보/내정, 통곡 사)을 더해도 좋다. 여기에 내정과 통곡 두 개 혈만 사하면 위정격과 위한격이 된다. 같은 쪽에 써도 다른 쪽에 2개만 자침해도 상관없다.

또한 질환의 원인이 한인지 허인지 보고 발침 순서를 바꾼다. 한의 문제라면 담경의 목혈인 임읍과 위경의 목혈인 함곡부터, 기의 문제라면 위의 수혈인 내정과 방광경의 수혈인 통곡부터 발침하는 것이 좋다. 기본적으로 발침 시 원경부터 침을 빼는 것을 권한다.

경험 상 한격을 사용했을 때 혈압 측정 시 실제 강압 현상이 나타나는 것을 느낄 수 있으므로 한격은 저혈압인 사람에게는 유의해 사용한다.

피부 소양증의 경우 안면홍조 등에 한격을 응용할 수 있다. 염증 유무와 상관없이 통증에도 한격을 활용 해보면 재미있는 효과를 볼 것이다.

5.2 배혈의 이해

침구요결을 살펴보면 많은 경우 같은 배혈을 다르게 해석한 경우가 적지 않으므로 예를 들어 해석해 본다.

[보(補)]	[사(瀉)]
태연/태백(토)	• 어제, 소부(화): 조, 기약, 기설, 우협통, 피비, 폐열, 폐한, 해혈, 위벽 등
	• 어제, 노궁(화): 폐적(적취문)
	• 어제, 대도(화): 백 예막(눈병문)
	• 지구, 연곡(화): 원기 쇠약(허로문)
	• 은백, 대돈(목): 주담(담음문)
	• 부류, 경거(금): 수창(종창문)
	• 곡지(토): 어혈(혈병문)

위의 예는 보(태연, 태백)에 각종 혈을 배혈하여 다종(多種)의 증세에 사용한 내역으로 어떤 차이가 있는지를 비교 해석하면, 우선 보(補)(태연, 태백)는 상생상극(相生相剋)에 의해 증토(土)(태연, 태백), 생금(生金)(경거, 상구, 부류),극수(剋水)(척택, 음곡, 음릉천)된다. 태백은 비토(脾土)이며 토(土)의 토(土)로서 각 경토(土)의 원(原)이므로 즉 태백은 태연, 태충, 태계, 신문의 원(原)이다.

대돈, 소부, 경거, 음곡 또한 같은 의미로 이해한다. 따라서 태연은 척택을, 태백은 비경으로서 음릉천을 또한 토의 원으로 음곡을 극하지만 이는 이론적 해석이고 임상에서는 정·승·한·열격의 일차적인 생, 극만 논할 뿐임을 이해한다.

보(태연, 태백), 사(어제, 소부)에 관하여 해석하면 결론은 경거를 보강하는 배혈이다.

1. 태연, 태백은 습과 중화 조절을 주(主)하고 소부, 어제는 화로서 경거의 관이다.
2. 화열(火熱)로 인하여 윤습기를 실(失)한 상태로 토(土)를 보하고 화(火)를 사(瀉)하였다.
3. 화를 사하니 목 또한 사(瀉)가 되어 목(木)에의 한풍(寒風) 화(火)에 의한 열이 사된다.
4. 풍열이 사되니 풍은 토를 과극(過極)치 못하고 열은 금을 과극치 못하여 평형이 된다.
5. 화열이 심하면 금쇠하므로 생풍하고 풍은 습을 승하며 열은 액을 소모하므로 조증이 된다.
6. 양실음허하면 풍열이 수습에 승하여 조증이 된다.
7. 간은 근을 주하니 풍기가 심하고 조열이 가해지면 근이 조하게 된다.
8. 조금은 수렴(收斂)을 주(主)한다. 조증은 혈액 쇠소하여 백해를 영양할 수 없다. 외에 조하면 피부가 조결(燥結)하고, 중이 조하면 정혈이고 결하고, 상이 조하면 인후, 비가 초건하고, 하가 조하면 변·뇨가 결폐한다. 조증이 승하면 건하고 진액(津液)이 고갈하므로 피부가 건조하게 된다. 따라서 상기의 조증 및 기약, 기설, 협통, 피비, 폐열, 폐한, 해혈, 위벽 등에 활용하였다.
9. 주담의 경우는 사(대돈, 은백)하였는데 토의 관을 사한 배혈로 주담이므로 비경목을 사하였다. 즉 보(태연, 태백)로 경거를 보강하고 대돈은 목의목으로 은백의 원(原)이다. 사(瀉)하여 상구 기능을 보강한 배혈로 해석한다.
10. 수창의 경우는 사(부류, 경거)하였는데 신승격의 보법이다. 비토가 제수 불능하여 장, 위 침책되어 피부에 일(溢)하고 여려유성하고 정충천식하기도 한다. 토극수로 신은사가 되고 경거, 부류는 금성으로 신(腎)을 보(補)할 수 있는데 이를 사(瀉)한 것은 신(腎)을 강하게 사한 배혈이다.
11. 적의 경우는 소부 대신 노궁을 사하였다. 보는 보폐(경거)하였고 어제는 폐화를, 노궁은 심포화를 사(瀉)한 것인데 이는 간사의 기능을 보강한 것으로 폐적 증세이므로 적취에서 적(積)은 유형이므로 혈적으로 생각되고 모든 혈관은 심포 기능 하에 있기 때문이다.
12. 원기 쇠약의 경우는 사(지구, 연곡)하였는데 신과 삼초를 사한 것으로 신은 원기의 원이고 삼초(三焦)는 주기의 순환 기능(循環機能)이므로 양경(兩經)의 화를 사하여 삼초의 금인 관충과 신(腎)의 금인 부류를 보강한 것으로 해석한다. 금은 수렴(收斂)하니 삼초와 신의 경기를 수렴케하여 원기를 보한 것이다.
13. 어혈의 경우는 음토를 보하고 양토를 사하였다. 어혈은 혈액의 정체(停滯) 상태이므로 혈액이 흐르게 하는 방법이 우선 되어야 한다. 경거를 보강하여 기류(氣流)를 보강하며. 어혈에 관한 한 간 기능을 배제할 수 없다. 상양이 대돈을 극(克)하듯이 곡지가 곡천을 사할 때 간(肝)은 정상 기능 하에 있으므로 곡지를 사하여 간경의 곡천을 이완한 것이다. 임상 시 곡지

와 중봉을 함께 사할 경우 더 좋은 효과를 얻는다.

위와 같이 같은 배혈이라도 상대에 따라 해석이 달라진다. 보하며 극할지, 사하며 보할지 또는 육기로 배혈할지 장, 부 기능으로 배혈할지, 혹은 육기와 장부기능을 혼합하여 배혈할지 병증에 따라 다양한 배혈 방법이 가능함을 알 수 있다.

참고로 12경락과 기경팔맥을 정리하면 다음과 같다.

본경	혈위	기경팔맥	기경의 의미	주치 부위
족태음비경	공손	충맥	12개의 주요 경락의 바다	심, 흉, 위
수궐음심포경	내관	음유맥	몸 전체의 내부의 음을 연결	
수태양소장경	후계	독맥	모든 양경을 지배	목내자, 경항, 이(耳), 견박, 소장, 방광
족태양방광경	신맥	양교맥	복사뼈 밖 아래에서 시작하는 관	
족소양담경	족임읍	대맥	허리 주변을 돌고 모든 경락들을 묶음	목외자, 이후, 내(頬), 경, 견
수소양삼초경	외관	양유맥	몸 전체의 외부의 양을 연결	
수태음폐경	열결	임맥	양육과 책임 – 복부의 중심을 따라	폐계, 인후, 흉곽
족소음신경	조해	음교맥	복사뼈 내부 아래에서 시작하는 관	

『침구요결』에 상한(傷寒)을 제외한 폐 질환 관련 임상 기록은 모두 26개이다. 사암 도인은 관련 병증 중 17건을 정격과 승격으로 치료했으며 4회는 열격을 사용했다. 또 2회의 경우 사암 침법의 구성 기본 혈자리 4개 중 1자리를 변형시켜 사용했고 나머지 3회는 보는 시각에 따라 해석이 다양할 수 있는 사암의 직관을 사용하여 환자를 치료했다고 나와 있다.

해석이 분분할 수 있는 3가지를 제외하면 모두 23개의 경우로 88.5%가 정·승·한·열격을 사용한 것으로 분석할 수 있다. 이로써 우리도 사암 도인의 치료법을 이해한다면 88.5%의 치료율에 근접할 수 있다는 계산이 가능하다.

△ 폐정·승·한·열격 혈자리.

△ 폐정격: 태연, 태백 보/소부, 어제 사.

△ 폐승격: 소부, 어제 보/음곡, 척택 사.

△ 폐열격: 소부, 어제 보/음곡, 척택 사.

△ 폐한격: 음곡, 척택 보/태백, 태연 사.

[심(心) 정·승·한·열격]

『사암도인침구요결』에서 사암도인이 심(心) 정·승·한·열격을 사용한 내역을 보면 모두 27개이다. 『사암도인침구요결』에 보면 현대인의 생활 습관의 차이로 중풍 및 소변 관계, 제반 근육 통증과 관련한 임상은 없었다. 중풍은 고령화가 진행되면서 발생하기 때문이다. 오히려 당시 사암 도인이 활동하던 시기에는 정신적인 우울증, 소화기, 한사(寒邪)가 대부분이다.

심(心) 정·승·한·열격은 일반적으로 소양증, 혈압 이상, 콜레스테롤 조절, 소변 관계, 중풍 관련 증상, 스트레스, 우울증 등 정신과적 문제 및 만성 질환 등에 활용할 수 있다. 『사암도인침구요결』을 보면 심정·승·한·열격은 크게 △반신불수 △정신적문제(스트레스) △담음 △소화기 등 증상에 사용됐다.

5.3 간정격

『사암도인침구요결』중 간(肝) 관련 증상에 정격과 승격을 사용한 것이 전체 70%에 해당된다. 이를 제외한 20%가 정승격의 변형 방이고 나머지는 정승격을 벗어난 사암 도인의 직관에 의한 치료이다. 따라서 정승격만 충분히 알아도 70% 이상의 치료 효과를 얻을 수 있다.

각 혈자리는 간정격(음곡, 곡천 보/경거, 중봉 사), 간승격(경거, 중봉 보/소부, 행간 사), 간열격(소부, 행간 보/음곡, 곡천 사), 간한격(음곡, 곡천 보/태백, 태충 사)이다.

간 정격과 승격의 핵심은 대돈에 있다. 보하거나 사하는 것도 결국 대돈을 보하고 사하는 것이다. 간정격에서 음곡과 곡천을 보한 것은 수생목(水生木)의 개념으로 목(木)을 살리며, 경거와 중봉을 사한 것은 목을 극하는 금(金)의 기운을 줄여 결국 목을 보했다는 의미이다. 이는 간(木)의 목혈인 대돈을 살리겠다는 것이다.

간승격에서 금혈인 경거와 중봉을 보하면 금극목(金克木)하는 것이며 금 기운을 극하는 화혈인 소부와 행간을 각각 사해 금의 기운이 순조롭게 목을 극하도록 도운 것이다. 여기서도 역시 목의 성질을 가진 간경의 목혈 대돈을 사한 것으로 이해한다. 결국 오행(五行)의 시각에서 보면 대돈이 목경의 목혈로 원천으로 간을 보는 것은 대돈을 보는 것과 같다.

간 기능의 항진 또는 부족 모두 대돈의 기능의 항진 및 부족으로 봐야 한다.

5.4 간열격

간열격은 행간, 소부 보/음곡, 곡천 사하며 한격은 음곡, 곡천 보/태충, 태백 사한다.

정격 승격과 같은 해석으로, 열격은 화를 보했으니 화생토(火生土)해 간경의 토혈인 태충을 보한 다. 한증이 된 원인은 토의 기능저하(중앙토의 기능 저하)라고 이해했기 때문이다. 한증은 토의 기능저하, 한격은 수혈을 보했기 때문에 목표는 대돈(목혈)의 기능 이상을 보완한 것이다.

따라서 정격과 한열격을 섞거나 승격에 한열격을 함께 사용 가능하다.

예를 들어 간승격과 폐정격을 함께 쓸 경우, 간승격(소부, 행간 사/중봉, 경거 보)하고 폐정격(소부, 어제 사하고 태연, 태백 보)하면 간대폐소(肝大肺小)한 태음인(太陰人)에게 적격이다.

만일 태음인 환자의 증상이 간을 중심으로 한 경우, 폐정격의 4개혈을 모두 쓰지 않고 경거 하나만 보해도 폐정격 4개혈 모두를 취혈하는 효과가 있다. 폐정격은 토혈을 보해 토생금(土生金)하며 금을 극하는 화혈인 소부와 어제를 사했다.

이는 금기를 가진 폐경의 금혈인 경거에 초점을 두고 조합된 것으로 경거 하나만 사용해도 폐정격의 효과를 기대할 수 있다. 반대로 간정격에 폐승격도 같은 이치로 사용할 수 있다.

간한격은 임상에서 심혈관 관련 또는 당 증세 등 만성 질환에 상당히 많이 활용한다.

숨岩의 思考

[병증(病症) 해설 및 배혈(配穴) 해석]

6. 정·승·한·열격 배혈 내역

6. 정·승·한·열격 배혈 내역

정격 승격
(補母瀉官)

	보	사/보	사
폐	태백 태연	소부 어제	음곡 척택
비	소부 대도	대돈 은백	경거 상구
심	대돈 소충	음곡 소해	태백 신문
신	경거 부류	태백 태계	대돈 용천
포	대돈 중충	음곡 곡택	태백 대릉
간	음곡 곡천	경거 중봉	소부 행간

정격 승격
(補官瀉子)

	보	사/보	사
대장	삼리 곡지	양곡 양계	통곡 이간
위	양곡 해계	임읍 함곡	상양 여태
소장	임읍 후계	통곡 전곡	삼리 소해
방광	상양 지음	삼리 위중	임읍 속골
삼초	임읍 중저	통곡 액문	삼리 천정
담	통곡 협계	상양 규음	양곡 양보

한격(열증인 경우)
補水瀉土 . 補寒瀉濕

	보	사		보	사
폐	척택 음곡	태백 태연	대장	이간 통곡	곡지 삼리
비	릉천 음곡	태백 태계	위	내정 통곡	위중 삼리
심	소해 음곡	소부 연곡	소장	전곡 통곡	소해 삼리
신	소해 음곡	태백 태계	방광	전곡 통곡	위중 삼리
포	곡택 소해	태백 대릉	삼초	액문 통곡	지구 곤륜
간	곡천 음곡	태백 태충	담	협계 통곡	릉천 삼리

열격(한증인 경우)
補火瀉水 . 補熱瀉寒

	보	사		보	사
폐	소부 어제	척택 음곡	대장	양곡 양계	이간 통곡
비	소부 대도	릉천 음곡	위	양곡 해계	내정 통곡
심	소부 연곡	소해 음곡	소장	양곡 곤륜	전곡 통곡
신	소부 연곡	소해 음곡	방광	양곡 곤륜	전곡 통곡
포	소부 노궁	소해 곡택	삼초	지구 곤륜	액문 통곡
간	소부 행간	곡천 음곡	담	양곡 양보	협계 통곡

오수혈 배혈의 해석

	목	화	토	금	수
간	대돈	행간	태충	중봉	곡천
심	소충	소부	신문	영도	소해
비	은백	대도	태백	상구	릉천
폐	소상	어제	태연	경거	척택
신	용천	연곡	태계	부류	음곡
포	중충	노궁	대릉	간사	곡택

간(肝) 대돈, 심(心) 소부, 비(脾) 태백, 폐(肺) 경거, 신(腎) 음곡, 포(包) 노궁은 각 경(經)의 본(本)이다. 대돈은 목중목(木中木)으로 소충, 은백, 소상, 용천, 중충의 원(原)이다.

예를 들면 심정격인 경우 보(補)(소충, 대돈), 사(瀉)(소해, 음곡)한다. 보(補, 소충)하면 심경(心經)에 국한되지만 대돈도 보(補)하면 간경, 비경, 폐경, 신경, 포경의 목(木)에도 영향을 주어 각 경(經)도 일정한 자극을 받으며 특히 소부(少府)는 강한 보(補)가 된다. 양경과 승격, 한, 열격도 같은 방법으로 해석한다.

6.1 한, 열격 배혈의 특이 사항 해석

1. 한격(寒格)에서 사(瀉)하는경우 비(脾)와 신경(腎經)이 같다. 신경의 사(瀉, 태백, 태계)는 보수사토(補水瀉土) 이론에 합당하나 비경(脾經)의 경우는 해석이 다르다. 태백은 각 경토(經土)의 원(原)으로 사(瀉)하였고 신(腎)은 한(寒)의 원(原)인데 태계로 인하여 신(腎)이 극(克)을 받으므로 사(瀉)하여 신(腎) 기능 저하를 방지한 것이다.
2. 심한격(心寒格)의 경우 보수사토(補水瀉土)의 배혈은 사(瀉, 태백, 신문)해야 하나 사(瀉, 소부, 연곡)하였다. 심경이라 근본적으로 수(水)가 부족한 상태라서 사(瀉, 소부, 연곡)함은 소부는 소해, 연곡은 음곡을 상대적으로 사함이나, 소부가 화의 원임을 감안하면 사(연곡)하지 않아도 가능하다.
3. 심포한격(心包寒格)에서 심포(心包)는 별도의 방(臟)이 아닌 심(心)의 상화(相火)로서 심의 부속이므로 음곡 대신 심(心)의 소해(少海)를 사하였다.
4. 위한격의 사(위중)는 비경의 경우와 같은 의미로, 사(위중)하여 통곡 억제를 방지한 것이다.
5. 방광한격에서 소장화(전곡)을 보한 것은 통곡 만보하면 소장(小腸) 화(火)때문에 방광 한(寒)이 부족함으로 전곡을 보(補)하여 양곡을 감소시키기 위함이다.
6. 삼초는 심포가 심의상화로 해석함과 같이 소장의 상화로서 자체가 화인즉 보수하고 자체의 화(지구)를 사하고 견제하는 한본(寒本) 방광화(곤륜)를 사(瀉)하여 통곡 기능을 보강한 것이다.
7. 열격은 보화사수의 배혈인데 심열격은 보(소부)만으로는 수(水)의 본(本)인 신(腎)으로 인해 보화에 한계가 있으므로 신(腎)을 억제시키기 위해 신화(연곡)를 보(補)하였다.
8. 신열격(腎熱格)에서 심열격과 같이 사(소해, 음곡)하였다. 심과 신은 극과 극인 대상인데 신열격이므로 수본(水本)인 신(腎)수가 심화의 견제를 받으므로 심화를 보강키 위해 심수(心水)를

사(瀉)하였다.

9. 심포열격은 한격에서 언급한대로 심포가 심의 영향을 받는 상화이기에 음곡 아닌 자경의 곡택과 소해를 사(瀉)하였다.
10. 소장열격에서 화경은 수(水)의 억제를 받는다. 억제를 감소해야 한다. 방광화혈(곤륜)을 보하였다. 보(補, 곤륜)하여 감(減, 통곡(通谷))한다.
11. 방광열격에서 수경은 화(火)의 억제를 받는다. 한경(寒經)의 통곡을 사(瀉)하는 것만으로는 부족(不足)하다. 양경(陽經)의 화원(火原, 양곡(陽谷))을 보강해야 한다. 소장한혈(전곡)을 사(瀉)하였다.
12. 삼초는 상화(相火)로서 소장의 영향을 받으므로 양곡 대신 자경의 지구를 보하고 화경(火經)이라서 방광 한(寒)에 의해 열(熱)하게 함이 지장 받으므로 화혈(곤륜)을 보(補)하였다.

6.2 보(補), 사(瀉)란 무엇인가?

침구(鍼灸)는 보사(補瀉)의 술(術)이며 보사는 침구인 간단한 도구를 정교(精巧)하게 이용하는 것으로서 보(補)라는 것은 여(與)하는 것, 익(益)하는 것, 가(加)하는 것, 구(求)하는 것, 제(濟)하는 것, 실(實)하게 하는 것, 여기생장(與起生長)하게 하는 것으로 탕제의 화(和), 양(養)에 해당한다.

사(瀉)라는 것은 . 탈(奪)하는 것, 감(減)하는 것, 극(剋)하는 것, 억(抑)하는 것, 살(殺)하는 것, 감쇠수장(減衰收藏–오장의 힘이나 세력 따위가 줄어서 약하게 함)하는 것으로 탕제의 간(汗), 토(吐), 하(下)에 해당한다.

사(瀉)는 허(虛)하게 하는 것이요, 보(補)는 실(實)하게 하는 것이니, 현대 의학의 강심제의 투약(投藥), 자혈약(滋血藥), 영양제(營養劑), 흥분약(興奮藥) 등은 보(補)로, 사혈절개(瀉血切開), 절제(切除), 내장외과(內臟外科)는 사(瀉)로 간주(看做)하는 것이 좋을 것이니, 다시 말하면 보, 사는 결국 가(加), 감(減)인 것이다.

보(補)라는 것은 세포 조직이 기본적으로 가지고 있는 생명력의 적극적 자아현현화(自我顯現化)를 목적으로 하는 것으로서 좀더 자세(仔細)히 말한다면, 병기(病氣)를 회복하기 위하여 주역(主役)으로 활동하는 삼초(三焦)의 원기(元氣)를 강(强)하게 해 주는 수기(手技)요, 삼초의 원기라는 것은 신(腎)중(中)에 있는 선천(先天)의 원기가 후천적 영식분(榮食分)인 영위(榮衛) 중(中)에 입(入)하는 것으로서 전신(全身)에 순환(循還)하여 생명력(生命力)을 여(與)하는 힘인 것이며, 생명력이라는 것은 생활체(生活體)로서의 가장 근본적인 힘이다. 이것이 외적(外的)으로 활동(活動)할 때는 생활체에 대하여서의 환경에 순응하며 또는 악조건을 배제하고 식물(食物)을 동화(同化)하며 또 내적으로는 대상작용(代償作用), 재생기능(再生機能), 면역작용(免疫作用), 지혈작용(止血作用), 영양축적(榮養蓄積) 등의 자연 치유력으로서의 활동을 하기도 하나니 보(補)는 차(此)의력 즉, 삼초(三焦)의 원기(元氣)의 역(力)을 강(强)하게 해주는 것으로, 침을 施(시)함에 의(依)해서 차력(此力)을 높게 해 주는 것이다. 따라서 병에 대한 저항력을 강하게 해 주어 치유(治愈)의 전기(轉機)를 여(與)하는 것이다.

사(瀉) 라는 것은 세포 조직의 생명력이 자아현현화(自我顯 現化) 수행(遂行)에 장해가 되는 기구(機構)를 해소(解消)시키는 수기(手技)로서 어혈(瘀血), 악혈액(惡血液-나쁜 피, 월경), 자가중독(自家中毒), 이물(異物), 울적(鬱積), 왕기(旺氣)의 세력을 감쇠수장(減衰收藏)해서 사기를 배제하는 것이니 억(抑-가라앉은) 인간(人間)의 전 생기를 여기(與起-더불어 발생하게)하고 원기를 여기(與氣-더불어 기운나게)하고 병적(病的)인 것을 감쇠(減衰-병의 기운을 약하게 함)하게 해서 건강체가 되게 하는 것이다.

그런데 보(補)·사(瀉)의 안목(眼目)이 되는 것은 허(虛)와 실(實)일 것이다. 허(虛)라는 것은 정기(正氣), 원기(元氣) 즉 삼초(三焦)의 원기(元氣)가 약(弱)한 것이요, 실(實)이라는 것은 사기(邪氣) 즉 병사(病邪)가 실(實)한 것인데, 사에는 풍, 한, 서, 습과 여한 외사(外邪)도 있고 희, 노, 우, 사, 비, 공, 경 등과 여한 정신상불섭생(精神上不攝生)도 있어서 차(此) 등의 사(邪)가 원인이 되어 병을 기(起)하는 수도 있다.

사(瀉)는 차등(此等)의 사(邪)를 제거(除去)해서 생활 환경을 우량(優良)하게 하여 병을 치(治)하는 것이지만 차등사기(此等邪氣) 이외(以外)에 왕기(旺氣)에 의(依)하여 실(實)한 것을 사(瀉)하는 것도 있기 때문에 왕기(旺氣)라는 것은 사기실(邪氣實)의 대칭어(對稱語)로서 음(陰)이 허(虛)하면 양(陽)이 반대로 실(實)하게 되어 사기(邪氣)가 없더라도 일방이 허(虛)해지므로 정기가 평형(平衡)을 잃어서 일방(一方)이 독실(獨實)의 경우(境遇)가 있다. 열(熱)하면 폐금(肺金)이 허(虛)해지고 간목(肝木)이 소제(所制)를 잃어서 혼자 실(實)해지는 것과 같다. 차실(此實)은 외부(外邪), 내부(內邪)와는 달라서 다소(多少) 경락(經絡)의 변동만을 일으키게 되므로 생리적(生理的) 균형(均衡)을 잃어버리는 병증을 정(呈)하게 되는 이른바 승제(承制)의 원칙(原則)이 그것으로서 차(此)를 왕기실(旺氣實)이라 하여 사기실(邪氣實)과 동양(同樣)으로 사(瀉)하여야 하기에 거암입방(舍岩立方)의 정신(精神)이 다분(多分) 차원칙(此原則)에 있는 것이다[침구요결, P156].

▶ 소견(所見): 요약하면 보(補), 사(瀉)는 가(加), 감(減)이며 삼초 원기를 강하게 하는 수기라는 의

미로서 부연하면, 보의 목적은 사에 의해 완성되며 사는 사하는 혈의 경락으로 보의 목적을 연계한다고 해석된다. 예를 들면 상한시 보(補, 상양), 사(瀉, 삼리)의 목적은 통곡 기능으로 방광 경기를 보강하며 대장 경기를 위경으로 연계하여 내정 기능을 보강한다고 해석할 수 있다. 폐정격의 경우 배혈은 보(補, 태연·태백), 사(瀉, 소부·어제)로서 목적은 폐경기(경거) 보강이며 토의 경기를 화, 금경으로 연계하여 경거, 영도 기능을 보강한다고 해석된다.

[침 치료의 완성은 사(寫)할 혈(穴)이 결정한다]

간(肝)의 본인 목의 목혈(木穴)인 대돈(大敦)을 보하면 간(肝) 뿐 아니라 각 장부의 목혈이 살아난다고 본다. 만일 심(心)의 기능을 살려주려면 이에 심(心)의 금혈인 영도(靈道)를 사한다. 심정격의 의미다.

심정격(대돈, 소충 보/음곡, 소해 사)에서 금(金)을 사했다. 대돈과 소충을 보한 것의 목적은 소부(少府)를 살리는 것이다. 따라서 화경의 수와 수경의 수인 소해와 음곡을 각각 사한 것이다.

소부(少府)의 금기(金氣)를 줄이기 위해서는, 즉 심경(心經)의 금기(金氣)를 줄여 주기 위한 방법으로 영도(靈道)를 사한 것이다.

임상에서 50대 남자가 밤새도록 흉민(胸悶 – 가슴이 답답하고 초조한 증상)과 기도(氣道)에 강한 수축감(쇼킹과 유사한 증)로 수면 장애를 호소했다.

진단을 해보니 흉추 3, 4번에 심한 압통이 있었다. 우협하 불편감 및 통증으로 우측에 폐정격을 사용하고 목경의 금혈인 중봉을 보했다.간승격을 쓰지 않은 이유는 간과 심과의 관계에서 간승격을 한 경우, 안그래도 압박받고 있는 심장의 기능을 더욱 떨어뜨리기 때문이다.

폐정격으로 일단 경거를 향상하고 이 경거의 금기(金氣)로 중봉을 향상시켜 간기능(肝氣能)의 태과(太過)를 정상화한 것이다. 또한 3, 4번은 폐수와 궐음수의 위치로 흉격(胸膈) 내 심폐(心肺)의 불균형으로 이해하고 심기(心氣)의 태과(太過)를 누르기 위해 영도를 보하였다. 자침 후 즉시 환자는 숨쉬기가 편해졌고 5분후 편안하게 수면(睡眠)을 할 수 있었다.

일반적으로 흉추(胸椎)는 방광경(膀胱經)과 같이 존재한다. 방광경(膀胱經)은 근(筋)을 주하며 방광(膀胱)은 폐(肺)와 상통(相通)하며 심(心)과 상합(相合)하는 관계로 방광(膀胱)의 문제없이 심(心)/폐(肺)의 불균형(不均衡)으로 경락상에 문제가 생긴 임상례라 할 수 있다.

척추(脊椎)나 어깨 등에 문제가 있다고 해서 방광경(膀胱經)에만 치중(置重)하는 것은 좋은 방법은 아니다.

6.3 오행의 삼오분기(三五分紀)와 개념

음양오행 이론을 기초한 학문이기에 기본 개념의 이해(理解)는 필수라 하겠다. 평생을 논(論)하여도 끝낼 수 없을 정도로 광범위하다고 하는 음양(陰陽) 오행(五行) 기본 개념을 기초(基礎)만이라도 습득(習得)함이 사암의 사고에 근접할 수 있다고 생각하여 간단하게 복기(復記)한다(정, 승격에서 논의되는 불급, 태과의 이해에 도움이 된다).

	平氣(평기)	不及之氣 (불급지기)	太過之氣 (태과지기)
목(木)	敷和(부화)	委和(위화)	發生(발생)
화(火)	升明(승명)	伏明(복명)	赫曦(혁희)
토(土)	備化(비화)	卑監(비감)	敦阜(돈부)
금(金)	審平(심평)	從革(종혁)	堅成(견성)
수(水)	靜順(정순)	涸流(학류)	流衍(유연)

※ 참고: 한동석, 우주 변화의 원리, P75

개념은 다음과 같다.

평기(중)	목(木)	부화	일직선으로 쭉 뻗어나가며 여하한 기운과 마주쳐도 모순없이 조화(調和)
	화(火)	승명	명(明)을 발전시켜 상승하게 함.
	토(土)	비화	화(化)할 수 있고 완전한 자격을 갖춘 토(土), 모든 음양 작용의 과불급을 조절하는 중화지기(中和之氣)
	금(金)	심평	맹폭이 안되도록 잘 살펴 평정하여 양을 보호
	수(水)	정순	상은 정적이고 성질은 순함.
불급지(본)	목(木)	위화	위압으로 인하여 목(木)이 생(生)하지 못하는 상
	화(火)	복명	잠복되어 명(明)을 승명으로 만들지 못하는 상
	토(土)	비감	적당한 팽창이 이뤄져야 하나 오히려 위축되는 상
	금(金)	종혁	통일의 시초(金)로써 토(土)의 중재를 기다려 자신의 소임을 다하는 상
	수(水)	학류	물의 유동(流動)이 일시적으로 폐색(閉塞)당해 흐르지 못하는 상
태과지(말)	목(木)	발생	목(木)의 발하는 힘이 강하여 오히려 폭발시키는 상
	화(火)	혁희	화광(火光)이 충천, 일광(日光)이 폭사하는 상
	토(土)	돈부	기화(氣化) 작용으로 두터워진 상(象), 형화(形化) 작용으로 두터워진 상(象)
	금(金)	견성	표기가 굳어지는 상
	수(水)	유연	동(動)할 수 있는 요인(要因)만 갖추고 있을 뿐 아직 동해 낼 수 없는 상

숨岩의 思考

[병증(病症) 해설 및 배혈(配穴) 해석]

7. 병증(病症)별 치료 배혈의 분석

7. 병증(病症)별 치료 배혈의 분석

7.1 제1장. 중풍치방 보사영수별방 오행오리 통제병(中風治方 補瀉迎隨別方 五行正理 通諸病)

[사암은 풍(風)을 논(論)하여]

풍자(風者)는 천지지정기(天地之正氣)오 산천지허기(山川之嘘(불허)氣)라 시고(是故)로 재천지기(在天之氣)와 재지지목(在地之木)과 절서지춘(節序之春)과 인신지간(人身之肝)과 병자지사야(病者之邪也)라(풍은 하늘의 정기고 산천에서 부는 것으로 하늘의 기운과 땅의 나무, 절기로써의 봄, 인체의 간, 그리고 병자의 사기와 같다.) 이차(以此)로 천기탁(天氣濁)이 풍동(風動)하고 지세청(地勢淸)이 한생(寒生)하나니 한본신수(寒本腎水)오 풍시간목(風是肝木)이라 시고(是故)로 체기허약(體氣虛弱)이면 풍필상부(風必傷腑)니 보양금(補陽金)이 사화(瀉火)하고 혈맥잔사(血脈殘衰)면 동가손장(疼可損臟)이니 온음토이(溫陰土而) 평목(平木)이라(몸이 피곤하면 풍이 반드시 부, 즉 대장을 상하게 하니 양금인 대장을 보하고 화경(소장화, 심, 삼초 등)을 사하고 혈맥이 쇠약(비장 기능 저하)해지면 동통이 장을 상하게 하니 온음토(비)를 따뜻이 해 바람을 가라 앉힌다) 양수편고(陽水偏枯)를 위지(謂之) 반신불수(半身不遂)니 가치(可治) 삼리(三里)오 풍비(風痺)는 사지불수(四肢不遂)니 필진완단(必診腕丹)이라 의암물부지(懿唵勿不知)에 능치십선(能治十宣)이오 연설여랑(涎泄如浪)에 선통팔사(宣通八邪)라 총상대략(總上大略)하여 계하소절(繼下小節)하노니 응팔괘이(應八卦而) 집증(執證)하고 찰오행이(察五行而) 치전(治痊)하라(방광수(양수)가 지나치게 고갈되면 반신불수의 원인이 된다. 중풍 환자는 방광수가 말라 발생한 것이며 족삼리로 치료할 수 있다. 풍비는 사지불수니 반드시 진맥한다. 정신이 나가면 십선으로 치료하고 침을 흘리면 팔사를 사용한 후, 팔괘로 증을 진단해 오행(직관적)으로 치료한다) 하였다.

▶ 소견(所見): 사암의 풍에 대한 사고는 음양오행 이론이다. 위의 내용을 도식화하면 다음에 나오는 그림으로 표현할 수 있다. 간과 대장의 관계이다. 간과 대장은 오행의 상합, 육기의 상통 관계로서 다른 장부와 다르게 독특한 관계로 오수혈로는 정혈이고 상합하며 금상을 창조한다. 육기로는 양명과 궐음의 상통 관계이다. 정혈은 음목 또는 양금이 아닌 상합에 의해 새로이 창조되는 금상이다.

장부(臟腑) 간의 관계는 상합, 상통, 표리, 상교, 교통으로 구분한다. 간과 대장의 경우는 간·대장(상합, 상통), 간, 심포(상교), 간·담(표리), 간, 삼초(교통)이고 대장·위(상교), 대장·폐(표리), 대장(大腸), 비(脾, 교통)이다. 사고를 분석하면 상합(相合), 상통(相通) 관계로 설명하였음을 알 수 있다.

즉, 천기탁(天氣濁, 肺)하면, 동풍(動風, 肝)하고 체기(體氣)의 허약은–상부(대장)이므로 보양금(대장) 사화한다.

혈맥(血脈)이 잔쇠하면, 동가손상(疼可損臟)되므로—온음토(溫陰土, 脾)하여—평목(平木, 肝)되도록 한다.

양수(방광) 편고이면, 반신불수되므로—가치 삼리(위)한다고 풍에 대한 치법을 설명하였다.

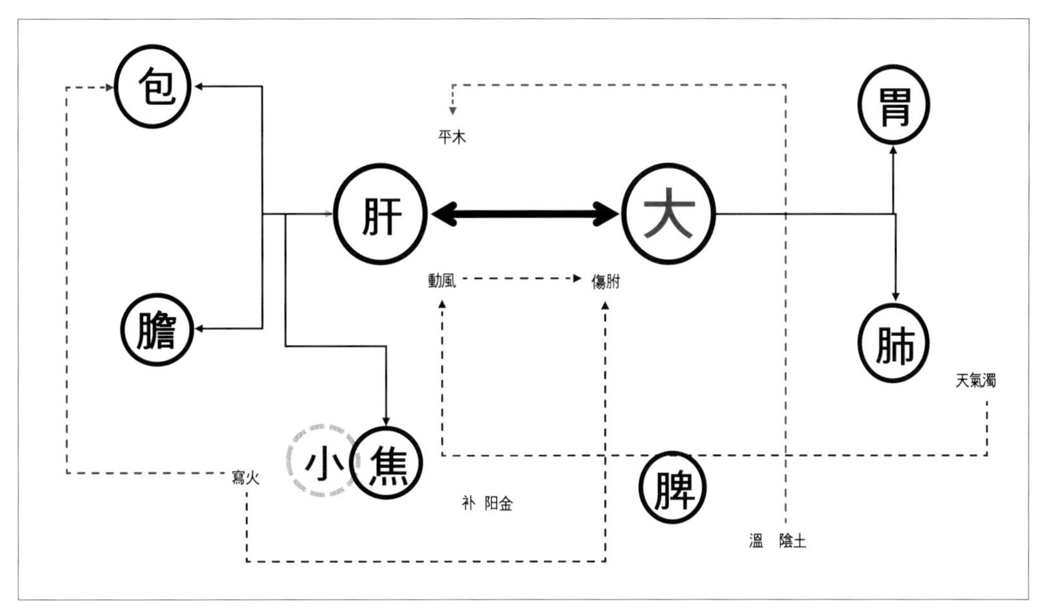

그림 30 중풍 치료 배혈 개념도

"체기허약(體氣虛弱)이면 풍필상부(風必傷腑)니 보양금이사화(補陽金而瀉火)하고 혈맥잔사(血脈殘衰)면 동하손장(疼可損臟)이니 온음토이평목(溫陰土而平木)"의 경우, 풍(風)과 양금(陽金)은 간과 대장의 관계이다. 오수혈의 정혈(기가 처음 샘물처럼 퐁퐁 나오는 곳)에 해당하며 상합과 상통 관계를 뜻한다.

오수혈은 상합 관계로 유추할 수 있다. "혈맥이 잔쇠하면 온음토"란 것은 비장을 온비하란 의미이고, 양수(방광수)가 마르면 반신불수(현대의 중풍 환자)가 된다. 방광수는 오수혈을 보면 심과 상합 관계인 형혈(滎穴)이며, 상합(相合) 관계 중 을병합금(乙庚合金), 정임합목(丁壬合木) 등의 마지막 금(金)과 목(木) 등은 이들이 만나서 나오는 상(象)이다.

상합 관계는 극의 관계로 양이 음을 극한다. 상통은 육기에서 나오는데 태양경은 태음과 소양경은 소음과 궐음은 양명과 상통한다. 단 상통 관계는 수족으로 각각 연결된다. 예를 들면 족태양

방광은 수태음폐와 수소양삼초는 족소음신과 통한다.

상합은 하늘의 기운, 상통은 땅에서 일어나는 현상으로 보면 이해하기 편하다. 때문에 상합은 5개, 상통은 6개이다. 상통에 1개가 더 있는 것은 하늘의 기운이 땅으로 내려오면서 상화가 생겨 화(火)가 생겨서이다.

정신이 없으면 십선(十宣)을 취하라의 의미는 정혈과 손가락 끝의 정(井)형(滎)을 통제하는 것으로 간·대장의 균형을 맞추기 때문에 깨어난다. 정혈의 근본은 목도 대장도 아닌 '금의 상'이다. 정상적 관계에서 나오는 자식이 정혈로, 그냥 금상(피부와 두뇌, 뇌 기능)이다. 침을 흘릴 때 팔사를 사용하는 이유는 팔사를 비토(脾土)로 봐서 손가락은 형혈, 손바닥과 손등은 수혈이 된다.

1. 풍의(風懿, 졸중풍, 뇌일혈) = 격부(擊付)

- 견증(見證): 생떼같은 사람이 별안간 쓰러져 정신을 못차리고 각궁반장(角弓反脹, 자반뒤집기)를 하는 증(症).
- 요법(療法): 십선혈(十宣穴, 손톱(爪中)과 상거(相去)하기 1分의 位)을 삼릉침(三稜鍼)으로 출혈(出血-점혈)한다.

▶ 소견(所見): 오수혈의 정혈에 해당하는 부위(설명 참조)로서 금(수렴) 기능이다. 인사를 못차린다. 뜻은 뇌 기능 저하이다. 십선혈을 자(刺)하여 금상(金象) 기능을 정상이 되도록 하였다.

2. 중장(中臟)

- 견증(見證): 중풍의 이증(裏證)으로 흔히 구규(九竅-아홉구멍)에 체(滯)하는 것이 보통인데 인사(人事)를 못차리며 담이 목구멍을 막아서 씩씩거리고 사지(四肢)를 못 쓰며 말을 하지 못하는 증.
- 요법(療法): 관원(關元), 기해(氣海 사).

▶ 소견(所見): 응급처치 방법이다. 관원은 소장경의 모혈로 병화이며, 삼초상화이다. 화(火)는 혈액순환의 상(象)이다. 기해는 기의 취산순환요혈이며 관원은 혈순환을 보강하는 배혈이다.

3. 중간(中肝) – 노중(怒中)

- 견증(見證): 중장과 같은 증(證)에 땀기가 없고 오한(惡寒)이 나며 청색(靑色)을 정(呈)하는 증(證)
- 요법(療法): 간실(肝實)이라 합곡(合谷), 태충(太衝, 사).

▶ 소견(所見): 간실은 목실이다. 태충(간풍)은 실하여 사하고, 태충실에 비해 합곡(양금)은 과극(양금의 정상극에 의해 목은 정상 상태가 유지된다.)으로 사하였다. 간, 대장의 관계(風必傷腑)로 창조되는 금상의 비정상 상태를 병색(症色)으로 참조하였다. 십선혈의 사용과 유사하다.

4. 중심(中心) – 사려중(思慮中)

- 견증(見證): 중장과 같은 증세에 땀기가 많고 놀라기를 잘하며 적색(赤色)을 정(呈)하는 증(證)
- 요법(療法): 심실(心實)이므로 대돈(大敦 , 사), 상구(商丘, 보).

▶ 소견(所見): 화실인데 목, 토를 사용하였다. 대돈은 장, 부 목의 근원(根原)이다. 소충, 은백, 소상, 용천의 원(原)이다. 대돈을 보, 사함은 각 장, 부의 목에 영향을 준다. 대돈은 화의 모이며 풍이기에 억제하였다. 땀의 원은 비음이다. 상구는 비의 수렴 기능이라 보하였다. 즉 심실의 원인은 중풍으로 목극토가 항진된 상태에서 발생한 것이다. 비금의 부족은 비음을 수렴하지 못해 체내에 범람하고 심은 과잉의 비음으로 위축되므로 외설해야 하는 항진 상태(心實)가 된다. 심실에 의한 불안 상태가 잘 놀라는 불안증으로 발현된 상태이다.

5. 중비(中脾) – 희중(喜中)

- 견증(見證): 중장과 같은 증에 땀기가 많고 몸이 더우며 황색(黃色)을 정(呈)하는 증.
- 요법(療法): 脾虛(비허)이니 대돈(大敦, 사), 소부(少府, 보).

▶ 소견(所見): 소부는 각 장부 화(火)의 원(原)이다. 행간, 대도, 어제, 연곡의 원이다. 또한 소부(補)는 생(태백)한다. 대돈은 태백 의관이기에 사하였다. 사(대돈)로 화가 억제되니 더운증이 감소하고 생(태백)되니 소부가 누기되어 더욱 감소되며 비음이 통제되어 땀은 감소한다. 정격의 의미이다.

6. 중폐(中肺) – 기중(氣中)

- 견증(見證): 중장과 같은 증에 땀기가 많고 바람을 싫어하며 백색(白色)을 정(呈)하는 증.
- 요법(療法): 폐실(肺實)이므로 태백(太白, 사), 소부(少府, 보).

▶ 소견(所見): 금은 조성(燥性)이며 색은 백(白)이다. 폐주피모 오풍(목실)한다. 금실로 수렴이 안되어 제증이 있다. 폐의관(소부)을 보하여 금을 억제한다. 관을 보하니 자(子)인 태백이 항진(화생토)되므로 사(태백)하였다. 토가 억제되어 땀도 감소된다. 실측 사자.

7. 중신(中腎) – 허로중(虛勞中)

- 견증(見證): 중장과 같은 증에 한(汗, 땀)기가 많고 몸이 차며 흑색(黑色)을 정(呈)하는 증.
- 요법(療法): 신허(腎虛)이므로 태백(太白, 사), 경거(經渠, 보).

▶ 소견(所見): 신한(身寒)은 수(水)에 속한다. 수원(水原)은 신(腎)이다. 보(경거)는 증금, 생(음곡, 척택), 극(대돈, 소상)한다. 경거(조성)가 증되니 땀수렴이 가능하고 금극목으로 풍이 억제되고, 보수도 된다. 태백의 항진으로 비음인 땀을 통제 못하며 토극수가 태과하여 신은 불급 상태이다. 사관(瀉官)하였다.

8. 졸풍불어(卒風不語)

- 견증(見證): 별안간 중풍(中風)으로 인(因))하여 언어(言語)가 불능(不能)한 증.
- 요법(療法): 육비(肉痺) 위실(胃實)이니 삼리(三里, (영(迎),수(隨)). 또는 연곡(然谷, 사), 이간(二間, 보).

▶ 소견(所見): 삼리(영, 수)는 제증 응급시 사용하는 기본 혈이다. 삼리 영, 수로 사용하거나, 보양금사화(補陽金瀉火, 動風泌傷腑)하였다. 보(이간)는 극(양계), 생(삼간)한다. 동풍(動風) "상대장(傷大腸)하니 사화(瀉火)"한다. 신화를 사하였다. 사화가 대장화에만 적용되지 않는다는 의미이다. 양계를 극하면 상양이 보강된다. 보강된 상양은 간목(풍)을 억제한다. 사(연곡)함으로써 부류 기능이 보완된다. 육비증을 표현치 않았으나 위실이라 하였으니 신과 위의 상합 관계 불리가 위실로 되어 신 기능이 억제되었기에 발생하였다고 해석된다.

9. 각궁반장(角弓反)

- 견증(見證): 머리와 발을 뒤로 젖이고 자반 뒤집기를 하는 증(證).
- 요법(療法): 담실(膽實)이니 속골(束骨, 사), 양곡(陽谷, 보).

▶ 소견(所見): 신체의 뒤틀림 수, 화의 불균형 상태(오수혈, 팔맥교회혈 참조)로 목실이다. 수생목을 억제하기 위해 사(瀉, 방광)수(水), 보(補, 양곡)화(火)하였다. 통곡(수)대신 속골(목)은 각 경의 목은 해당경의 시경혈(始經氣)이므로 속골을 사(瀉)하여 방광경기를 근원적으로 억제하였다. 또한 담은 주골(관절 중심)하며 뒤틀림은 근(筋)의 비정상 위(位)이며 대맥의 실(失)로 발생한다. 보(양곡)는 생(소해, 삼리), 극(상양, 소택)한다. 사(속골)는 생(소해, 삼리)의 관으로 정격의미이다. 토(삼리)부족으로 담실이 되었다. 방광 주근한다. 대맥은 주골(主骨) 기능인 담에 의해 유지된다. 주골은 관절 기능이다. 관절에는 근이 연계되어 정상적인 인체의 균형을 유지한다. 대맥은 십이경을 결속하여 정상 경기 유지를 담당한다. 요협(要頰)을 중심으로 결속한다. 관절 환자의 관절 변형 증세는 담(膽) 기능의 이상도 포함된다. 대맥이 요협에 있다하여 그 부위만 유지시키는게 아니라 수지(手肢), 족지(足趾) 끝에서부터 두상(頭上)까지 그 영향을 받는다(간목담풍, 동풍상부, 온음토 평목 등).

10. 안재상불능어(眼載上 不能語)

- 견증(見證): 눈을 뒤집어 쓰고 말을 못하는 증.
- 요법(療法): 삼리(三里, 사), 제2요추(第二腰椎), 제5요추(第五腰椎)를 일제(一齊)히 이구(施灸, 뜸)하되 보(補).

▶ 소견(所見): 삼리는 인체의 각종 불균형 증세를 중화 조절하는 기능이 있다.

11. 진진유연(津津流涎)

- 견증(見證): 연(涎, 침)을 줄줄 흘리는 증.
- 요법(療法): 팔사혈(八邪-手五指 岐骨間 卽 大都, 上都, 中都, 下都 四穴이니 左右共八穴)을 자침(刺針)한다.

▶ 소견(所見): 제증은 비허. 완관절(腕關節)에서 수지(手肢) 전(前)까지의 부분은 수장(손바닥)으로 토의 영역이다. 또한 오수혈의 수(輸, 비, 담의 상합 관계로 陽土象을 창조한다. 또한 각경의 수혈은 완관절에 분포되어 있다) 혈위(穴位)에 해당된다. 증세는 주로 어린이나 중풍 환자의 경우에 나타난다. 비정, 승격보다 강한 효과가 있다.

12. 구금담색(口禁痰塞)

- 견증(見證): 입을 악물고 담(痰)이 막혀서 톱질하는 소리 나는 증.
- 요법(療法): 비허(脾虛)이니 소부(少府, 사), 경거(經渠, 보).

▶ 소견(所見): 실증(實證)인데 비허(脾虛)로 보았다. 보(경거)는 증금, 생(음곡, 척택), 극(대돈, 소상)한다. 사(소부)하였다. 보의 목적은 극이다. 목의 항진 상태이다. 목의 과극으로 비허이다. 비허로 담성되고 방해되어 호흡소리가 난다. 원인은 허이다. 소부는 경거의관.

13. 중부(中腑)

- 견증(見證): 중풍(中風)의 표증(表證)으로서 흔히 사지(四肢)에 착(着)하니 반신(半身)을 못쓰며 구안(口眼)이 한쪽으로 삐뚤어지고 통증(痛症)이 있으나 언어(言語)만은 변치 않는 증.
- 요법(療法): 태백(太白, 사), 풍시(風市, 보. 風市: 슬상외렴(膝上外廉-무릎 바깥쪽) 양근간(兩筋間-양 힘줄 사이)에 있나니 손을 넓적다리에 늘어뜨려 중기(中指)가 닫는 곳이다).

▶ 소견(所見): 사지(四肢) 중 상지에는 2금(폐, 대장)경과 4화(심, 소장, 심포, 삼초)경이있고 족(足)에는 2수(신, 방광), 2목(간, 담), 2토(비, 위)경이있다. 수(手), 상지(上肢)에는 토경이 없다. 수(手), 상지(上肢)는 화, 금의 상극 관계이며, 하지(下肢)는 수, 목의 상생(相生) 관계로 설명된다. 상생, 상극 이론 상 토(土)의 중화(中和) 작용이 반드시 있음을 적용하면 상지(上肢)의 상극 관계는 비토(脾土, 경락유주 이론 상 "족(足)에서 시작한 비경(脾經)이 흉중(胸中)으로 진입한다." 와 연설여랑 증세에 팔사혈을 사용한 기록과 연설여랑 증세를 비허증이라 하였으며 팔사혈의 혈위가 손등인즉 경락은 없으나 기능은 존재한다)가 족(足)의 상생 관계는 위토가 작용(족(足)에는 위토경이 있다)한다. 또한 비주사말의 생리 기능 등을 감안하면 "표증(表症) 중풍(中風)이 흔히 사지에 착(着)한다"는 토실증으로 해석된다. 토는 수혈에 해당하고 비, 담의 상합 관계이다. 족임읍 대신 풍시를 사용하였다. 표증의 경우 임읍보다 풍시가 더 효과적이기 때문으로 해석된다.

14. 중담(中膽)–경중(驚中)

● 견증(見證): 중부와 같은 증에 눈이 당기며 코를 골고 혼수불성(昏睡不省)이 되며 녹색(綠色)을 정(呈)하는 증.

● 요법(療法): 담허이니 통곡(通谷, 보), 위중(委中, 사).

▶ 소견(所見): 근의 당김은 경근의 비정상적 수축이고 방광 주근한다. 방광 경기는 대장 경기의 영향혈에서 받아 양내안(兩內眼)에서 기시(起始)하고 두정과 후두부를 지난다. 통곡은 담의 모경 방광경의 원(原)이다. 보는 증수, 생(임읍, 속골), 극(양곡, 곤륜)한다. 사(위중)는 보(통곡)의관. 토의 항진에 의해 수가 위축된 증세. 족임읍(足臨泣) 기능을 보강하였다.

15. 중위(中胃)–식중(食中)

● 견증(見證): 중부와 같은 증에 음식(飮食)이 내리지 않고 담(痰–가래)이 끓어오르며 담황색(淡黃色)을 정하는 증.

● 요법(療法): 위허이므로 임읍(臨泣, 사), 양곡(陽谷, 보).

▶ 소견(所見): 화(火)을 보한 것은 허(虛)냉(冷) 때문. 보(補, 양곡)는 증화, 생(삼리, 소해), 극(상양, 소택)한다. 사(임읍)는 관이다. 정격 의미.

16. 태식선비(太息善悲)

● 견증(見證): 긴 한숨을 쉬며 비창(悲悵)한 빛을 나타내는 증.

● 요법(療法): 신문(神門, 보), 족삼리(足三里)·일월(日月, 사).

▶ 소견(所見): 환자의 상태를 오행으로 진단하고 배혈하였다. 긴 한숨을 심에, 비장함을 담에 적용하였다. 다른 고서에는 보(일월)한 경우도 있어 논외한다.

17. 반신불수(半身不遂)

● 견증(見證): 말이 어눌하며 반쪽을 못 쓰는 증.

● 요법(療法): 심허(心虛)이니 대돈(大敦,보), 태백(太白, 사).

▶ 소견(所見): 어눌은 심기능, 반신불수는 양수부족(陽水不足)에 의한 방광경(主筋)의 이상이다. 심, 방광은 상합 관계이다. 형혈(滎穴)에 해당한다. 심허는 소부 불급이다. 목극토가 불리한 증세로 보(대돈)는 증목, 생(소부, 행간), 극(태백)한다. 사(태백)는 생(소부)에 의한 자의 증가를 억제하였다. 허측 보모, 실측사자.

18. 구완와사(口眼喎斜)

● 견증(見證): 입과 눈이 삐뚤어진 증.

● 요법(療法): 간허(肝虛)이므로 연곡(然谷, 사)·소해(少海, 보).

▶ 소견(所見): 보(소해)는 증수, 생목, 극토한다. 연곡(화)를 사하였다. 심, 신 불교(不交)의 상태. 목생화가 불리한 상태, 보심수로 생대돈하고 극소부한다. 연곡을 사하여 신경기의 확대 억제 및 부류에 의해 음곡을 보강하여 수생목을 보강하였다. 심화, 신수의 균형.

19. 편신양여·충행(遍身痒如·蟲行=가려움증)

● 견증(見證): 전신(全身)이 벌레가 기어가는 것 같이 굼성거리고 가려워서 참을 수 없는 증.

● 요법(療法): 심실(心實)이므로 음곡(陰谷, 보), 대돈(大敦, 사)

▶ 소견(所見): 화증(火症)이고 실증(實症)이다. 보(음곡)는 생(대돈, 용천), 극(소부, 연곡)한다. 사화(瀉火)된다. 사(대돈)는 소부의 모를 사하였다. 보의 목적은 극(소부)이다. 대돈은 보(음곡)에 의한 생(生)이며 소부의 모(母)로 사(瀉)하였다. 강한 억제가 된다. 또한 화증이므로 보수하여 감화하고 충행은 풍상이라 목을 사한 것으로 해석된다.

20. 편풍구와(偏風口喎)

● 견증(見證): 쪽 바람을 맞아서 입이 삐뚤어진 증.

● 요법(療法): 간실(肝實)이므로 완골(사), 전곡(영).

▶ 소견(所見): 구안와사(간허)와 비교된다. 간(목)실이며 동풍 상태이다. 와사경락은 소장경이다. 실측사자, 전곡(영)하여 양곡을 보강하였다. 소장 경기의 부족에 의해 바람을 맞았다는 뜻이다. 사(완골)는 "편고 완골주지(偏枯 腕骨主之)"를 인용(갑을경)한다.

21. 역절풍(歷節風)

● 견증(見證): 온 전신(全身) 뼈마디 속이 호랑이가 무는 것 같이 아픈 증.

● 요법(療法): 신허(腎虛)이므로 대돈(大敦, 사), 경거(經渠, 보).

▶ 소견(所見): 보는 증금, 생(음곡, 척택), 극(대돈, 소상)한다. 사(대돈)로 화, 목을 억제하고 보(경거)로 보수극목하였다. 목(풍)을 강하게 억제하였다.

22. 적전풍(赤澱風)

● 견증(見證): 피부(皮膚) 일부에 적색(赤色, 알레르기)을 정하는 증.

- 요법(療法): 어제(魚際)·양계(陽谿)·모궁(勞宮)·지구(支溝)·소부(少府)·양곡(陽谷)·대도(大都)·행간(行間)·해계(解谿)·양보(陽輔)·곤륜(崑崙, 사).

▶ 소견(所見): 신화(腎火, 연곡)를 제외한 모든 장부의 화를 사하였다. 실제 임상에서 위와 같이 할 경우 알레르기에 의한 소양 증세나 열감은 현저하게 감소하나 혈압이 급속하게 저하되므로 저혈압 환자의 경우 주의가 요구된다. 화상은 번성하고 확대(승명)됨을 뜻한다. 사(연곡)하면 신(腎) 경기가 억제된다(학류).

23. 적백전풍(赤白癜風)

- 견증(見證): 피부(皮膚) 일부에 적색(赤色) 혹은 백색(白色)의 알레르기를 정(呈)하는 증, 뇌혈관의 장애로 인한 병.
- 요법(療法): 곡택(曲澤)을 침(針)으로 자하고, 그 자리에 상품(上品) 흑연 분말(墨)를 넣으면 부지(不知) 중(中)에 소멸(消滅)된다.

▶ 소견(所見): 이론적으로 설명이 불가능한 민간 요법, 하면 안되는 방법으로 논외한다.

7.2 제2장. 상한문(傷寒門)

1. 상한(傷寒) 첫날

- 견증(見證): 구미강활탕(九味羌活湯) 증(證) 또는 십신탕(十神湯) 증(證).
- 요법(療法): 족태양방광경(足太陽膀胱經)이 수(受)하나니 상양(商陽, 보), 삼리(三里, 사). 치관(治官) 보모(補母)의 뜻.

▶ 소견(所見): 보는 증금, 생(통곡, 이간), 극(삼간, 임읍)한다. 사(삼리)는 통곡의 관.

2. 상한(傷寒) 2일

- 견증(見證): 갈근해기탕(葛根解肌湯) 증(신열, 목동, 비건, 불득와).
- 요법(療法): 족양명(足陽明) 위경(胃經)이 수(受)하나니 삼리(三里, 보), 임읍(臨泣, 사). 억관(抑官) 안신(安身)의 뜻.

▶ 소견(所見): 보는 증토, 생(상양, 여태), 극(통곡, 내정)한다. 사는 관이며 제증이 발생할 수 있는 화(火)의 모경이다. 화(火)는 수로 열(熱)은 토(土)로 조절한다. 토(土)는 적정의 습(濕)을 포함하여야 하나 삼리는 양토라서 쉽게 건(乾)하게 된다. 보(삼리)로 토기를 증강하고 생금은 목기를 억제하여 생화를

방지한다. 또한 사(입읍)는 보(양곡)를 억제하며 삼리의 관.

** 예로서, 보(삼리)는 증토기(增土氣), 생금기(生金氣), 극목기(克木氣)됨을 예상한다.

3. 상한(傷寒) 3일

● 견증(見證): 소시호탕(小柴胡湯) 증(협통 而 耳聾).

● 요법(療法): 족소양담경(足少陽膽經)이 수(受)하나니 협계(俠谿, 보), 상양(商陽, 사). 절관(折官) 보모(補母)의 뜻.

▶ 소견(所見): 보는 증목, 생(임읍), 극(양보)한다. 상양은 육부 각경의 금(족규음, 여태, 소택, 관충, 지음)의 원이고, 임읍도 각목경(삼간, 후계, 속골, 중저, 함곡)의 원이다. 사(상양)는 삼간 기능을 보강하며 담의 관이다. 각경의 목혈은 시경기(始經氣) 기능이다. 담목이 보강된다. 상양은 임읍의 관이라 사하였다. 통곡을 사용하지 않음은 담경에 국한되었다는 의미. 협(脇-겨드랑이)은 목(木)의 영역이다.

4. 상한(傷寒) 4일

● 견증(見證): 이중탕(理中湯) 증(證)(腹滿而 不能食).

● 요법(療法): 족태음비경(足太陰脾經)이 수(受)하나니 음릉천(陰陵泉), 경거(經渠, 보), 은백(隱白, 사). 보자(補子) 억관(抑官)의 뜻.

▶ 소견(所見): 비경이 수한 것은 태백이 수한 것. 보자억관이란 자(子)는 금(金), 관(官)은 목(木)를 뜻한다. 보금사목(補金瀉木)해야 한다. 금극목이 정상인데 안되어서 증세가 발현되었다는 뜻이다. 보(경거)는 증금, 생(척택, 음곡), 극(소상, 대돈)한다. 보(음릉천)는 생(은백), 극(대도)한다. 사(은백)는 태백의 관. 즉 비실 상태.

5. 상한(傷寒) 5일

● 견증(見證): 가미사역탕(加味四逆湯) 증(口燥 舌乾易渴).

● 요법(療法): 족소음신경(足少陰腎經)이 수(受)하나니 음곡(陰谷) 경거(經渠, 보), 태백(太白, 사). 억관보자(抑官補子)의 의(義)이다.

▶ 소견(所見): 제증은 금부족으로 음곡이 수(收)한 상태, 사(태백)는 증(음곡), 감(태백)하고 보(경거)는 생(음곡, 척택), 극(소상, 대돈)한다. 신(腎)의 본인 음곡(水)은 보(음곡, 경거)와 사(태백)에 의해 강하게 보강된다. 토의 항진으로 수의 불급 상태.

6. 상한(傷寒) 6일

- 견증(見證): 삼미수유탕(三味茱萸湯) 또는 부자이중탕(附子理中湯) 증(번만이낭축(煩滿而囊縮)-충만 과 수축).
- 요법(療法): 족궐음간경(足厥陰肝經)이 수(受)하나니 음곡(陰谷)·대도(大都, 보), 경거(經渠, 사). 보자억관(補子抑官).

▶ 소견(所見): 상한 4, 5, 6일에 사용한 배혈을 살펴보면, 상한 4일에는 보(음릉천, 경거), 5일에는 보(음곡, 경거), 6일에는 보(음곡, 대돈)하였다. 사암의 배혈 방법은 양경 상한 시 각 경의 본(간의 대돈, 심의 소부, 비의 태백, 폐의 경거, 신의 음곡)을 직접 보, 사하고 상한 외에는 정, 승격으로 본을 직접 사용하지 않았다. 음곡은 대돈의 모(母)이며 곡천 대신 대돈은 목혈(木穴)의미(始經氣)로 보하여 경기를 보강하고 경거(經渠)는 관이라 사하였다.

7. 상한(傷寒) 7일

- 견증(見證): 「내경(內經)」에서 "불가기(不加氣) 부전경자(不傳經者)"를 이르는 것이니, 족태양방관경(足太陽膀胱病)의 병이 쇠(衰)하고 수태양소장경(手太陽小腸經)이 수(受)하여 두통(頭痛)이 소유(少愈-조금 나아짐)한 증(證).
- 요법(療法): 소장경(小腸經) 정격(正格) 또는 승격(勝格)을 겸용(併用)한다.

▶ 소견(所見): 겸용한다 함은 방광에서 소장으로 연계되는 과정에서 한, 열증이 교차한다는 의미(태양두통전이)로 상황에 따라 정, 승격을 사용할 수 있다는 의미로 해석된다.

8. 상한(傷寒) 8일

- 견증(見證): 족양명위경병(足陽明胃經病)이 쇠(衰)하고 수양명대장경(手陽明大腸經)이 수(受)하여 신열(身熱)이 소헐(小歇-조금씩 흩어짐)한 증.
- 요법(療法): 삼리(三里, 보), 임읍(臨泣)·함곡(陷谷, 사). 억관보신(抑官補身)의 의(義)이다.

▶ 소견(所見): 위정격의 보(양곡, 해계)대신 삼리를 보하였다. 보(삼리)는 증토, 생(상양, 여태), 극(통곡, 내정)한다. 삼리의 관을 사(임읍, 함곡)하였다. 대장을 보강하며 소헐한 신열을 극으로 억제한다. 위경이 쇠하여 생금이 부족하다. 함곡을 사하며 족임읍도 사(瀉)함은 사(瀉, 함곡)의 강도를 높이며 타 양경의 목기능도 억제 된다.

9. 상한(傷寒) 9일

- 견증(見證): 족소양감경병(足少陽膽經病)이 쇠(衰)하고 수소양삼초경(手少陽三焦經)이 수(受)하여

이롱미문(耳聾未聞-귀가 먹어서 들리지 않는 것)하는 증.

- 요법(療法): 지음(至陰)·규음(竅陰, 사), 통곡(通谷)·협계(俠谿, 보).

▶ 소견(所見): 보는 생(족임읍, 속골), 극(양곡, 양보)한다. 사(지음, 규음)하였으므로 배혈의 목적은 생이며 상양 대신 지음을 사용하였다. 상양을 사용하면 육경의 금혈에 영향을 주나 지음과 규음은 방광, 담경에만 영향을 준다. 담경이 쇠하여 목생화가 부족함으로 삼초가 수하였다. 사에 의해 속골과 족임읍이 보강되는 정격.

10. 상한(傷寒) 10일

- 견증(見證): 족태음비경병(足太陰脾經病)이 쇠(衰)하고 수태음폐경(手太陰肺經)이 수(受)하였으므로 복통(腹痛)이 감(減)해 전(前)과 같고 음식(飮食)을 생각하는 증.
- 요법(療法): 신문(神門), 태백(太白, 보), 은백(隱白), 대돈(大敦, 사).

▶ 소견(所見): 보는 증토, 생(영도, 경거, 상구), 극(소해, 음릉천,)한다. 사는 보의 관이다. 비병이 쇠하여 폐가 수하였으므로 보토하였다. 심, 비를 보하였다. 모경(화)토를 보하여 태백을 보강하였다. 비경이 쇠한 것은 심부족임을 뜻한다. 보에 의해 경거를 중심으로 영도, 상구도 보강되나, 사(은백)는 태백의관, 사(대돈)는 은백의 원(原)과 태백의 관(官) 두 가지의 역할을 의미한다. 즉 증(增, 화, 토) 생(生, 화, 토, 금) 사(瀉)목 하였다.

11. 상한(傷寒) 11일

- 견증(見證): 족소음신경병(足少陰腎經病)이 쇠(衰)하고 수소음심경(手少陰心經)이 수(受)하여 갈증(渴症)은 끝났으나 설건(舌乾-혀가 마름)은 마찬가지인 증.
- 요법(療法): 척택(尺澤), 음곡(陰谷, 보), 태백(太白), 태계(太谿, 사).

▶ 소견(所見): 설건증으로 보수 사토하였다. 보는 증 폐신수(肺腎水), 생(소상, 대돈, 용천), 극(어제, 소부, 연곡)한다. 척택은 폐수로서 금생수에 의해 신을 보강하는 의미도 있다. 사는 보의 관이다. 사(태백)는 태계의 원(原)이며 음곡의 관이 되어 척택의 관인 태연에도 영향을 주어 강사(强瀉)한다.

12. 상한(傷寒) 12일

- 견증(見證): 족궐음간경병(足厥陰肝經病)이 쇠(衰)하고 수궐음심포경(手厥陰心包經)락이 수(受)하여 대체로 병(病)이 자안(自安)한 증.
- 요법(療法): 음곡(陰谷), 곡천(曲泉, 보), 상양(商陽), 대돈(大敦, 사).

▶ 소견(所見): 보는 증간신수(增肝腎水), 생(대돈, 용천), 극(행간, 소부, 연곡)한다. 간, 심포는 상교(相

交)관계. 양명과 상합(相合), 상통(相通) 관계이나 상한이므로 상통 관계로 해석한다. 사(상양)는 사(대장)로 궐음을 보강한 것이고, 대돈을 사하여 간, 심포의 상교(相交) 관계를 보완하였다.

13. 상한통치(傷寒通治)

● 요법(療法): 상양(商陽, 보), 삼리(三里, 사), 좌우병행(左右竝行).

▶ 소견(所見): 정격 의미로 배혈 목적은 생(통곡)이다. 방광경이 상한 받았다.

14. 상한무한오한(傷寒無汗惡寒)

● 견증(見證): 땀기가 없고 오한(惡寒)이 나는 증.

● 요법(療法): 사관(四關, 좌우수합곡(左右手合谷), 좌우족태행(左右足太衝))을 상사(上瀉) 하보(下補)한다. 즉, 합곡(사), 태충(보) 한다.

▶ 소견(所見): 사관으로 기, 혈을 보완하였다. 간, 대장의 상통 관계로 금 기능이 보완되면 무한이 해결되며 오한이 소멸된다.

15. 상한다한경달(傷寒多汗驚怛)

● 견증(見證): 땀기가 많고 깜짝 놀라는 증.

● 요법(療法): 대돈(사), 상구(보).

▶ 소견(所見): 땀은 비음이다. 보(상구)는 땀을 수렴한다. 사(대돈)은 태백이 보강되며, 풍목을 억제한다. 태백은 상구의 모(母). 비경이 상한되어 땀기가 많다는 의미.

16. 상한다한오풍(傷寒多汗惡風)

● 견증(見證): 땀기가 많고 바람을 싫어하는 증.

● 요법(療法): 태백(太白, 補), 소부(少府, 瀉).

17. 상한다한신열(傷寒多汗身熱)

● 견증(見證): 땀기가 많고 몸에 열이 많은 증.

● 요법(療法): 태백(사), 경거(보).

▶ 소견(所見): 경거를 보하여 수렴기능을 보강하고 생(음곡)하여 수(水) 기능을 보완하여 열(熱)과 한(汗)을 억제한다. 태백은 음곡의 관으로 사하였다.

18. 급상한(急傷寒)

● 견증(見證): 급작스러운 상한.

● 요법(療法): 상양(商陽, 보).

▶ 소견(所見): 일침 사용. 상한 초기, 일침 방법으로 보(상양)하여 제증을 완화한다. 일침(一針)이지만 이론적으로는 간과 대장의 상합과 상통 관계를 보강한 것이다. 양금은 음목을 극하며 양금의 극을 받아야 음목의 기능이 정상으로 된다. 상양을 보함은 대돈에 대한 극이 강화 되는 것.

19. 색상한(色傷寒)

● 견증(見證): 범방 상한(傷寒). 방사 피로로 생기는 상한 증.

● 요법(療法): 신(腎) 정격(正格) 또는 승격(勝格).

20. 운상한(運傷寒)

● 견증(見證): 장질부사(염병).

● 요법(療法): 1일. 풍부(風府), 2일. 이간(二間), 3일. 중저(中渚), 임읍(臨泣), 4일. 소상(少商), 은백(隱白), 5일. 신문(神門), 태계(太谿), 6일. 중봉(中封), 영도(靈道), 간사(間使) 모두 사(瀉)한다.

7.3 제3장. 천지운기문(天地運氣門)

천지오운지세(天地五運之歲) 태과불급지기(太過不及之氣) 개치보사(皆治補瀉) 양과음불급(陽太過陰不及).

1. 육갑지년(六甲之年) 돈부(敦阜)

● 견증(見證): 세토(歲土)가 태과(太過)하여 우습(雨濕)이 유행(流行)하므로 신수(腎水)가 사(邪)를 받게되어 오인(吾人)이 항시 불쾌감(不快感)을 느끼며 발에 힘이 없고 발바닥이 아프며 속이 터분하고 사지(四肢)를 놀리지 못하는 증(證)을 소(訴)한다(附子山茱萸湯(부자 산수유탕) 證(증)).

● 요법(療法): 태백(사), 경거, 부류(보) . 억관 보모(抑官補母)의 의이다.

▶ 소견(所見): 신정격중 태계(사)를 제외한 배혈. 보는 증금, 생(음곡, 척택)한다. 신정격 배혈로 사하면 신위주(腎爲主)로 침효가 발현되지만 태계를 제외하면 신을 포함한 각 장부에 영향을 준다. 침치는 보, 사의 배혈이다. 어떤 혈을 사하는가에 따라 보의 영향이 좌우된다. 태백은 12경토의 원(原)이다. 예로서 태연을 사하면 음곡의 기능을 폐에 연계시키려는 뜻이다.

2. 육을지년(六乙之年) 종혁(從革)

- 견증(見證): 세금(歲金)이 불급(不及)하여 염화(炎火)가 성행(盛行)하게 되므로 견배(肩背)가 무중(瞀重-무겁고)하고 콧물이 흐르며 재채기와 함께 해수(咳嗽), 천혈(喘血-숨차고, 월경한다) 등증(等症)을 소(訴)한다(자완탕(紫菀湯) 증(證)).
- 요법(療法): 삼리(三里), 곡지(曲池, 보), 임읍(臨泣), 후계(後谿, 사), 보국영가(此補國寧家)의 의이다.

▶ 소견(所見): 보는 증토, 생(상양, 여태). 극(내정, 이간)한다. 보는 생금한다. 후계를 사함은 생금기를 소장에 연계한 것(후계는 소장목혈로 시경혈(始經穴)이다. 이를 사함은 소장 경기를 억제하는 것). 두견(頭肩) 사이는 대장, 견, 배려는 소장의 영역이다. 또는 세금(歲金)이 불급(不及)하므로 보토하여 토생금으로 금기를 보강하고, 관인 목기를 사하며 덧붙여 소장목기를 사하여, 목생화에 의한 양곡을 억제한 배혈로 해석할 수도 있다. 화, 금의 대립은 토의 중화 기능 불리(不利).

3. 육병지년(六丙之年) 만연(漫衍)

- 견증(見證): 세수(歲水)가 태과(太過)하여 한기(寒氣)가 유행(流行)하므로 심화(心火)가 사(邪)를 받게 되어 몸이 덥고 심(心)이 조(燥)하며 궐음경(厥陰經) 분야(分野)에 한냉(寒冷)을 느끼고 헛소리를 하며 가슴이 아프고 해수(咳嗽), 자한(自汗), 등증(等證)을 소(訴)하며, 야간(夜間)에는 더욱 중(重)하다(황연복령탕(黃連茯苓湯) 증(證)).
- 요법(療法): 음곡, 소해(사), 대돈, 소충(보). 차세관보모(此洗官補母)의 의(義)이다.

▶ 소견(所見): 소부의 기능을 보완하였다. 생목사수한 정격.

4. 육정지년(六丁之年) 위화(委和)

- 견증(見證): 세목(歲木)이 불급(不及)하여 조(燥)가 성행(盛行)하므로 갈비뼈가 당기고 아랫배가 아프며 장명(腸鳴), 설사(溏泄) 등증(等症)을 소(訴)한다(종용우슬탕(蓯蓉牛膝湯) 증(證)).
- 요법(療法): 이간, 통곡(보), 상양(사) 차(此) 보관안민(補官安民)의 의이다.

▶ 소견(所見): 보는 증수(增水), 생(삼간, 임읍, 속골), 극(양계, 양곡)한다. 사는 생의 관이다. 조가 성행하므로 수를 보하여 조가 감소하며 부족한 목기가 보강된다. 사(상양)하여 조는 억제되니 목은 더욱 보강된다. 보에 의해 삼간(목)이 생된다. 목(삼간)으로 금극목이 억제된다.

5. 육무지년(六戊之年) 혁희(赫曦)

- 견증(見證): 세화(歲火)가 태과(太過)하여 사화(邪火)가 유행하므로 폐금(肺金)이 사(邪)를 받게되어 학(瘧, 학질)이 유행되며 소기(少氣), 해천(咳喘), 혈설(血泄), 신열(身熱), 골통(骨痛) 등(等) 증

(證)을 소(訴)한다(맥문동탕(麥門冬湯) 증(證)).

- 요법(療法): 소해(少海)·척택(尺澤, 보), 소부(少府)·어제(魚際, 사). 극관보모(克官補母)의 의(義)이다.

▶ 소견(所見): 화가 태과하니 보수하여 화를 억제한다. 보는 증수, 생(소상, 소충), 극(소부, 어제)한다. 사(소부, 어제)로 경거, 영도혈의 기능이 보강된다. 음곡을 사용하지 않았음으로 보는 심, 폐에 국한하지만 사(소부)는 모든 경에 영향을 미친다. 즉 각 경의 화(火)가 억제된다.

6. 육기지년(六己之年) 비감(卑監)

- 견증(見證): 세토(歲土)가 불급(不及)하여 풍기(風氣)가 성행(盛行)하므로 잔설(飧泄), 곽란(霍亂)과 함께 몸이 무겁고 배가 아프며 근골(筋骨), 불안 등증(等症)을 소(訴)한다(백출호박탕(白朮琥珀湯) 증(證)).
- 요법(療法): 양계, 해계(보), 속골, 임읍(사). 차억관보민(此抑官補民)의 의이다.

▶ 소견(所見): 토불급으로 보모한다. 양곡 대신 양계를 보하였다. 해계로 삼리를 생하고 양계로 곡지를 생한다. 곡지를 생하게 한 것은 대장금이 풍(風)을 극할 수 있기 때문이다. 대장토가 풍을 극하지 소장토가 풍(風)을 극할 수 없기 때문이다. 보는 증화, 생(곡지, 삼리), 극(상양, 여태)한다. 사목은 사풍이다. 간목담풍이므로 임읍을 사하고, 양곡을 사용하지 않았음으로 보는 대장, 위에 국한된다. 사는 임읍을 사용하였기에 각 양경의 목이 억제된다. 속골을 사함은 위중 기능으로 연계된다.

7. 육경지년(六庚之年) 견성(堅成)

- 견증(見證): 세금(歲金)이 태과(太過)하여 조기(燥氣-마른 기운)가 성행(盛行)하므로 간목(肝木)이 사(邪)를 받게 되어 옆구리 갈비와 소복(小腹)이 함께 아프며 귀가 먹먹하고 눈이 붉으며 다리 종아리가 모두 아픈 증(證)을 소한다(우슬모과탕(牛膝木瓜湯) 증(證)).
- 요법(療法): 양계(陽谿), 양곡(陽谷, 보), 지음(至陰), 규음(竅陰, 사). 차(此) 군신경회(君臣慶會)의 의이다(원문, 양곡 아닌 해계(解谿)).

▶ 소견(所見): 보는 증화, 생(삼리, 곡지, 소해), 극(소택, 상양)한다. 사(지음, 규음)로 배혈 목적은 극금이다. 상양은(지음, 규음, 여태, 관충, 소택) 원(原)이다. 양계에 의해 극(克)상양되어 각 경 금기는 감소된다. 조기 성행으로 사(지음, 규음)하였다. 사에 의해 억제된 상양의 경기를 지음, 규음(제증세가 방광, 담경의 증세이므로)으로 연계한다. 침치(鍼治)는 보, 사. 보에 의한 생과 극은 사(克中有生)를 어떻게 하는가에 따라 다르게 된다.

8. 육신지년(六辛之年) 학류(涸流)

- 견증(見證): 세수(歲水)가 불급(不及)하여 습(濕)이 성행(盛行)하므로 부종(浮腫)이 나고 몸이 무거우며 유설(濡泄), 족위(足痿), 청궐(淸厥)-냉증(冷症)-, 각하동통(脚下疼痛) 등(等) 증(症)을 소(訴)한다(오미자탕(五味子湯) 증(證)).
- 요법(療法): 경거(經渠)·부류(復溜, 보), 태백(太白)·태연(太淵, 사) 억관보모(抑官補母)의 의(義)이다.

▶ 소견(所見): 금은 조성(燥性)이다. 습이 성행하므로 보금한다. 보는 증금, 생(음곡, 척택), 극(용천, 대돈)한다. 음곡의 관인 태백을 사하였다. 사(태연)는 음곡의 상태를 척택으로 연계하여 폐의 수 기능을 보강한다. 억관은 태연, 태백이고 보모는 경거, 부류를 뜻한다. 경거를 보하면 생음곡이고 부류를 보하여도 생음곡이지만 경거를 보하면 각 경의 수가 생(生)되고 부류를 보하면 신수(腎水)만 생(生)된다. 경거와 부류의 기능 차이다.

9. 육임지년(六壬之年) 발생(發生)

- 견증(見證): 세목(歲木)이 태과(太過)하여 풍기(風氣)가 유행(流行)하므로 비토(脾土)가 사(邪)를 받게되어 잔설(飧泄-설사), 식감(食減-식욕 감퇴)과 함께 체중(體重), 번조(煩躁), 장명(腸鳴), 협(脇) 여(與) 복통(腹痛) 등(等) 증(症)을 소(訴)한다(염출양(苓朮湯) 증(證)).
- 요법(療法): 규음(竅陰), 지음(至陰, 보) 해계(解谿), 양곡(陽谷, 사). 차(此) 억관안신(抑官安身)의 미이다(원문. 양곡 대신 양계).

▶ 소견(所見): 목이 태과(太過)하여 풍기(風氣)가 항진되므로 보금하며 관인 화를 사하였다. 간목담풍이므로 규음을 보하여 족임읍을 억제한다. 상양을 보하지 않고 지음, 규음을 보함은 담과 방광에만 국한한다. 수생목이므로 방광금을 보하여 속골을 억제한다. 목이 태과할 조건을 모두 억제한다. 해계를 사하여 토의 증가를 억제한다. 비토가 사를 받았는데 양토를 보강함은 표(양토)에 의한 리(비)병이기 때문이다.

10. 육계지년(六癸之年) 복명(伏明)

- 견증(見證): 세화(歲火)가 불급(不及)하여 한(寒)이 성행(盛行)하므로 흉(胸), 복(腹), 협(脇), 옹(膺), 견(肩), 양비(兩臂)와 함께 울모(鬱冒), 심통(心痛) 등(等) 증(症)을 소(訴)한다(황기복신탕(黃芪茯神湯) 증(證)).
- 요법(療法): 대돈(大敦), 소충(少衝, 보), 척택(尺澤), 부류(復溜, 사). 신군우신(賢君遇臣)의 의이다.

▶ 소견(所見): 보는 증목, 생(소부, 행간), 극(경거, 중봉)한다. 보의 목적은 생소부이며 척택을 사하여 어제 기능을 보강, 폐한을 억제한다. 부류는 신금으로. 금생수가 되면 음곡이 증가한다. 부류를

사하여 한을 억제한다.

7.4 제4장. 중서문(中暑門)

사암은 "내경(內經)의 서간번칙(暑汗煩則) 천갈암습정칙(喘渴陰濕靜則) 장열(藏熱)이라는 것을 강조(强調)하고 견증(見證)을 열거(列擧)한 후에 차(此)는 표야(表也)라 하고(서자(暑者)는 심약(心弱))" 이라 하여 심정격(心正格)을 용(用)하였을 뿐이므로 부득이 원문(原文)에 의(依)하여 단지 초기(抄記)해 둔다.

1. 중서(中暑)

- 견증(見證): 심약(心弱)으로 두통(頭痛), 오한(惡寒), 지절동통(肢節疼痛), 심번허약(心煩虛弱) 등(等) 증(證)을 소(訴)한다(의원문현토(依原文懸吐) 초출(抄出)).
- 요법(療法): 대돈(大敦), 소충(少衝, 보), 음곡(陰谷), 소해(少海), 곡택(曲澤, 사) 또는 중저(中渚, 보), 곡택(曲澤, 사).

▶ 소견(所見): 보는 증목, 생(소부, 행간), 극(태백, 신문, 태충)한다. 사(음곡, 소해, 곡택)는 관을 사한 것. 보(補, 심(心), 신화(腎火))하였다. 생된 소부의 기능은 소부가 화의 원이므로 각 경 화에 영향을 준다. 곡택을 사하여 노궁을 보강한다. 지절동통은 담경, 근육통은 방광경이 수(受)한 것으로 심, 담은 상통, 심, 방광은 상합(相合) 관계이다. 심포는 심의 상화이므로 방광과 상합한다고 해석된다. 심정격에 곡택을 사하여 심포도 포함하였다.

7.5 제5장. 습증문(濕症門)

사암(舍岩)의 치험(治驗)을 고찰(考察)하건데 내상성습증(內傷性濕證)에는 치료법칙(治療法則)을 주(主)로 비경(脾經)에 두어서 조잡과 같이 취급(取扱)하였으며 "부토혈(伏兎穴) 근처(近處) 및 내고복상하(內股腹上下)에 결핵(結核) 또는 성농기(成膿氣)가 있는 것은 모두 습열(濕熱)이 뭉친 것이라 하여 비경(脾經) 정격(正格)의 치법(治法)으로 만무일실(萬無一失)을 장담(壯談)하였다.

1. 중습(中濕=내상(內傷))

- 견증(見證): 생냉(生冷-차거운 생 물질) 음식물(飮食物)로 인(因)하여 유발(誘致)된 내울성(內鬱性) 습

증(濕證)은 흔히는 고창(鼓脹), 부종(浮腫) 등(等) 증(證)을 소(訴)한다.

● 요법(療法): 비허(脾虛)니 소부(少府), 대도(大都, 보), 대돈(大敦), 은백(隱白, 사).

▶ 소견(所見): 생냉물로 보화하며 보는 증 화(火), 생(태백, 신문), 극(경거, 상구, 영도)한다. 태백의 기능을 보강하였다. 온음토는 습윤하고 평목한다. 태백은 각(各) 경토(經土)의 원(原)이다. 비정격.

2. 중습(中濕=외상(外傷))

● 견증(見證): 음우무로(陰雨霧露-비가 많고 안개가 성한 날씨-장마)로 인하여 유발된 외상성(外傷性) 습증(濕證)은 흔히는 중퇴각기(重腿脚氣-넓적다리가 무겁다) 등(等) 증(證)을 소(訴)한다.

● 요법(療法): 단전, 양곡(보), 임읍, 함곡(사).

▶ 소견(所見): 양곡은 각양경의 화원(火原)이다. 보(양곡)는 증화(增火), 생(삼리, 소해), 극(상양, 소택)한다. 해계 대신 단전을 사용한 위정격의 변형. 해계를 사용하면 위, 소장으로 국한되지만 단전을 사용하여 생, 극의 효과를 전신으로 확대된 배혈이 된다. 사(임읍, 함곡)함은 보의 효과(토기 보강)를 담, 위경으로 연계(양릉천, 삼리)한다. 습(濕)에 의해 불급(不及)된 양토의 기능을 보강한다.

3. 습종(濕腫)

● 견증(見證): 전신(全身)이 모두 붓되 요(腰-허리)로부터 족(足)에 이르기까지 우심(尤甚-더욱 심함)하며 기(氣)가 급(急), 혹은 불급(不急)하고 대변(大便)이 묽거나 묽지 않기도 하다.

● 요법(療法): 대돈(大敦), 은백(隱白, 보), 경거(經渠), 상양(商陽, 사)-비승격(脾勝格).

▶ 소견(所見): 보는 증목, 생(대도, 소부, 행간), 극(태백, 태충)한다. 목혈은 경기(經氣) 시혈(始穴)이다. 은백에 의해 비경기가 보강된다. 경거는 대돈의 관, 금기는 수렴하며 조성이다. 목은 풍이며 승습한다. 보목하였다. 상구 대신 상양을 사용하였다. 상양은 양경(陽經) 금(金)의 원(原)이며 대돈과 상합한다. 사상 양은 대돈을 보강한다. 음, 양경의 금기를 사하였다. 비경에만 국한하지 않았다. 전신상(全身上) 증(症)이기 때문이다.

4. 황달(黃疸)

● 견증(見證): 습(濕)·열(熱)의 교결(交結-서로 호응) 때문에 분비(分泌)되는 담(膽)의 열즙(熱汁)이 위(胃)의 탁기(濁氣)와 상병(相倂)되는 까닭에 피부(皮膚)와 안목(眼目)이 황색(黃色, 위(胃)의 본색(本色))을 발(發)하는 증.

● 요법(療法): 삼리, 완골, 내정, 임읍, 함곡(사).

▶ 소견: 습에 관한 한 토의 기능을 보, 사한다. 위습담열증이다. 양목(兩木)을 사(瀉)하여 양토

(兩土, 삼리, 릉천)를 보강하고, 목은 시경기혈(始經氣穴)이므로 담, 위경기를 억제하였다. 목혈이 억제되니 목생화에 의한 양보, 해계가 감소된다. 즉 목을 사하여 삼종(三種) 기능을 조절하였다. 소장은 양경의 병화원(丙火原)이다. 완골은 원혈이다. 원혈은 경기의 원이고, 삼초와 연계되어 경기가 출입하는 특수혈이며, 황달증(黃疸證)에 사용하는 요혈이다. 삼리는 양토이며 각 경토(經土)의 원(原)이며 중화 기능으로 습을 조절한다. 즉 사목(瀉木)하여 목생화 억제로 화기 억제 및 화경(火經) 소장기 조절과 양토 사로 담습열을 억제하였다.

7.6 제6장. 조증문(燥症門)

사암(舍岩)의 치조(治燥)의 정신(精神)도 또한 폐(肺)에 치중(置重)하여 "억화관이(抑火官而) 안금(安金)"이니 "양토모이(養土母而) 보폐(補肺)"하여 폐정격(肺正格)을 전용(專用)하였다.

1. 조증(燥證)

- 견증(見證): 전신의 피부(皮膚)가 건고(乾枯)하여 백층(白屑)을 일으키고 심(甚)하면 파열(拆裂)되며 번갈(煩渴) 비결(秘結)을 소하는 증.
- 요법(療法): 소부, 어제(사), 태연, 태백(보).

▶ 소견(所見): 조(燥)는 토의 불급(不及), 항진 때문이다. 보는 증화(增火), 생(경거, 상구), 극(음곡, 척택, 음릉천)한다. 사(어제, 소부)하여 경거의 조(燥)를 억제한다. 정상 기능의 음토는 일정의 습(濕)을 포용하는데 기능 저하로 습윤치 못하므로 보하였다. 항진된 조(燥)를 흡수한다. 토는 금, 화의 대립을 조절한다.

** 소부는 각(各) 경(經)의 화원(火原)이다. 보, 사할 경우 어제, 행간, 대도, 연곡도 함께 영향을 받는다. 그 중 어떤 혈을 보, 사함은 소부의 영향을 그 혈로 취합치중(聚合致中)케 한다. 즉 소부와 함께 어제를 보, 사하면 경거, 행간을 하면 중봉, 대도를 하면 상구, 연곡을 하면 부류 기능이 억제 또는 보강된다(각경의 원(原)은 이러한 기능을 갖는다).

7.7 제7장. 화열문(火熱門)

사암의 본정신(本精神)은 화광(火狂)에 치중(置重)하여 군화(君火, 心火)로써 대광(大狂)에 상화(相火, 肝, 腎火)로써 양광(陽狂)에 장열(壯熱) 소장열(小腸熱)로써 평광(平狂)에 귀속(歸屬)시켰으므로 이제 광(狂)

에 대한 해명(解明)을 부치기로 한다. 차증(此證)은 흔히 칠정과도(七精過度)로 인(因)하여 오지(五志)의 화(火)가 내번(內燔)하므로 해서 전열성담(煎熱成痰-높은 체온과 가래가 성함)하고 심규(心竅-마음 속의 깊은 곳)를 상몽(上蒙)하여 신지(神志-지각과 의식)가 실상(失常)하게 되므로 창광(猖狂-미친 것 같이 사납게 날뜀), 강폭(剛暴), 망작(妄作-주책없는 행동), 망위(妄爲) 등(等) 증(證)을 초래(招來)하게 되는 것이다.

1. 군화(君火)

- 견증(見證): 심화불영(心火不寧)의 증(證)을 말한 것으로서 언어실상(言語失常), 정신여치(精神如癡), 비곡불낙(悲哭不樂), 엽의상번(棄衣上墻) 등의 대광증(大狂證)을 정한다.
- 요법(療法): 음곡, 소해(보), 대돈, 소충(사, 철군제신의 의이다).

▶ 소견(所見): 심정격을 반대로 보, 사하였다. 보는 증수, 생(대돈, 소충, 용천), 극(소부, 연곡)한다. 수(水)를 보(補)하여 극화(克火)한다. 목(木)은 화(火)의 모(母) 풍원(風原)이다. 목을 사하였다. 보는 극(소부, 연곡)한다. 사(대돈, 소충)는 보하는 과정의 생으로 사하였다(보수사목(補水瀉木), 극화사풍(克火瀉風)).

2. 상화(相火)

- 견증(見證): 간신화(肝腎火)의 망동(妄動)으로 일반(一般) 양광상태(陽狂證狀)를 발(發)하는 증.
- 요법(療法): 대도(大都), 음곡(陰谷, 보), 지구(支溝), 곤륜(崑崙, 사). 차(此) 보모안신(補母安身)의 의이다.

▶ 소견(所見): 간, 신의 본(本)을 보하였다. 수(水), 목(木)이며 음(陰), 혈(血)이고 동원(同原)이다. 뇌기능의 기본은 삼초, 방광경기이다. 지구를 사하면 삼초의 금(수렴)기가 강화되고 곤륜을 사하면 방광의 금(한수, 수렴)기가 강화된다. 항진된 삼초병화의 억제와 병화에 의한 방광수의 한화(寒化) 감소 및 상화, 병화의 균형을 조절한다.

3. 장열(壯熱)

- 견증(見證): 소장열성(小腸熱盛)을 지칭(指稱)한 것으로서 일반(一般) 평광(平狂)의 증상(證狀)을 정(呈)한다.
- 요법(療法): 중완(中脘, 정), 임읍(臨泣), 후계(後谿, 보), 삼리(三里), 충양(衝陽, 사).

▶ 소견(所見): 보는 증목, 생(양곡, 양보), 극(삼리, 소해)한다. 위주혈(胃主血)이다. 사토(瀉土)하였다. 토항진으로 제증이있다 원혈충양(胃經原穴)을 사함은 강사(强瀉)를 뜻한다. 열성 상태가 위실에 의한 광증이라는 뜻이다. 중완(정)은 유침한다는 뜻이다. 보목으로 담, 소장경기를 정격으로 하고 위열성을 사하였다.

7.8 제8장. 울문(鬱門)

사암은 치울(治鬱)의 원칙(原則)을 이른바 "사관(瀉官), 보모(補母), 철군(撤君), 화신(和臣)에 입각(立脚)하여 적절(適切) 타당(妥當-사리(事理)에 맞아 마땅함)한 치법(治法)을 강구(講究)하였다. 그러나 치울(治鬱)의 대법(大法)은 화기(和氣), 강화(降火), 또는 화담(化痰-담(痰)을 삭게 하는 일)하면 그만이 아닐까 한다.

1. 목울(木鬱)

- 견증(見證): 흉협작통(胸脇作痛), 한열여학(寒熱如瘧) 등(等) 증(證)을 소(訴)하며 맥(脈)은 반드시 침삽(沈澁-가라 앉고 막힌다)한다(가미소요산(加味逍遙散) 증(證)).
- 요법(療法): 목울(木鬱)은 허(虛)인지라 달(達)해야 하나니 음곡(陰谷), 곡천(曲泉, 보), 중봉, 경거(사)-간정격(肝正格).

▶ 소견(所見): 음곡은 음(陰) 곡천은 혈(血), 음, 혈부족으로 울(鬱)되었다. 보는 증수, 생(대돈, 용천), 극(소부, 행간, 연곡)한다. 사(경거, 중봉)는 보의 관이다. 배혈의 목적은 생(대돈). 목울은 간담에, 풍사를 주하고, 체억(滯抑)을 외(畏)하므로 달(達)해야 한다. 간정격.

2. 화울(火鬱)

- 견증(見證): 눈이 희미(目翳)하고 소변(小便)이 붉으며 오심(五心)이 번열(煩熱)하고 몸이 더우며 권태감(倦怠感)을 소(訴)하고 맥(脈)은 반듯이 침삭(沈數)하다(화울탕(火鬱湯) 증(證)).
- 요법(療法): 화울(火鬱)은 실(實)인지라 발(發)해야 하니 음곡(陰谷), 곡천(曲泉, 보), 단전(丹田), 대돈(大敦), 소충(少衝, 사).

▶ 소견(所見): 소해 대신 곡천을 보하였다. 보는 증수, 생(대돈, 용천), 극(소부, 행간, 연곡)한다. 사(대돈, 소충)하였다. 보의 목적은 극(소부, 행간)이다. 보수극화(補水克火) 사목((瀉木),화(火)의 모경(母經))한 대돈, 소충은 간, 심경기를 억제하여 간, 심화를 억제한다. 소해는 심화(丁火)를 곡천은 간화(相火)를 극한다. 간, 신화는 음혈화(陰血火). 이를 억제하고자 곡천을 보했다. 사(단전)는 화를 전신으로 분산한다. 화울은 심소에, 열사를 주하고, 함복(陷伏-어금니 아래뼈가 검게 된다)을 외(畏)하므로 발(發)해야 한다.

3. 토울(土鬱)

- 견증(見證): 주신관절이 유주작통하되 음한을 만나면 요심하며 맥은 반듯이 침, 완하다(신출산 증).
- 요법(療法): 토울은 실인지라 분해야 하나니 대돈, 함곡(보), 중완(정), 양곡, 해계(사).

▶ 소견(所見): 토는 보습하기에, 쉽게 습열화(濕熱化)한다. 보는 증목, 생(소부, 해계), 극(태백, 삼리, 곡천)한다. 사(양곡, 해계)하였다. 토열을 억제한다. 보의 목적은 극(태백, 삼리, 곡천)이다. 양토(兩土, 태백, 삼리)를 극하며 양화(兩火, 소부, 양곡)를 사하지 않고 양화(陽火, 양곡)만을 사한 것은 토울(土鬱)이 위(胃)이기 때문이다. 즉 습과 열이 있다는 뜻이다. 습은 양목(兩木)을 보하고 열은 양토(陽土)를 사한 배혈. 대돈을 보, 사하면 12경에, 임읍을 보, 사하면 6양경에 영향을 준다. 음은 양의 원(原)이다. 담주골(膽主骨)이다. 담(膽)은 비(脾)와 상합하여 양토상(陽土象)을 창조한다. 위습(胃濕), 비악습(脾惡濕)한다. 양토상은 위(胃)의 기능과 같다. 토(土)는 담목과 음토가 포함되었기에 토울(土鬱)도 주신관절통(周身關節痛)을 일으킨다. 토울은 비위에 습사를 주하므로 탈(奪)해야 한다.

4. 금울(金鬱)

- 견증(見證): 해수기역(咳嗽氣逆), 심협창만(心胸脹滿)과 함께 소복(小腹)이 인통(引痛)하며 설건익조(舌乾嗌燥-혀와 목이 마름), 면려색백(面塵色白-얼굴이 지저분하고 백색을 띰)하고 천불능와(喘不能臥-기침하여 눕지도 못함), 토담조점(吐痰稠粘-끈끈한 것을 토함) 등 증을 소한다(선설탕(善泄湯) 증(證)).
- 요법(療法): 금울(金鬱)은 실(實)인지라 설(泄)해야 하나니 소부(少府)·어제(魚際, 보), 부류(復溜)·경거(經渠, 사).

▶ 소견(所見): 보는 증화, 생(태백, 태연), 극(경거, 영도)한다. 보의 목적은 극이다. 금은 조하고 수렴한다. 항진하여 폐(肺), 위(胃) 제증이 있다. 화는 산하고 경거를 극한다. 부류, 경거를 사함은 금생수에 의한 한냉 증가를 억제한다. 보에 의해 온폐, 위되고 사에 의해 한이 억제된다. 금울은 폐, 대장에 조사를 주하고, 비색(鼻塞)을 외하니 설(泄)해야 한다.

5. 수울(水鬱)

- 견증(見證): 날씨가 차면 가슴이 아프고 요추(腰椎)가 침중(沈重)하며 관절(關節)이 불리(不利)하여 굴신(屈伸)하기 어렵고 때로는 궐역(厥逆)이 있으며 비견복만(痞堅腹滿), 면색황흑(面色黃黑) 등 증을 소하고 맥(脈)은 반드시 세지(細遲) 하다(보화(補火) 해울탕(解鬱湯) 증(證)).
- 요법(療法): 수울은 실(實)인지라 절(折)해야 하니 삼리(三里)·위중(委中, 보), 속골(束骨)·삼간(사)-방광승격변형(膀胱勝格變形).

▶ 소견(所見): 방광(주근)기능의 이상이다. 보(위중)는 증토, 극통곡한다. 속골은 위중의 관이다. 임읍 대신 삼간을 사하면 통곡의 영향이 대장으로 연계된다. 목적이 극수이므로 수의 모인 대장을 사하였다. 사는 목혈이고 사하면 방광, 대장의 경기가 억제된다. 수울은 신, 방에 한사를 주하고, 응일(凝溢)을 외하니 절(折)해야 한다.

6. 기울(氣鬱)

- 견증(見證): 흉협(胸脇)이 만통(挽痛)하며 한열(寒熱)이 학질(瘧疾)과 같고 맥(脈)이 침삽(沈澁) 등을 소한다(목향(木香) 조기산(調氣散) 증(證)).
- 요법(療法): 기울은 실(實)이다. 산(散)하여야 하니 소부(少府)·어제(魚際, 보) 경거(經渠)·삼리(三里, 사).

▶ 소견(所見): 금울과 유사하며 부류 대신 삼리를 사용하였다. 토를 사함은 증에 습이 있고, 금모(金母)이며 실(實)이므로 억제하기 위함이다. 보는 증화, 생(태백, 태연, 태충), 극(경거, 영도)한다. 사(경거)는 이중으로 폐를 강하게 억제한 것.

7. 습울(濕鬱)

- 견증(見證): 주신관절(周身關節)에 유주통(流注痛)을 소하며 머리에 물건(物件)을 뒤집어 쓴 것 같고 맥(脈)이 침삽(沈澁)하고도 완(緩)하며, 음우시(陰雨時-비가 올때)에 즉발(卽發)하는 것이 특징이다(삼습탕(滲濕湯) 증(證)).
- 요법(療法): 습울은 비허(脾虛)인지라 설(泄)하여야, 소부, 대도(보), 대돈, 은백(사).

▶ 소견(所見): 보는 증화, 생(태백, 신문), 극(경거, 영도, 상구)한다. 사목하였다. 비악습(脾惡濕)이며 주신 관절 유주통은 비허에 의해 주골하는 담이 영향을 받았기 때문으로 습이 관절에 취적되어 발생한다.

8. 열울(熱鬱)

- 견증(見證): 화울(火鬱)이니 소변(小便)이 적삽(赤澁-붉고 깔깔함)하고 오심(五心)이 번열(煩熱)하며 구고(口苦), 설건(舌乾), 맥침삭(脈沈數) 등 증을 소한다(승양산화탕(升陽散火湯) 증(證)).
- 요법(療法): 허(虛)인지라 소(消)하여야 하니 양곡(陽谷)·해계(解谿, 보), 임읍(臨泣)·함곡(陷谷, 사)-위정격(胃正格).

▶ 소견(所見): 토(위) 허로 진단하였다. 허열이다. 양토불급이다. 보는 증화, 생(삼리, 소해), 극(상양, 여태, 소택)한다. 증(양토 기능)은 허열을 억제한다. 위정격.

9. 담울(痰鬱)

- 견증(見證): 흉만천급(胸滿喘急), 기와태수(嗜臥怠惰) 등 증을 소하며, 촌맥(寸脈)이 침활(沈滑)한 것이 특징이다(승발이진탕(升發二陣湯) 증(證)).
- 요법(療法): 담울은 허(虛)인지라 화(化)하여야 음곡(陰谷)·곡천(曲泉, 보), 경거(經渠)·중봉(中封, 사).

▶ 소견(所見): 담에 의한 천식, 천식에 의한 소기(少氣)증. 목극토를 못하여 담을 변화시키지 못한 증, 울에 의해 소설이 억제된 상태로 간정격.

10. 식울(食鬱)

- 견증(見證): 애산(噯酸-신트림), 오식(惡食), 황달(黃疸), 고창(鼓脹), 비괴(痞塊-뱃속에 뭉침이 잡힘) 및 기구농성(氣口脈盛) 등을 증을 소한다(향사평위산(香砂平胃散) 증(證)).
- 요법(療法): 식울은 허(虛)인지라 강(降)해야 하니 단전(丹田)·중완(中脘, 영정(迎正)), 양곡(陽谷)·소부(少府, 보), 대돈(大敦)·임읍(臨泣, 사).

▶ 소견(所見): 배혈은 음, 양화를 보하고 음, 양목을 사하였다. 화를 보함은 한, 냉, 허임을 뜻한다. 위산 증가에 의한 정체증이다. 보(양곡), 사(임읍)로 삼리, 보(소부), 사(대돈)로 태백을 생하도록 하였다. 음, 양토를 함께 보완하였다.

7.9 제9장. 담음문(痰飮門)

사암의 견증(見證)을 약거(略擧)한다면 천해(喘咳), 구토(嘔吐), 비隔, 현훈(眩暈), 축약, 무단견(無端見)괴등 등 담(痰)의 소환(所患)이 아닌 것이 없으나 사암 치담(治痰)의 법식(法式)은 담기분울(痰氣憤鬱, 痰飮)을 폐탁(肺濁)이라, 화열결적(火熱結積, 留飮)을 위청(胃淸)이라, 두목현훈(頭目眩暈, 懸飮)을 심화(心火)라 하는 등 서상(敍上)의 구대법칙(九大法則)으로 대분(大分)함에 그쳤다.

1. 현음(懸飮)

- 견증(見證): 심복(心腹)에 기(氣)가 체(滯)하여 양쪽 갈비에 통감(痛感)을 소(訴)하는 증(證)이다(십조탕(十棗湯) 증(證)).
- 요법(療法): 현음(懸飮)은 심화(心火)인지라 단전(丹田, 영(迎)), 소부(少府), 태백(太白, 보), 소해(少海), 음곡(陰谷, 사)(차(此) 억관보신(抑官補身)의 의이다).

** 초판 발행 전에 사용되던 문헌에는 태백 대신 어제를 보하였기에 이에 준하여 해석한다.

▶ 소견(所見): 보(소부, 어제)는 증화, 생(태백, 태연, 신문), 극(경거, 영도)한다. 보는 심, 폐의 한냉, 사는 심,신의 한, 냉을 억제한 배혈이다. 원인은 심화인데 보(어제)한 것은 주증 심한으로 폐한, 냉 때문이다. 열격, 승격으로 해석이 된다. 승격이면 목적은 극(경거, 영도)이 되고 열격이면 온심, 폐로 해

석된다.

2. 유음(留飮)

- 견증(見證): 몹시 기단(氣短)하고 갈증(渴症)을 소하며 사지역절(四肢歷節)이 모두 아프고 맥(脈)이 침세(沈細)하다(궁하탕(芎夏湯) 증(證)).
- 요법(療法): 위청인지라 양곡, 삼리(보), 임읍, 함곡(사) 보신억관의 의이다.

▶ 소견(所見): 위정격의 변형. 해계 대신 삼리를 사용하였다. 삼리는 토이므로 습윤을 주한다. 적정의 열이 있어야 생습. 중화한다. 양곡을 보하면 증화, 생(삼리,소해), 극(상양,소택)한다. 양곡은 양경화(陽經火)의 원(原). 해계도 영향받는다.

3. 지음(支飮)

- 견증(見證): 풍(風), 한(寒), 습(濕)이 담연숙음(痰涎宿飮)을 끼고 난 병으로서 수족(手足)이 뻣뻣하며 팔이 아파서 들 수가 없고 잠이 많고 어지러우며 소변이 삽(澁)하고 대변(大便)이 비결(秘結-변비)하며 무릎이 차고 뻣뻣한 증을 소하며 맥이 삭하다(소청룡탕(小青龍湯) 증(證)).
- 요법(療法): 간허인지라 음곡, 곡천(보), 경거, 중봉(사).

▶ 소견(所見): 금기가 강하여 목기가 불급된 증. 간, 신수를 보하여 목을 보강한다. 경거를 사하여 소상, 중봉을 사하여 대돈을 보한다. 경거는 음, 양경의 원(原). 실사(實瀉)는 하지 않으나 상양도 영향받아 억제된다. 상합 관계에서 간 기능은 억제된 상양 기능에 의해 정상이 되고 풍과 이에 의한 제증은 정리된다.

4. 담음(痰飮)

- 견증(見證): 건실하던 체격이 별안간 파리하며 장간에 물이 체해서 꿀꿀 소리가 나고 가슴이 더부룩하고 눈이 아물거리는 증을 소한다(영계출감탕 증).
- 요법(療法): 폐탁인지라 소부, 어제(보), 척택, 음곡(사).

▶ 소견(所見): 배혈은 경거 억제이며 보화에 의해 온폐하였다. 소해 대신 척택을 사용하였다. 폐저담(肺貯痰)된 증. 폐 수(水)를 사하여 냉을 억제하였다.

5. 열음(熱痰)

- 견증(見證): 화담을 말한 것으로 번열, 조결, 두면 홍열과 함께 눈이 진무르고 목이 막히며 전광, 조잡, 외롱, 정충 등 증을 소한다(소조중탕 증).

- 요법(療法): 심승인지라 대돈, 은백(보), 신문, 태백(사).

▶ 소견(所見): 사비(瀉脾), 심(心)으로 비습열(脾濕熱) 증이다. 열 문제이나 습 우선으로 비승격 사용. 보는 증목, 생(대도, 소부, 행간), 극(태백, 태충)한다. "풍극습" 배혈은 강극.

6. 주담(酒痰)

- 견증(見證): 음주 불소증을 이르켜서 음식이 소화되지 않으며 산수(酸水)를 구토하는 증(단축 당화담환 증).
- 요법(療法): 비허인지라 태백, 태연(보) 대돈, 은백(사).

▶ 소견(所見): 비허인데 정격이 아닌 소부, 대도(보) 대신 태연, 태백(보)을 배혈하였다. 산수구토는 화상이며. 수렴도 요구된다. 보(소부, 대도)할 수 없다. 보는 증토, 생(경거, 상구), 극(척택, 음곡, 음릉천)한다. 사관은 보의 관이며 화상도 억제한다.

7. 습담(濕痰)

- 견증(見證): 몸이 무겁고 휘청거리며 권태감을 느낀다(산정환 증).
- 요법(療法): 폐상인지라 척택, 음릉천(보), 태백, 태연(사).

▶ 소견(所見): 음곡 대신 음릉천을 사용하였다. 권태감은 낮은 열감이 있다는 뜻, 보수하여 권태감과 비습을 억제한다. 비습과 폐열증을 의미한다. 보는 증수, 생(소상, 은백), 극(어제, 대도)한다. 비, 폐 토를 억제하고 사관하였다.

8. 적담(積痰)

- 견증(見證): 장위 간에 담연이 축적한 증.
- 요법(療法): 단전(영), 중완, 삼리, 태백(보), 은백(사).

▶ 소견(所見): 음, 양 토를 보했다. 토의 주(主) 기능은 수습(水濕) 조절한다. 토의 모혈과 표리 간 균형 배혈. 은백사하여 태백을 중심으로 보토하였다. 단전은 기본, 중완은 상·하 순환을 연계한다.

9. 풍담(風痰)

- 견증(見證): 어지럽고 민란하며 혹은 탄탄증을 정하는데, 담이 맑고 거품이 많은 것이 특징이며 맥이 현한 것이 보통이다(도담탕 증).
- 요법(療法): 삼리, 곡지(보), 어제, 함곡(사).

▶ 소견(所見): 풍사(風邪)증. 풍증이므로 대장을 보하고 삼리는 대장의 모혈이므로 보하였다. 풍

증이므로 보토생금하였다. 보는 증토, 생(상양, 여태), 극(통곡, 이간)한다. 사(어제)하여 상양 기능을 폐로 연계한다. 사(함곡)는 삼리의 관이다. 풍담증이므로 금경토기(金經土氣)를 보강하였다.

10. 담화(痰火)

- 견증(見證): 노사상신, 효욕상정으로 해서 정수가 하에서 고고하고, 음식부절로 해서 농후의 미가 담화를 양성해 상에서 우롱하여 유형의 담과 무형의 화가 교상고결하여 평거무의지시에는 집낭주에 저축되었다가 촉발되는데 있으면 막 쏟아져 나오기가 조수의 범람과 같아서 그외 현의 상이 자못 효천과 합이한 증(옥죽음자 증).
- 요법(療法): 폐경 선, 보 후, 사, 승격을 병용한다.

▶ 소견(所見): 여러 증세가 혼합된 경우 주기하는 폐경을 선용하고 반응에 따라 대처가 유용하다. 요법(療法) 증세가 다양하다는 것을 뜻한다.

7.10 제10장. 해수문(咳嗽門)

사암은 담(痰)은 비(脾)의 허동(虛動)으로 해(咳)는 위(胃)의 열정(熱靜)으로서 생기(生起)이며 습(濕)이 심(心)에 재(在)한 것이 열담(熱痰), 습(濕)이 간(肝)에 탁(托)한 것이 풍수(風嗽), 습(濕)이 폐(肺)에 거(居)한 것이 기해(氣咳) 습(濕)이 신(腎)에 유(留)한 것이 한천(寒喘)이라하여 서상(敍上)의 사대해수(四大咳嗽) 치법(治法)을 구명(究明)하였다.

1. 열담해(熱痰咳)

- 견증(見證): 습(濕)이 심(心)에 재(在)한 것이니 해(咳)하면 가슴이 아프며 목에서 객객 소리가 나고 목구멍이 깔깔하며 심하면 인종후비(咽腫喉痺)를 겸소(兼訴)한다(길경탕(桔梗湯) 증(證)).
- 요법(療法): 허인지라 천돌(사), 대돈, 소충(보), 태백, 태계(사).

▶ 소견(所見): 폐, 신증, 보는 소부, 사는 음곡을 보강한다. 극(태백, 태충, 신문)이 있음도 감안한다. 보목(補木)하여 보심(補心)과 극토, 사토(瀉土)하여 감토보신(減土補腎)하였다.

2. 간풍수(簡風漱)

- 견증(見證): 습(濕)이 간(肝)에 재(在)한 것이니 해(咳)하면 양협(兩脇)이 아파서 전측(轉側-돌아눕기)하기 불능(不能)한 증을 소한다(십조탕(十棗湯) 증(證)).

● 요법(療法): 슬관(膝關)·곡천(曲泉, 횡(橫)), 대돈(大敦)·용천(湧泉, 보), 태백(太白)·태충(太衝, 사).

▶ 소견(所見): 습재간(濕在肝)이므로 풍수(風嗽)라 한다. 간허증으로 보는 증목, 생(행간, 소부, 연곡), 극(태백, 태충, 태계)한다. 목은 풍, 풍극습이 불리하므로 보목사토하였다.

3. 폐기해(肺氣咳)

● 견증(見證): 습(濕)이 폐(肺)에 재한 것이니 해(咳)하면 가쁜 소리가 나며 심(甚)하면 피를 뱉는 증을 소한다(마황탕(麻黃湯) 증(證)).

● 요법(療法): 천돌(天突)·음곡(陰谷)·경거(經渠, 보), 척택(尺澤)·음릉천(陰陵泉, 사).

▶ 소견(所見): 천돌은 혈위공효로 사용하였다. 해(咳)와 해혈(咳血)은 화상(火象)이다. 음곡은 각경의 한수원(寒水原)이며 해(咳), 해혈(咳血)을 억제한다. 경거는 보폐와 금생수로 보(음곡)한다. 음곡은 수혈로 정지, 응축 기능이 있다. 사(척택, 음릉천)는 비, 폐토 기능을 보강하여 비습과 폐해를 억제한다. 음곡에 의한 간, 심, 신수는 유지된다.

4. 신한천(腎寒喘)

● 견증(見證): 습(濕)이 신(腎)에 재(在)한 것이니 해(咳)하면 요배(腰背)가 서로 당기며 아프고 심(甚)하면 해연(咳涎)이 많은 증(마황부자세신탕(麻黃附子細辛湯) 증(證)).

● 요법(療法): 경거(經渠)·부류(復溜, 보), 태백(太白)·태계(太谿, 사)−신정격(腎正格).

▶ 소견(所見): 보는 증금, 생(음곡, 척택), 극(대돈, 용천)한다. 사토하였다. 토는 관이며 습을 억제한다. 배혈은 음곡 기능을 보강한다.

7.11 제11장. 효천문(哮喘門)

사암의 효천치법(哮喘治法)은 열재삼초(熱在三焦) 습재위중(濕在胃中)으로 총괄(總括)하고 말았다.

1. 효천(哮喘)

● 견증(見證): 담천(痰喘)이 심(甚)하여 후중(喉中)에 수계성(水鷄聲)이 있는 증(證)(천금탕(千金湯) 증(證)).

● 요법(療法): 천돌(天突, 사), 단전(丹田, 영(迎)), 액문(液門)·해계(解谿, 보), 중저(中渚)·함곡(陷谷, 사), 또는 대돈(大敦 보), 태백(太白, 사).

▶ 소견(所見): 액문(보), 중저(사)로 지구 기능을 억제하고, 해계(보), 함곡(사)는 위허로 인하여 재습(在濕)되었으므로 위정격 의미의 배혈을 하였다. 보(액문)는 극지구하며 생(중저)한다. 목을 사함은 시경기혈(始經氣穴)이므로 삼초 경기 자체가 억제된다. 중저는 지구의 모(母)이므로 지구를 억제하기 위하여 사하였다.

7.12 제12장. 학질문(瘧疾門-말라리아)

학(瘧-학질, 말라리아)은 흔히 하서내복(夏暑內伏), 추량외속(秋凉外束-가을 서늘한 때 바깥 출입을 삼가다)으로 인(因)하여 음양(陰陽)이 내(內)에서 상박(相博-서로 큼)하는 까닭에 생기(生起)는 병(病)으로서 오한발열(惡寒發熱)을 위시(爲始-비롯함)하여 작열난감(灼熱難堪-열이 성하고 견디기 힘듬), 두통현훈(頭痛眩暈-머리 통증과 어지러움), 대갈인음(大渴引飮-목마름이 심하여 마실 것이 당기고 입이 마름), 척려강직(脊膂强直-등골뼈가 굳세어 굽지 아니함), 가흠신음(呵欠呻吟-하품을 내뿜고 신음과 앓는 소리를 냄) 등(等) 증(證)을 정(呈)하다가 한출임리(汗出淋漓)가 되면 제증(諸證)이 소산(消散)된다. 본증(本證)에 있어 현대(現代) "금계납(金鷄納)" 요법(療法)은 가위(可謂-거의 옳거나 좋다고 여길 만한 말로 이르자면) 백발백중(百發百中)이므로 더 구명(究明)하지 않는다.

1. 습학(濕瘧), 한열교작(寒熱交作)

- 견증(見證): 한열상박(寒熱相等), 소변불리(小便不利)가 그의 주증(主證)이다(가미오령산(加味五苓散) 증(證)).
- 요법(療法): 삼리(三里)·후계(보), 지구(支溝)·곤륜(崑崙, 사).

2. 장학(瘴瘧), 단열부한(但熱不寒)

- 견증(見證): 산계증독(山鷄蒸毒)의 기(氣)가 사람을 미곤(迷困)하게 하여 발광(發狂), 작열(灼熱) 등(等) 증(證)을 소(訴)하는 것(쌍해음자(雙解飮子) 또는 지용음자(地龍飮) 증(證)).
- 요법(療法): 중완(中脘, 영(迎)), 임읍(臨泣)·함곡(陷谷, 보), 협계(俠谿)·해계(解谿, 사).

3. 소음학(少陰瘧)

- 견증(見證): 자오묘유일(子午卯酉日)에 발생하는 학(瘧).
- 요법(療法): 완골(腕骨)·경골(京骨, 보), 중완(中脘, 영(迎)), 삼리(三里, 사).

4. 궐음학(厥陰瘧)

- 견증(見證): 인신사해일(寅申巳亥日)에 발생하는 학(瘧).
- 요법(療法): 양지(陽池)·구허(丘墟, 보), 합곡(合谷)·태충(太衝, 사).

5. 태음학(太陰瘧)

- 견증(見證): 진술축미일(辰戌丑未日)에 발생하는 학(瘧).
- 요법(療法): 충양(衝陽)·합곡(合谷, 보), 승산(承山)·곡지(曲池, 사).

▶ 소견(所見): 현대에 학질을 침치료하는 경우가 전무(全無)하므로 기록만 남기고자 한다. 육경 이론으로 학질을 구분하여 치료하였는데 태양, 양명, 소양은 거론치 않음은 학질의 특징이기 때문으로 생각한다.

7.13 제13장. 이질문(痢疾門)

사암은 치리대법(治痢大法-이질을 다스리는 법)을 "행혈즉편농자유(行血則便膿自愈) 조기즉후중자제(調氣則後重自除)"라고 만고의계(萬古醫界)의 철칙(鐵則)을 밝혔으나 기이하(其以下) 제조(諸條)에 지(至)하여는 수사본(手寫本)의 전서(傳書)의 오(誤)로 도무지 갈피를 잡을 수가 없으므로 해명(解明)을 약(略)하고 그대로 수초(手抄)하여 후(後)의 구안자(具眼者)를 사(俟)한다.

1. 허리(虛痢)

- 견증(見證): 곤권(困倦-피곤하고 권태로움)하여 힘이 없으며 음식난화(飮食難化) 증(症)을 소한다(육미환(六味丸) 증(證)).
- 요법(療法): 腎虛(신허)인지라 경거(經渠)·부류(復溜, 보), 태백(太白)·태계(太谿, 사).

▶ 소견(所見): 신허에 의한 음식난화는 오수혈론으로도 해석된다. 합혈은 음수와 양토의 상합에 의해 화상(火象)을 창조한다. 신이 불급하면 상합되지 않아 화상이 창조되지 못한다. 화상은 심포화(火) 기능이며 맥을 주한다. 상합 불리되면 제증이 나타난다. 배혈은 신본(腎本) 음곡 기능을 보강한다. 신정격.

2. 열리(熱痢)

- 견증(見證): 신열구갈(身熱口渴), 대변급통(大便急痛) 증을 소한다.

● 요법(療法): 비허(脾虛)인지라 소부(少府)·대도(大都, 보), 대돈(大敦)·은백(隱白,사).

  ㅁ 담약속 비실(膽弱屬 脾實-담이 약하여 비가 실해졌으면): 양곡(陽谷)·은백(隱白, 보), 신문(神門)·태백(太白, 사), 경거(經渠, 정사(正斜)).

  ㅁ 비전 신적(脾傳 腎賊-비가 강하여 신을 해치면): 소부(少府)·경거(經渠, 보), 대도(大都)·태백(太白, 사)

▶ 소견(所見): 배혈은 태백 기능을 보완한다. 담약 속 비실의 배혈은 담은 비와 상합하는 관계로 항시 습에 노출되어 있기에 양곡을 보하여 담습을 억제한다. 담은 목으로 대장의 극을 받는 관계, 양곡에 의해 대장 경기가 억제되므로 담약에서 벗어날 수 있다.

비실은 태백실이므로 은백(목은 풍이고 풍은 극습한다)을 보하여 억제하고, 태백을 사하여 실증 상태를 극하였다. 신문은 비모(脾母)이므로 사하였다. 경거는 각경 금혈원(金穴原)이고, 담(임읍)은 양경(陽經)의 수원(木原)이다. 사하여 각 경금의 기능을 억제하였다. 비와 담은 상합 관계, 담은 심과 상통 관계로 배혈의 내용과 일치한다.

7.14 제14장. 열격문(噎膈門)

사암은 치(治)법의 중점(重點)을 대(大), 소양(小腸)에 두어서 "대장금탁(大腸金濁), 보위토이생금(補胃土而生金), 소장화조(小腸火燥), 양담목이세심화(養膽木而洗心火)"라 규정(規定)하여 서상(敍上-서술(敍述)한 것)의 3대 법칙(三大法則)을 제시(提示)하였다.

-기가 가슴과 명치에 맺힌 것을 열격이라 한다.

1. 열격(噎膈): 만성구토(慢性嘔吐) 위암(胃癌)의 류(類)

● 견증(見證): 격(膈-명치)이 막히고 통(通)치 않아서 식물(食物)이 내려가지 못하고, 먹더라도 토(吐)하는 증(證)(정향투격탕(丁香透膈湯) 증(證)).

● 요법(療法): 단전(丹田, 영(迎)), 중완(中脘, 정(正)), 삼리(三里)·양릉천(陽陵泉, 사).

▶ 소견(所見): 삼리는 양토중도(陽土中土)이며 목, 화, 금, 수의 모든 불급, 항진을 조정한다. 단전, 중완은 취기(取氣), 소통한다. 양릉천을 사함은 목극토가 억제되며. 협계가 보강되어 담, 위 불화 제증이 해소된다. 토가 억제되니 대장탁이 감소되어 막힌 격(膈)이 풀리고 통하게 된다.

2. 대장열(大腸噎)

- 견증(見證): 열(熱)이 대장(大腸)에 맺혀서 음식(飮食)이 위(胃)에 입(入)하면 곧 토(吐)하고 겸(兼)하여 대변(大便)이 불능(不能)한 증.
- 요법(療法): 폐탁(肺濁)인지라 삼리(三里)·곡지(曲池, 보), 통곡(通谷)·후계(解谿, 사).

▶ 소견(所見): 증세는 폐탁이고 원인은 대장열. 보는 중토, 생(여태, 상양), 극(통곡, 이간, 내정)한다. 대장(상양)의 기능이 보완되면 사(통곡, 후계)경의 지음, 소택도 보완된다. 통곡을 사하여 수생목을 억제한다. 후계를 사하여 소장의 토가 보완되며 목혈을 사하니 소장 경기가 억제되어 대장의 열은 감소한다.

3. 소장열(小腸噎)

- 견증(見證): 대장열(大腸噎)과 같고 다만 혈맥(血脈)이 조(燥)할 뿐이다.
- 요법(療法): 심조(心燥)인지라 임읍(臨泣, 보)·후계(後谿), 통곡(通谷)·전곡(前谷, 사).

▶ 소견(所見): 혈맥조는 심조. 배혈은 양곡의 기능을 보완하는 소장정격. 양곡은 육양경(六陽經)의 화원(火原). 화(火)는 혈(血) 기능, 혈 기능(혈에 의한 유윤) 부족에 의한 심 기능 이상이다.

4. 삼양열(三陽噎)

- 견증(見證): 삼양(三陽)에 열(熱)이 맺혀서 맥(脈)이 홍(洪), 삭(數), 유력(有力)하며 이변(二便-소변)이 불통(不通)하고 음식(飮食)이 들어가지 않으며, 들어갔다가 다시 토(吐)하는 증(삼일승기탕(三一承氣湯) 증(證)).
- 요법(療法): 방광허냉(膀胱虛冷)인지라 상양(商陽)·지음(至陰, 보), 삼리(三里)·위중(委中, 사)-방광정격(膀胱正格).

▶ 소견(所見): 열격의 열은 인부가 질색하여 불하하고 토하는 것이며 격은 흉(胸)하(下)에 비결하여 토하는 것이다. 삼양이 결된 것을 격이라 한다. 소장 열결은 혈맥조하고, 대장 열결은 방광하에 불통한다고 하였다. 방광허냉하여 열결은 진액이 고갈하며 삼양결하면 전후폐색되어 삼양에 열결되었다는 뜻으로 방광정격으로 한수(통곡)를 보강한다.

7.15 제15장. 애역문(呃逆門)

사암은 애역(呃逆)을 "여수중지(如水中之) 포(泡), 제역충상(諸逆衝上), 개속어화(皆屬於火)"라 하여 서상(敍上)의 4대 치법(四大治法)을 시도한 데 그쳤다.

1. 애역(呃逆)

1) 폐애(肺呃) = 폐패(肺餲)

- 견증(見證): 기역상충(氣逆上衝)으로 인(因)하여 작성(作聲)하는 증(證)이니 소위 딸꾹질이 그것으로서 차(此)에는 폐기불창(肺氣不暢)에서 오는 애역(呃逆)을 말함이다.
- 요법(療法): 폐탁(肺濁)인지라 삼리(三里)·곡지(曲池, 보), 양곡(陽谿)·해계(解谿, 사)-대장정격변형(大腸正格變形).

▶ 소견(所見): 대장정격의 변형이다. 양계 대신 해계를 사하였다. 보는 상양의 기능을 보완하고 해계를 사한 것은 보완된 상양의 기능을 위경으로 연계하여 금(여태) 기를 보강한다. 여태는 금으로 위경기의 수렴혈이다. 딸꾹질이 화상(火象)이므로 금기로 수렴한다.

2) 심애(心呃=心餲逆)

- 견증(見證): 심기불순(心氣不順)으로 해서 오는 애역(呃逆)을 지칭(指稱)한다.
- 요법(療法): 대돈(大敦)·소충(少衝, 보), 음곡(陰谷)·소해(少海, 사).

▶ 소견(所見): 소장 소해를 사하였다. 심소해를 오기하였다. 소부 기능을 보강한다. 불순은 일정하지 않다 뜻이다. 심기가 일정치 않아 생긴 증이므로 소부를 보강하였다. 목기는 부화(敷和)가 평기이다. 일정하게 뻗는 의미이며 보에 의한 생화(生火)의 평기는 승명이라 하며 펼치는 뜻이다. 애역을 억제하는 배혈을 하였다.

2. 냉애(冷呃)

- 견증(見證): 입을 벌릴때 양기가 적당 상승하였다가 한기소습(寒氣所襲)으로 인하여 양불득월(陽不得越)이 되어 발하는 딸꾹질을 지칭함이다.
- 요법(療法): 경거, 부류(보), 태계, 태백(사).

▶ 소견(所見): 배혈은 음곡 기능을 보완한다. 음곡은 수의본 수의 평기는 정순이라 하며 응고(凝固), 고삽의 기능이다. 음릉천은 비경기, 음곡은 각 경기를 응고하고 목기를 준비한다. 신정격.

3. 습애(濕呃)

- 견증(見證): 비위허한(脾胃虛寒)에서 유발(誘發)되는 애역(呃逆)이다(이중탕(理中湯) 증(證)).
- 요법(療法): 토패(土敗)인지라 소부(少府)·대도(大都, 보), 대돈(大敦)·은백(隱白, 사)-비정격(脾正格).

▶ 소견(所見): 습에 의한 딸꾹이므로 토패(土敗)라 하였다. 허한으로 보화 배혈이다. 보는 증화,

생(신문, 태백), 극(영도, 상구, 경거)한다. 대돈은 태백의 관, 은백 또한 비경으로 태백의 관이다. 소부는 대도의 원(原)으로 강보(强補)하며 소부에 의해 각 경의 화도 일정 보완된다. 대도를 보함은 대도로 소부화를 취합하게 하는 정격의 특징이다. 사 또한 같은 의미로 강사(强瀉)가 된다.

7.16 제16장. 구토문(嘔吐門)

사암의 치법(治法)은 "보토(補土), 실금(實金), 통삼초(通三焦), 이순하(以順下), 계오행(啓五行), 이주중(以調中)으로 총괄(總括)하여 서상(敍上)의 3대 법칙(三大 法則)을 계시(啓示)하였다.

1. 구(嘔)

- 견증(見證): 웩웩 소리와 함께 음식(飮食)을 吐(토)하는 증(證).
- 요법(療法): 화(火)에 속한지라 음곡(陰谷)·소해(少海, 보), 대돈(大敦)·소충(少衝, 사).

▶ 소견(所見): 소리와 토하는 정황을 화(火)로 해석하였다. 보는 증수, 생(용천, 대돈, 소충,) 극(연곡, 소부,)한다. 사(대돈, 소충)하였으므로 배혈은 극소부, 목생화이므로 사목하였다. 보의 목적이 극이지만 극하는 과정 중 생(生, 용천, 대돈, 소충)도 되므로 사하였다.

2. 토(吐)

- 견증(見證): 울컥 토(吐)하면서도 웩웩 소리가 없는 증.
- 요법(療法): 비약(脾弱)인지라 소부(少府)·대도(大都, 보), 대돈(大敦)·은백(隱白, 사)–비정격(脾正格).

▶ 소견(所見): 온음토가 부족한 열부족에 의한 증, 목은 관이며 풍이다. 풍극습을 억제하여야하므로 사한다. 장(臟)의 증세는 부(腑)와 달리 조용히 진행하는 특성이다. 태백 기능을 보완한다. 비정격.

3. 얼(噦)

- 견증(見證): 웩웩 소리를 내면서도 아무것도 토(吐)하는 것이 없는 증.
- 요법(療法): 위(胃) 허(虛)인지라 양곡(陽谷)·해계(解谿, 보), 임읍(臨泣)·함곡(陷谷, 사)–위정격(胃正格).

▶ 소견(所見): 비허와 같으나 양적 증세이다. 위기허는 한(寒), 서(暑) 또는 기결(氣結)되어 구토의 증이 생긴다. 부(腑)증세라 소리가 있다. 배혈은 족삼리 기능을 보완한다. 위정격.

7.17 제17장. 탄산문(呑酸門= 위산과다증(胃酸過多症))

사암은 탄산(呑酸-위산과다증(胃酸過多症))이 모두 한열(寒熱)의 교작(交作)으로 불능순하(不能順下)의 까닭이라 하고 또는 산(酸-신맛)이라는 것은 간목(肝木)의 미(味)이므로 화성제금(火盛制金-화기(火氣)의 성함이 금기(金氣)를 제어한다), 불능평목(不能平木-목기(木氣) 다스리는 것을 할수 없음)이 되면 간(肝)이 스스로 심(甚)하게 되므로 탄산(呑酸)이 된다하여 상법(上法)을 구명(究明)한 것에 불과(不過)하다.

1. 심열산(心熱酸)

- 견증(見證): 가슴에 산미(酸味)가 떠올라서 심장(心臟)을 자극(刺戟)하며 적색(赤色)을 나타내는 증.- 소위 생맥이 오르는 증.
- 요법(療法): 대돈(大敦)·소충(少衝, 보), 곡천(曲泉)·소해(少海, 사).

▶ 소견(所見): 심열이 허이므로 목을 보하였다. 수극화를 억제하기 위해 사수(瀉水)하였다. 심정격의 음곡 대신 곡천을 사함은 소부의 기능이 간으로 연계되어 행간의 기능이 보강된다. 산미는 간에 의한 것이므로 간경의 한성을 사하였다.

2. 간열산(肝熱酸)

- 견증(見證): 심열산(心熱酸)과 같으나 다만 청색(青色)을 나타내는 증.
- 요법(療法): 음곡(陰谷)·곡천(曲泉, 보), 영도(靈道)·중봉(中封, 사).

▶ 소견(所見): 간실열로 보수(補水) 사금(瀉金)하였다. 경거 대신 영도를 사용하였다. 영도를 사함은 대돈의 기능을 심으로 연계시켜 소충(목)의 기능을 보완한다. 경기시혈(經氣始穴) 심기를 촉진한다. 중봉은 관.

3. 식열산(食熱酸)

- 요법(療法): 중완(中脘, 정(正)), 단전(丹田, 영(迎)), 기해(氣海, 사(瀉)).

▶ 소견(所見): 소위 급성 식체 증세 현상인 듯하다. 중완은 위모혈이며 육부 회혈이다. 또한 영기 조성의 대표혈이다. 단전은 기본 열의 취합 발원혈로서 조열(助熱-따뜻하게 하는 것을 돕다) 기능이며, 기해는 전신의 기충집결혈(氣充集結穴)이다.

7.18 제18장. 조잡(嘈雜)·애기문(噯氣門)

사암은 수곡(水穀)의 해(海)인 위(胃)는 무물불수(無物不受)가 되나 주(酒), 면(麵), 어(魚)서, 수과(水果), 생냉지물(生冷之物-날 것과 찬 것)로서 팽임(烹飪)하는 것이 점활난화(粘滑難化)하게 됨이라 하여, 두 개의 법(二法)을 거(擧)하였다.

1. 조잡(嘈雜)

- 견증(見證): 배가 고픈 것도 같고 쓰린 것도 같아서 명장(名狀)할 수 없으며 속이 더부룩한 증 (소식청울탕(消食淸鬱湯) 증(證)).
- 요법(療法): 상비(傷脾-비장 손상)인지라 소부(少府), 대도(大都, 보), 대돈(大敦)·은백(隱白, 사)-비정격(脾正格).

▶ 소견(所見): 배혈은 태백의 기능을 보강한다. 한하기 쉬운 비토이지만 제증은 한(寒)이 아니고 단지 정상적 화(火)의 부족 상태로 이해한다.

2. 애기(噯氣-게트름)

- 견증(見證): 트림하는 증(證)이니 목에서 게엑 소리가 나면서 위(胃)에서 기체(氣體)가 입으로 올라오는 증.
- 요법(療法): 반위(反胃)인지라 중완(中脘)·양곡(陽谷, 보), 임읍(臨泣)·함곡(陷谷, 사).

▶ 소견(所見): 해계 대신 중완을 사용하였다. 양경의 화원(火原) 양곡을 보하면 모든 양경의 화혈에 영향을 주게 된다. 양곡을 보하며 해계를 보하면 위경으로, 곤륜을 보하면 방광경으로 화의 영향을 준다. 해계 대신 모혈 중완을 보한 것은 더 넓게 영향을 주는 의미이다. 보(양곡)는 증화, 생(삼리, 소해), 극(상양,소택)한다. 배혈은 생 삼리이며 또한 중완을 보하여 강하게 하였다.

7.19 제19장. 종창문(腫脹門)

사암은 종창(腫脹)의 치법(治法)을 "습종만어(濕腫滿於) 비위(脾胃), 열냉창어(熱冷脹於) 심간(心肝), 비허부능(脾虛不能) 제수(制水)"가 창만(脹滿)의 주인(主因-가장 근본이 되는 원인)이라 하여 불(下)의 제법(諸法)을 계시(啓示)한 것이다.

1. 습창(濕脹)-위창(胃脹)

● 견증(見證): 배가 더부룩하고 위완(胃脘)이 아프며 코에서 초취(焦臭-단내)가 나서 밥을 먹기가 어렵고 대변난(大便難-대변을 보기가 어렵다)을 호소하는 증(곽향정기산(藿香正氣散), 목향 조기산(木香順氣散) 증(證)).

● 요법(療法): 위(胃) 패(敗-문제)인지라 기해(氣海, 영(迎)), 양곡(陽谷, 보), 임읍(臨泣)·함곡(陷谷, 사).

▶ 소견(所見): 위정격의 변형. 기해, 양곡으로 모든 양경의 화(火), 기(氣)를 보강하며 생토하였다. 사(임읍, 함곡)는 토의관.

2. 열창(熱脹)-실창(實脹), 음수면홍(飮水面紅)

● 견증(見證): 내부(內部)에서 창증(脹證)이 시작되어 외부(外部)에까지 번진 것으로 소변(小便)이 적삽(赤澁)하고 대변(大便) 비결(秘結-변비)되며 기색(氣色)이 홍극(紅亮)하고 성음(聲音)이 고상(高爽-높고 시원함)하며 맥(脈)이 삭(數), 활(滑), 유력(有力)한 증(칠물후박탕(七物厚朴湯) 또는 목향빈랑환(木香檳榔丸) 증(證)).

● 요법(療法): 심실(心實)인지라 단전(丹田, 탈(奪)), 음곡(陰谷)·곡천(曲泉, 보), 태백(太白)·신문(神門, 사).

▶ 소견(所見): 화, 열증. 심승격의 변형. 소해 대신 곡천을 사용하였다. 음곡은 각경 수혈(水穴)의 원(原)이다. 소해를 보하면 음곡의 기능을 심으로 집중시킨다. 음곡과 곡천을 보하여 간, 심수(水)를 보하고 간, 심화를 억제한다. 임상상 대변은 간과 소변은 심과 관계로 유지된다(상합 관계). 간은 음중양장(陰中陽臟)으로 제증이 간과 연계되어 심실증이 되었다. 태충은 사하지 않았다. 곡천을 보(補)하여 간화(火)는 억제하고, 신문을 사(瀉)하여 심수(心水)인 소해를 보강 심화를 강극한다.

3. 기창(氣脹)

● 견증(見證): 물먹기를 싫어하고 얼굴 빛이 희며(面白) 배가 크고(腹大) 사지(四肢)가 수삭(瘦削-몹시 여윔)한 증(분심기음(分心氣飮) 증(證)).

● 요법(療法): 폐실(肺實)인지라 고황(膏肓, 보), 소부(少府), 노궁(勞宮, 영(迎)), 용천(湧泉), 연곡(然谷, 사).

▶ 소견(所見): 어제 대신 노궁을 사하였다. 보(補, 心, 包火), 사(瀉, 心, 腎木)로 심, 신 배혈. 보는 증화, 생(태백, 신문, 대릉), 극(경거, 영도, 간사)한다. 용천을 사함은 태계를 보강하여 토극수로 신기능을 억제하며 또한 연곡을 사하여 용천(瀉泉)의 의의를 강하게 배혈하였다(고황 흉기(胸氣), 노궁 혈맥(血脈)). 폐실이 심, 심포의 불급 때문으로 폐경의 보, 사는 없다. 보화사수억금.

4. 수창(水脹)

- 견증(見證): 물이 장위(腸胃)에 잠겨 가지고 피부(皮膚)에 유일(流溢-가득 참)되어 꾸룩꾸룩 소리가 나며 가슴이 두근거리고 숨이 찬증(대반하탕(大半夏湯), 소음환(消飮丸) 증(證)).
- 요법(療法): 신일(腎溢-콩팥이 왕성하다)인지라 수분(水分, 사), 태백(太白), 태계(太谿, 보), 경거(經渠), 부류(復溜, 사).

▶ 소견(所見): 신정격의 보, 사를 반대로 사용하였다. 보는 증토 생(경거, 상구, 부류), 극(음곡, 음릉천)한다. 사(경거, 부류)하였고 신일이므로 보의 목적은 극(음곡, 음릉천)이다. 극하는 과정 중 생(生)도 발현된다. 즉 보(태백, 태계)하면 생(경거, 부류)된다. 사와 생이 일치한다. 정격 보사를 반대로 하였을 때의 현상이다. 즉 극(음곡, 음릉천)하고 생(경거, 부류, 상구)는 사(경거, 부류)로 정리되어 극만하는 배혈이다. 수모(水母)를 사하여 보토의 극을 보강한다.

5. 곡창(穀脹)

- 견증(見證): 피부(皮膚)가 팽창(膨脹)하며 비만작상(痞滿作酸-답답하고, 그득하고 신맛이 일어나는 것)하고 조식(早食)은 가(可)하나 모식(暮食)은 불능(不能)하고 제중(臍中)이 돌출(突出)한 증(대이향산(大異香散) 증(證)).
- 법(療法): 폐허(肺虛)인지라 중완(中脘, 영(迎)), 신문(神門), 태연(太淵, 보), 어제(魚際), 대도(大都, 사).

▶ 소견(所見): 폐정격의 변형이다. 태백 대신 신문을 경거 대신 대도를 사용하였다. 폐경을 기본으로 배혈하였다. 보(신문)는 증토, 생(영도), 극(소해)한다. 심경은 생토한다. 태백 대신 사용함은 경거 기능이 함유된 영도를 보강한다. 사(대도,어제)는 비, 폐화(火)를 제거하며 경거, 상구 기능을 보강한다. 심, 비화를 억제하고 심, 비, 폐의 금기를 보강하였다. 폐허가 폐화만의 문제가 아니라 비화도 함께 연계되었다.

7.20 제20장. 적취문(積聚門)

사암은 "적(積)은 오장(五臟)의 음(陰), 취(聚)는 육부(六腑)의 양(陽)으로서 음(陰)은 침이복(沈而伏), 양(陽)은 부이동(浮而動)"이라 하며 하(下)의 오법(五法)을 제시(提示)하였다.

1. 비기(肥氣, 간적(肝積))

- 견증(見證): 좌협 하에 구토는 복배 상의 경물이 생겨 오래되면 기침, 구역질이 나며 맥이 현

세(弦細)한 증(간장의 역기로 인하여 어혈과 상병한 까닭). 비기환 증.

● 요법(療法): 음곡, 곡천(보), 경거, 중봉(사).

▶ 소견(所見): 좌측이라 간의 문제로 진단된 듯하나 반듯이 좌간우폐에 구속된 진단이 옳다고 할 수는 없다. 배혈은 대돈의 기능을 보강한다. 폐조가 항진되어 목성이 불급된 증세. 부연하면 우폐는 금극목의 반응이며 좌간은 목극토의 반응 또한 좌우만통 비허는 비, 담 상합 불리로 해석할 수 있다.

2. 복량(伏梁, 심적(心積))

서의(西醫) 소위(所謂) 위경련(胃痙攣)·심하적괴(心下積塊)

● 견증(見證): 제반(臍畔) 혹은 제상(臍上)에 수비상(手臂狀)의 경물(硬物)이 가로 걸쳐서 동(動)하지 않기를 집의 들보와 같으며 오래면 심번(心煩), 야면불안(夜眠不安)과 함께 신체경고(身體脛股)가 부어서(腫) 이동(移動)이 불능하고 배꼽 주위가 아프며 맥(脈)이 침세(沈細)한 증(복양환(伏梁丸) 증(證)).

● 요법(療法): 대돈(大敦), 소충(少衝, 보), 음곡(陰谷), 소해(少海, 사).

▶ 소견(所見): 본증에 대해 현대의 위암과 유사한 증이라 하기도 한다. 부연하면 위주혈의 한의적 이론과 심주혈 순환의 양의적 이론을 고찰하면 심허(화생토불리)로 위암이 발생할 수도 있다고 생각 된다. 심정격.

3. 비기(痞氣, 비적(脾積))

● 견증(見證): 위완(胃脘)에 복반대(覆盤大)의 경물(硬物)이 생기(生起) 생겨서 사지(四肢)를 불수(不收)하며 황달(黃疸)을 발(發)하고 음식(飮食)이 기부(肌肉-살)로 가지 않는 증(비기환(痞氣丸) 증(證)).

● 요법(療法): 소부(少府), 대도(大都, 보), 대돈(大敦), 은백(隱白, 사)-비정격(脾正格).

▶ 소견(所見): 사지불수와 황달 발생을 근거로 비허적취로 진단했다고 생각한다. 황달은 담 기능인데 비정격 사용은 비, 담의 상합 관계 불리로 양토 기능의 비정상 증세로 해석된다.

4. 식분(息賁, 폐적(肺積))

● 견증(見證): 우협하(右脇下)에 경물(硬物)이 생겨서 천(喘-숨)이 상분(上賁)하며 한열(寒熱)이 생기고 등성마루(脊背) 꿋꿋하며 구역(嘔逆)이 나고 천해(喘咳-숨을 헐떡이며 기침을 하다)가 빈작(頻作)하는 증(식분환(息賁丸) 증(證)).

- 요법(療法): 태백(太白), 태연(太淵, 보), 노궁(勞宮), 어제(魚際, 사).

▶ 소견(所見): 식분이라 하며 한열하고, 배통구역, 천해가 빈발하며 호흡이 불편한 증으로 천식상분(喘息上奔)한다. 간적에서 언급했듯이 우협이라 폐적이라 하였으나 역시 구속될 이유가 없다. 폐정격의 변형이다. 보의 목적은 생(生)경거. 소부 대신 사(노궁)하였다. 이는 간사혈 즉 심포의 금 기능이 보생강된다. 심포의 수렴 기능이다. 모든 혈관은 심포 기능 하에 있다. 심포는 주맥(主脈)한다. 노궁을 사하면 간사혈(금) 기능(수렴)이 보강된다.

5. 분돈(奔豚, 신적(腎積))

- 견증(見證): 소복(小腹-아래배)에서 생겨 심(心)을 상승(上乘승)하며 인후(咽喉)를 상충(上衝)하기 돈(豚)의 분돌상(賁突狀)을 정(呈)정하는 증(분돈환(奔豚丸) 증(證)).
- 요법(療法): 경거(經渠), 부류(復溜, 보), 태백(太白), 태계(太谿, 사).-신정격(腎正格). 또는 천응혈(天應穴-病所 즉 病의 當處이니 阿是穴이라고도 한다), 중완(中脘, 정(正)), 단전(丹田, 영(迎)), 기해(氣海), 천추(天樞), 삼리(三里, 사(瀉), 정(正)).

▶ 소견(所見): 흉복통과 한열 왕래 증세도 포함된다. 배혈은 음곡 기능을 보강한다.

※ [오적육취는 오장육부의 음양의 기가 전극하여 결체 불산하고 울적결취하여 생기는데 사암은 오행을 적용하여 다섯 종류로 분류하였다. 이는 적취뿐 아니라 각종 증세는 최소 다섯 가지에 의해 발생할수 있음을 뜻한다.]

7.21 제21장. 허로문(虛勞門)

사암은 촉상(觸傷)을 허(虛)라 하여 심(心), 간(肝), 비(脾), 폐(肺), 신(腎) 등 오장허증(五臟虛證)을 "허손(虛損)"이라 하고 칠정상(七情傷)을 "노극(勞極)" 즉 "해수(咳嗽), 유정(遺精), 시귀교지외적(是鬼交之外賊), 증열, 황홀, 현신마지내상(玆神魔之內傷)"이라하고 제법(諸法)을 지시(指示)하였다.

1. 심허(心虛)

- 견증(見證): 안면에 정광이 없으며 경계, 또한 몽유 등 증을 소하고 극한 즉, 가슴이 아프고 목구멍이 붓는 증(천왕보심단 또는 고암심신환 증).
- 요법(療法): 대돈, 소충(보), 음곡, 소해(사).

▶ 소견(所見): 야열도한, 심허경계, 심기불안, 다몽, 흉중제통심허, 심기토출인후 등 화부족으

로 배혈은 소부 기능을 보강한다.

2. 간허(肝虛)

- 견증(見證): 면목이건 흑하고 눈이 밝지 못하며 자주 눈물을 흘리고 근골이 구련하며 극하면 두목이 혼현한 증(쌍화탕 증, 귀이원, 공진단 증).
- 요법(療法): 음곡, 곡천(보), 경거, 중봉(사).

▶ 소견(所見): 근골구련 등 간계(肝系) 증, 배혈은 대돈 기능을 보강한다.

3. 신허(腎虛)

- 견증(見證): 허리가 아프고 유정백탁(무의식 중에 나오는 정액이 희고 탁함)을 소하며 극하면 얼굴이 지꺼분하고 등성마루(등줄기)가 아픈 증 (육미환 ,삼일신기환 증).
- 요법(療法): 경거, 부류(보), 태백, 태계(사).

▶ 소견(所見): 신(腎)주 요(腰), 신허유정, 요근 수축, 등성마루 등, 배혈은 음곡 기능을 보한다.

4. 폐허(肺虛)

- 견증(見證): 해수, 담성, 숨이 가쁘고 피를 뱉으며 극하면 털이 초(焦)하고 진액이 마르는 증(독삼탕, 인삼고등).
- 요법(療法): 태백, 태연(보), 소부, 어제(사).

▶ 소견(所見): 토부족, 담성해수, 폐조토혈, 폐주피모 금부족, 배혈은 경거 기능을 보강한다.

5. 비허(脾虛)

- 견증(見證): 속이 더부룩하고 먹지 못하며, 극하면 위로 토하고 아래로 사하며 살이 빠지고 사지가 느린하며 관절과 견배가 아픈 증(삼령 백출산, 천진원 증).
- 요법(療法): 소부, 대도(보), 대돈, 은백(사).

▶ 소견: 제증은 토허, 음증으로 보화사관 배혈은 태백 기능을 보강한다.

6. 상정(傷情)

- 견증(見證): 칠정의 손상으로 조한, 담수와 함께 먹지 못하고 정신이 혼암하며 눕기를 좋아하고 유정이 되며 뼈마디가 산통하는 증.
- 요법(療法): 대돈, 음곡, 경거, 태백, 소부(보), 삼리, 양지(사).

▶ 소견(所見): 칠정손상이므로 각경의 원을 보하여 오행균형을 갖추었다. 이는 보신(補腎, 음, 양)이 된다. 사(삼리)는 보신을 위(胃)로 연계하며 관이다. 주혈(主血) 기능(위)은, 사(양지: 삼초 원혈, 각경 원혈은 삼초와 연계 되는 기능)에 의해 삼초로 연계되어 주기(主氣) 기능이 보강된다. 부연하면 오행적으로 균형된 상태는 보신(음, 양)인데 이를 사(삼리)하여 상합 관계로 하였고 이는 오수혈의 합혈에 해당하며 화상을 창조하고 이는 주맥하는 심포화이다. 또한 사(양지)는 보신(음, 양) 상태를 삼초로 연계하여 주기 기능을 보강하였다고 해석된다. 신, 삼초, 심포 모두를 안정시키는 배혈로 해석된다.

7. 노욕(努慾)

- 견증(見證): 기욕무상(嗜慾無常-때도 없이 즐기려고 함)으로 해서 여상(如上)의 증상(證狀)을 초래(招來)하는 것.
- 요법(療法): 경거, 태백, 소부(보), 기해, 심수(사) . 필사본은 소충(사)하였다.

▶ 소견(所見): 각경의 근원 중에서 음곡, 대돈을 제외하고 보하였다. 수사본의 사(소충)가 배혈상 이론적으로 타당하다고 생각하여 이에 준하여 해석하면. 보는 불급 상태라는 의미이며 삼원(화생토, 토생금, 금생수)으로 음곡이 보강된다. 이는 담, 소장, 방광의 양적 기능 보강도 된다. 음곡에 의해 혈맥 기능이 보강된다. 사(기해)는 전신의 기적, 소충은 정신적 기능 심기 안정으로 해석된다. 심, 신 무력증세.

8. 진원고갈(眞元枯竭)

- 견증(見證): 허로일구로 해서 진원이 고갈되는 것.
- 요법(療法): 경거, 통곡(보), 중완(정), 양곡, 양지(사).

▶ 소견(所見): 사암의 "양수편고 위지 반신불수"는 단지 방광수만을 의미하지 않는다. 보(경거)는 생음곡으로 각음, 양경의 수혈을 보완한다. 보(통곡)에 의한 진원 유지는 방광수한수. 경거와 통곡은 상통 관계로 진원을 유지한다. 이를 사, 양곡하여 소장의 주액(主液), 사, 양지하여 삼초의 주기(主氣) 기능을 보강한다. 상통에 의해 보완된 기능을 소장과 삼초로 연계하였다.

9. 원기쇠약(元氣衰弱)

- 견증(見證): 허로와 여한 증으로 해서 원기가 쇠약해진 것.
- 요법(療法): 태백, 태연(보), 지구, 연곡(사).

▶ 소견(所見): 보는 증토, 생(경거, 상구), 극(음곡, 척택, 음릉천)한다. 지구, 연곡은 경거, 상구의 관이므로 사하였다. 사함으로써 경거의 기능을 삼초와 신으로 연계시킨다. 지구와 연곡을 사함으로써

관충과 부류의 기능이 보강된다.

10. 유정(遺精)

- 견증(見證): 허로와 여한 증에 주로 유정(遺精-정액이 저절로 흐르는 것)을 소하는 증.
- 요법(療法): 부류, 경거(보), 태백, 태계(사).

▶ 소견(所見): 금허하여 수렴 기능이 부족한 증. 음곡 기능을 보강한 신정격.

11. 신엽(神魘-가위눌림)

- 견증(見證): 허로와 여한 증에 신엽이 잦은 것.
- 요법(療法): 임읍, 후계(보), 통곡, 전곡(사).

▶ 소견(所見): 배혈은 양곡 기능을 보강한다. 인체의 항온, 정신 기능과 주기하는 삼초의 본은 양곡이며 지구는 양곡의 상화, 사(통곡)하면 곤륜, 사(전곡)은 양곡 기능이 보강된다. 통곡은 전곡의 원으로 강사(전곡)가 된다.

12. 귀교(鬼交)

- 견증(見證): 허로와 여한 증으로 야몽에 괴교가 잦은 것.
- 요법(療法): 기문, 일월, 단중(보), 태백, 태계(사).

▶ 소견(所見): 보(간, 담)하였다. 모혈은 경기가 취합되는 기능이며 목(木)은 경기의 시작, 단중과 함께 기, 혈을 안정시키고, 사(비, 신)토는 음곡, 음릉천 기능을 보강 즉 보음(補陰)한다. 안정된 기혈을 사토하여 신으로 연계한 배혈.

13. 황홀(恍惚)

- 견증(見證): 허로와 여(如)한 증(證)이 지구(指久)하게 되어 정신이 명랑하지 못한 것.
- 요법(療法): 단전(영), 기해(사), 양계(보), 태백(사).

▶ 소견(所見): 체기의 기본은 대장경기(간, 대장의 상합 관계 不利), 보(양계)는 극 상양(상양의극은 보대돈한다) 기능. 표리 관계로는 경거(금)가 보강된다. 사(태백)는 신수가 보강되며 각 경의 토를 억제하기에 각 경의 수 또한 보강된다. 주기단전, 기해를 보조로 활용하였다.

14. 노채(勞瘵=서양의학 폐결핵, 속가에서 선후천부족(先後天不足)이라 함)

- 견증(見證): 허로(虛勞)와 여(如)한 증(證)이 일구(日久)하므로써 충(蟲)이 생하여 주로 폐(肺)를 침

습(侵蝕)하는 것이니 객혈(喀血), 담수(痰嗽), 유정(遺精), 설사(泄瀉), 조열(潮熱), 도한(盜汗), 수소(瘦削), 피곤(疲倦) 등(等) 증(證)을 소하니 꿈에 신과 교접(交接)함이 잦아지고 전세인(前世人)과 만나게 되며 항시 감정(感情)이 예민(銳敏)하고 평조(平朝)에는 병이 감(減)하나 오후(午後)에는 증극(增劇)하며, 발열(發熱), 심번(心煩), 구조(口燥), 신건(身乾), 검홍(瞼紅), 순적(脣赤), 골증(骨蒸), 폐위(肺痿), 인통(咽痛), 실음(失音)하게 되는데 만일 사부지(瀉不止)하면 불치(不治)한다.

● 요법(療法): 요안(腰眼, 下參考條參照), 사료(四髎, 보), 고황(膏肓, 사).

▶ 소견(所見): 경험이 없어 논 할수 없으나 고전의 기록을 유지하는 의미로 기록한다(사료는 상, 차, 중,하료이며, 요안은 신체 직립 시 요간 양방에 조금 오목하게 들어간 부분이라 하였다).

7.22 제22장. 곽란문(霍亂門)

사암은 사란치법(霍亂治法)을 "인청풍이(引淸風而) 상승사탁기이(上升使濁氣而) 하강(下降)"이라 하며 하(下)의 육법(六法)을 공개(公開)하였다.

1. 관란(霍亂, 急性 中毒性胃炎)

● 견증(見證): 별안간에 심복창통, 구토설사, 증한장열, 두통현훈등 증을 소하는 것이니, 먼저 심통이 있고 뒤에 토하거나 심복이 함께 아프고 토, 사가 교작하기도 한다(곽향 정기산, 불환금 정기산 증).

● 요법(療法): 음곡, 소해(보), 중완(정), 양곡, 소부(사).

▶ 소견(所見): 보는 증수, 생(대돈, 소충, 용천), 극(소부, 연곡)한다. 심, 신화를 극한다. 사의 목적은 음, 양경의 화를 억제한다. 보, 사는 강하게 화를 억제한다. 소택, 영도(금 기능)이 보강된다. 수, 화의 상하 순환 기능인 중완을 사용하였다. 수부족(水不足), 열다(熱多)인 심실(心實)증이다.

2. 곽란전근(霍亂轉筋-쥐나는 증)

● 견증(見證): 곽란증을 실구(悉具)하고 근맥(筋脈)이 조동견철(躁動牽掣-살이 뒤틀려 돌아가는 것)하는 것(목유산(木萸散), 모과탕(木瓜湯) 증(證)).

● 요법(療法): 심열인지라 단전(정), 사관(영), 십선(사), 또는 곤륜, 위중, 음곡(사).

▶ 소견(所見): 주근(主筋)은 방광 기능, 주맥(主脈)은 심포 기능이다. 심포는 화상(象)이고, 심, 방광은 상합 관계이다. 따라서 근, 맥도 상합 관계이다. 십선과 사관혈은 간, 대장의 오수혈(상합 관계)

과 원혈 이론으로 설명된다. 기혈 순행을 주한다. 단전은 기, 혈원이다. 곤륜은 화(火)로 근맥 유연을 주하고, 위중은 근기(筋氣)의 회합(會合) 혈이다. 사(음곡)는 태백, 태계(중화)를 보강한다.

3. 심흉만 토혈 장명(心胸滿 吐血 腸鳴)

● 견증(見證): 가슴이 답답하고 혈을 토(吐)하며 복명(腹鳴)이 되는 것.

● 요법(療法): 중완(中脘, 정(正)), 삼리(三里, 보), 기해(氣海, 사).

▶ 소견(所見): 위주혈(胃主血, 중완, 삼리는 胃의 제증을 완화, 중화한다), 사(기해)는 심흉 만을 하기(下氣)한다.

4. 폭지(暴池)

● 견증(見證): 별안간 사(瀉)하는 증.

● 요법(療法): 삼리(三里), 소부(少府, 보), 대돈(大敦), 은백(隱白, 사).

▶ 소견(所見): 비정격의 변형. 대도 대신 삼리를 사용하였다. 비악습(脾惡濕)한다. 폭설(瀑泄)은 화상(火象)이다. 삼리는 제습한다. 즉 비습열(脾濕熱)이다. 보(소부)는 중화, 생(태백,신문), 극(경거, 영도)한다.

5. 두통호흡천명(頭痛呼吸喘鳴)

● 견증(見證): 두통(頭痛)과 함께 호흡(呼吸)이 천급(喘急)한 증.

● 요법(療法): 천돌(天突), 단전(丹田, 영), 삼리(三里, 사).

▶ 소견(所見): 호흡 천급에 천돌, 단전, 원기 보완에 삼리를 배혈하였다.

※ 곽란기사회생(霍亂起死回生): 휘곽변란(揮霍變亂)하여 인사불성(人事不省)이 되었어도 난기(暖氣)가 있는 자는 태충(太衝), 삼리(三里, 보), 합곡(合谷, 사).

7.23 제23장. 설사문(泄瀉門)

사암은 설사(泄瀉)를 "폭주하박(暴注下迫), 내속어(內屬於) 습열(濕熱), 수액증청(水液證淸), 출어한(出於寒)"이라 한 의경원칙(醫經原則)에 입각(立脚)하여 하기(下記) 오설(五說)의 법칙(法則)을 구명(究明)하였다.

1. 유설(濡泄)

- 견증(見證): 토(土, 비(脾))비가 허(虛)하여 제습을 못하므로 소화(消化)가 되지 않아서 몸이 무겁고 힘이 없으며 배에서 꾸룩꾸룩 소리가 나고 맥이 지완(遲緩)한 증(위령탕가(胃苓湯加) 초두구(草豆蔻)증(證)).
- 요법(療法): 신상(腎傷)인지라 경거(經渠), 음곡(陰谷, 보), 태백(太白), 태연(太淵, 사).

▶ 소견(所見): 비허 불능 제수면 비정격을 사용하여야 하나 신정격 변형 사용 부류 대신 음곡, 태계 대신 태연을 사용하였다. 폐, 신의 배혈이다. 보(경거)는 증금, 생신(生腎)한다. 보(음곡)는 증수, 생(대돈, 용천)한다. 사(瀉)는 화토(過土) 상태임을 뜻하며, 신의 관이다. 사(태연)하여 척택(응축, 고삽)도 보강하였다. 척택은 경거의 수렴 상태를 고삽, 응축 상태로 만든다. 제사(制瀉)한다.

2. 폭설(暴泄)

- 견증(見證): 하월(夏月)에 물을 내쏘며 번갈(煩渴), 뇨적(尿赤), 면구(面垢-얼굴이 지저분한 것), 자한(自汗) 등 증을 소(訴)하는 것이니 즉 폭설(暴泄)(가미(加味) 향유산(香薷散) 증(證)).
- 요법(療法): 비상(脾傷)인지라 소부, 대도(보), 대돈, 은백(사).

▶ 소견(所見): 배혈은 태백 기능을 보강한다.

3. 습설(濕泄)

- 견증(見證): 위토가 습을 수함으로서 몸이 무겁고 가슴이 더부룩하며 음식이 맛이 없으나 입은 불갈하며 맥이 유, 세하고 물을 내쏘나 배는 아프지 않은 증(승양 제습탕 증).
- 요법(療法): 위상인지라 양곡, 해계(보), 임읍, 함곡(사).

▶ 소견(所見): 위는 양토, 수습(受濕)되어 보화 사관하였다. 족삼리 기능을 보강한다.

4. 열설(熱泄)

- 견증(見證): 열(熱)로 인(因)하여 설(泄)하는 것으로서 입이 마르고 냉(冷-찬 것)을 좋아하며 변색(便色)이 황적(黃赤)하고 배에서 소리가 나며 일진(一陣, 한 축)이 아프고 나면 한 번 설(泄)하고 기증(其證)이 폭속(暴速)하며 조점(稠粘), 후중(後重), 맥삭(脈數) 등 증을 소하는 것(만병사령산 증).
- 요법(療法): 심조인지라 소부, 행간(보), 대돈, 소충(사).

▶ 소견(所見): 보는 증화, 생(태백, 태충, 신문), 극(경거, 영도, 중봉)한다. 사목이다. 보는 생토하여 조증(토는 적정의 습을 함유한다)을 완화한다. 허열에 의한 열설이다. 화생토로 생습한다. 사목(瀉木)은 증토(增土)한다.

5. 기설(氣泄, 氣滯로·因한·泄)

- 견증(見證): 배가 울고 기(氣)가 왔다갔다하며 흉격(胸膈)이 비민(痞悶)하고 배가 급작스럽게 아프다가 사(瀉)하면 조금 안정(安定)되며 조금있다가 또 급(急)한 배가 켕기며 기색불통(氣塞不通)하는 자도 있나니 이것은 중완(中脘)이 정체(停滯)하고 기(氣)가 유전(流轉)하지 못하여 수곡(水穀)의 불분소치(不分所致)한 증(대칠향환(大七香丸) 증(證)).
- 요법(療法): 폐상(肺傷)인지라 태백(太白), 태연(太淵, 보), 어제(魚際), 소부(少府, 사).-폐정격(肺正格).

▶ 소견(所見): 침구요결 발행 전의 어떤 필사본에는 사(소부)하였다. 폐정격이다. 침구요결에는 소부를 사하지 않았다. 폐정격 변형이된다. 그렇다 하여도 배혈의 의미는 크게 다르지 않다. 경거 문제이기 때문이다. 태백으로 각 경의 토를 보하고 그 영향을 폐경으로만 연계시킨 뜻이 된다.

6. 냉설(冷泄)– 한설(寒泄)

- 견증(見證): 오한(惡寒)이 나고 몸이 무거우며 배가 더부룩하고 점이는 것 같이 아프며(切痛) 배가 끓고 청백색(靑白色)의 불소화물(不消化物)을 사(瀉)하고 맥이 침지(沈遲)한 것(부자이중탕(附子理中湯) 증(證)).
- 요법(療法): 간상(肝傷)인지라. 음곡(陰谷), 곡천(曲泉, 보), 경거(經渠) 중봉(中封, 사).-폐정격(肝正格).

▶ 소견(所見): 배혈은 대돈기능을 보강한다.

7.24 제24장. 현훈문(眩暈門)

사암은 "풍기유행(風氣流行), 필입어비토(必入於脾土), 습랭욕거(濕冷欲去), 가지어(可到於) 신수(腎水)"라 하고 또는 "목적파토(木賊破土)니 토관살수(土官殺水)"니 하여 제법(諸法)을 입(立)하였다.

1. 현훈(眩暈=어지러움증)

- 견증(見證): 두목(頭目)이 혼현(昏眩)하고 훈궐(暈厥)한 것. 즉 눈이 아물아물하고 정신(精神)이 씽씽 돌아 아뜩아뜩 어지러운 증(청훈화담탕(淸暈化痰湯), 자음건비탕(滋陰健脾湯) 증(證)).
- 요법(療法): 삼리(三里, 영(迎)), 기해(氣海, 사), 격수(膈俞, 보), 풍지(風池, 사).

▶ 소견(所見): 삼리, 기해, 격수로 기, 혈을 정리 보강하며 두부의 요혈을 사(풍지)하여 보강된

기능을 두(頭)로 연계하였다.

2. 풍현(風眩)

- 견증(見證): 현훈에 풍열로 인한 것으로서 흉중이 불리하고 어지러워서 넘어질 것 같으며 바람이 싫고 땀이 저절로 나는 증(천궁산 증).
- 요법(療法): 간실인지라 경거, 중봉(보), 소부, 행간(사).

▶ 소견(所見): 풍증으로 보금사화하였다. 배혈은 대돈 기능을 억제한다.

3. 습훈(濕暈)

- 견증(見證): 모우상습(冒雨傷濕)으로 인하여 현훈(眩暈)의 증상을 구발(俱發)하며 코가 막히고 소리가 중(重)한 것(궁출탕(芎朮湯) 증(證)).
- 요법(療法): 비실인지라 중완(정), 대돈(보), 소부(사).

▶ 소견(所見): 중완(정)은 유침의 뜻, 보는 생(소부, 행간), 극(태백, 태충)한다. 또한 목은 풍이다. 풍은 습을 승(勝)하므로 보하였다. 목극토와 풍승습(風勝濕)이다. 소부를 사한것은 화생토를 억제한 것. 보의 목적은 극토(土). 또한 토를 극하기 위해 목을 보하였는데 과정상 소부가 생되므로 사한 것으로 해석할 수도 있다.

4. 담훈(痰暈)

- 견증(見證): 현훈(眩暈)을 실구(悉具)하고 담성구토(痰盛嘔吐)하며 머리가 무거워서 잘들지 못하는 증(반하복령탕(半夏茯苓湯) 증(證)).
- 요법(療法): 폐실인지라 소부, 어제(보), 태백, 태연(사).

▶ 소견(所見): 폐실이라 함은 강한 수렴 작용이며 이로 인해 담성이 되어 승, 강 작용이 불리하여 상승한 뜻이다. 폐승격 변형. 보는 증화, 생(태백, 태연, 신문) 극(경거, 영도)한다. 사(태백, 태연)는 보로 인한 생이다. 또한 폐실이면 승격으로 보화사수하여야 하는데 사토하였다. 경거는 억제된 상태이다. 이에 사토는 경거의 모이기 때문, 또는 보에 의해 생되기 때문으로 해석할 수 있다. 보화는 강극금(强克金)하여 악성 습열을 하기시킨다.

7.25 제25장. 두통문(頭痛門)

사암은 "하열이명(夏熱耳鳴), 병재심이담궐(病在心而痰厥), 추한골통(秋寒骨痛), 냉재폐이신상(冷在肺而腎傷), 기통여전(氣痛如癲), 심통이광(心痛以狂)"이니 하여 육법(六法)을 제시(提示)하였다.

1. 목후두통(沐後頭痛)

● 견증(見證): 머리를 감고 나면 골치가 아픈 증.

● 요법(療法): 폐냉(肺冷)인지라 태백(太白), 태연(太淵, 보), 소부(少府), 어제(魚際, 사).

▶ 소견(所見): 한에 노출되어 두부(頭部, 방광경)에 입사(入邪)된 증세로 배혈은 경거 기능을 보강한다. 폐냉이면 보화가 타당하겠으나 정격 사용은 허냉에 의한 증세.

2. 두항통(頭項痛)

● 견증(見證): 골치가 아프고 뒷목이 함께 아픈 것.

● 요법(療法): 간약(肝弱)인지라 음곡, 곡천(보), 경거, 중봉(사)—폐정격(肝正格).

▶ 소견(所見): 두항은 방광, 대장, 담이 주경(主經)이며 배혈은 간정격으로 대돈기능을 보강한다. 보수는 증수 생(대돈, 용천), 극(행간, 소부)한다. 사암은 "경간(頸肝), 항대장(項大腸)의 영역"이라 하였다.

● 담궐이명: 풍지(風池)·현종(懸鍾) 보(補), 풍부(風府)·아문(啞門) 사(瀉).
풍지(風池)·절골 보(補), 풍부(風府), 아문(啞門) 사(瀉).

▶ 소견(所見): 급증이므로 요혈을 사용하였다. 풍지는 풍증의 요혈이며, 절골은 수회(髓會)혈로 사용하였다. "독맥상풍증요혈로 입뇌(入腦), 목(目)에 연한다." 아문은 언어장애, 두중풍의 요혈.

● 골통: 신상(腎傷)인지라 경거(經渠), 부류(復溜, 보), 태백(太白), 태계(太谿, 사)—신정격(腎正格).

3. 미릉골통(眉稜骨痛)

● 견증(見證): 눈썹 모서리가 몹시 아픈 것.

● 요법(療法): 삼초실(三焦實)인지라 통곡, 액문(보), 임읍, 중저, 양지(사).

▶ 소견(所見): 삼초한, 승격과 유사하다. 한, 승격의 보(통곡, 액문)는 같다. 한격은 사(지구, 곤륜), 승격은 사(삼리, 천정)이다. 즉 한격은 보수사화 승격은 보수사토이나, 보수사목으로 자(子)를 사하였

다. 통증의 경락이 삼초경으로, 보는 극지구(火)한다. 사는 지구의 모로서 생화를 억제한다. 양지는 원혈이며 보의 기능을 삼초로 연계키 위함이다.

4. 편두통(偏頭痛)

- 견증(見證): 좌 또는 우의 한쪽 머리가 아픈 소위 쪽골 치가 아픈 증.
- 요법(療法): 풍지, 절골(사), 좌통은 우치, 우통(右痛)은 좌치한다.

▶ 소견(所見): 급치에 활용하는 두통의 요혈이다. 상풍지, 하절골을 사한다. 두통이 실증임을 뜻한다. 간목담풍(肝木膽風)이다. 만성이 되면 본배혈만으로 치료가 용이하지 않다.

5. 진두통(眞頭痛)-뇌막염(腦膜炎)

- 견증(見證): 뇌는 수의 해로서 진기의 소취처인지라 졸연이사를 수치 않게 되는데 만일 사를 수하면 불치가 되므로 조발하면 석사하고 석발하면 조사하게 되는 증. 양의 소위 뇌막염이다.
- 요법(療法): 중완(보), 기해(사).

▶ 소견(所見): 당시의 환경에서 위의 방법 외에 할수 있는게 없었을 것이고 기력회복 배혈로 이해되나 논외로 한다.

7.26 제26장. 위완통문(胃脘痛門)

사암은 "간관입비(肝官入脾), 정시토패(正是土敗) 목적지환(木賊之患), 담명지위(膽命至胃), 필위군우(必爲君遇) 신상지우(臣傷之憂)"라 하여 이법(二法)을 입(立)하였다.

1. 위완통(胃脘痛)

- 견증(見證): 중완혈(中脘穴) 당처(當處, 제상4촌)가 은은(隱隱)이 아픈 증. 누르면 우변(右邊-오른쪽 가장자리)이 아픈 것.
- 요법(療法): 양곡(陽谷), 해계(解谿, 보), 임읍(臨泣), 함곡(陷谷, 사)-위정격(胃正格). 중완(中脘, 정(正)).

▶ 소견(所見): 배혈은 삼리 기능을 보강한다.

2. 비통(脾痛)

- 견증(見證): 추(錐) 혹은 침(針)으로 심(心)을 찌르는 것 같이 아픈 것(영추 궐음병편(靈樞·厥病篇))에 말한 비심통(脾心痛)이니 심통연제증(心痛連臍證)을 지칭(指稱) 함이다(가자산(訶子散), 혹(或)은 복원통기산(復元通氣散)증(證)).
- 요법(療法): 소부(少府), 대도(大都, 보), 은백(隱白, 사), 단전(丹田, 영(迎)).

▶ 소견: 보(대도)로 인쇄된 수사본이있다. 오랫동안 전해오던 중 오자가 발생하는 경우가 있다. 위완통은 양토를 보하였고 비통은 음토를 보하였다. 심통과 연계되고 안 되는 차이다. 심통은 구미에서 단중간에 연계하고 위완통은 상완에서 구미에 연계한다. 사(대돈)하지 않음은 보에 의한 태백의 기능을 비에만 국한시킨 것이라 해석된다.

7.27 제27장. 복통문(腹痛門)

사암은 한사(寒邪)가 있으면 반드시 복통(腹痛)이 생긴다 강조(强調)하고 "심허자(心虛者) 화통(火痛) 위허자(胃虛者) 습통(濕痛), 폐탁기통(肺濁氣痛), 신약냉통(腎弱冷痛), 간쇠울통(肝衰鬱痛), 혈허상통(血虛腸痛)" 등의 제법(諸法)을 입(立)하였다.

1. 한통(寒痛)(한사입복(寒邪入腹)–찬 사기가 배로 들어온 것)

- 견증(見證): 증감(增減)이 없이 면면(綿綿, 쌀쌀)이 아프며 맥(脈)이 침지(沈遲)한 것(후박 온중탕(厚朴溫中湯) 증(證)).
- 요법(療法): 대장(大腸) 허(虛)인지라 삼리(三里), 곡지(曲池, 보), 양곡(陽谷), 양계(陽谿, 사)–대장정격(大腸正格).

▶ 소견(所見): 배혈은 상양 기능을 보강한다.

2. 화울통(火鬱痛)

- 견증(見證): 때로 아프고 때로 끝이며 통처(痛處)가 또한 뜨거운 것이니 부인(婦人)에게 가장 많은 증(황금 작약탕(黃芩芍藥湯) 증(證)).
- 요법(療法): 심경(心經) 허(虛)인지라 대돈(大敦), 소충(少衝, 보), 음곡(陰谷), 곡천(曲泉, 사).

▶ 소견(所見): 심정격의 변형. 소해 대신 곡천을 사용하였다. 보는 소부 기능을 보강한다. 목생화이므로 곡천을 사하여 행간 기능이 보강되었다. 간기능이 확대(火)되고 동시에 연곡(화. 경기확대)도

보강되어 수생목이 증진된다. 또는 간한(肝寒)을 억제하기도 하며, 한실이므로 실측사자로 사(곡천) 한다고 해석할 수도 있다.

3. 습복통(濕腹痛)

- 견증(見證): 복통(腹痛)을 소(訴)함과 함께 소변(小便)이 불리(不利)하고 대변(大便)이 당설(溏泄) 한 증.
- 요법(療法): 위(胃) 허(虛)인지라 양곡(陽谷), 해계(解谿, 보), 임읍(臨泣), 함곡(陷谷, 사).

▶ 소견(所見): 보는 증화, 생토(삼리, 소해), 극(여태, 소택)한다. 토에 의해 습이 정리되어 제증이 감소한다. 배혈은 삼리 기능을 보강한다.

4. 기복통(氣腹痛)

- 견증(見證): 가슴이 더부룩하고 배꼽 위가 살살 아픈 증.
- 요법(療法): 폐탁(肺濁)인지라 소부(少府), 어제(魚際, 보), 척택(尺澤), 곡천(曲泉, 사).

▶ 소견(所見): 폐정격의 변형. 음곡 대신 곡천을 사하였다. 보화에 의해 경거 기능이 억제된다. 음곡을 사용하지 않아 억제된 경거 기능은 폐와 간경으로 한정된다. 행간은 보강되며 중봉이 억제된다. 경거는 각경의 금원(金原)으로 보, 사하면 각 경에 영향을 주게 되어 보만으로도 간경의 중봉은 억제되나 곡천을 사함으로 다시 억제되는 강극을 받는다고 해석된다.

5. 울복통(鬱腹痛)

- 견증(見證): 배가 당기기거나 아픈(牽引痛, 견인통– 근육(筋肉)이 당기거나 아픈 증세(症勢)) 것.
- 요법(療法): 간쇠(肝衰)인지라 음곡(陰谷), 곡천(曲泉, 보), 경거(經渠), 중봉(中封, 사)–간정격(肝正格).

▶ 소견(所見): 보는 증수, 생(대돈, 용천), 극(소부, 행간)한다. 소설 기능 저하에 의한 통이다.

6. 혈허복통(血虛腹痛)

- 견증(見證): 은은(隱隱)히 아프기 시작하면 세근(細筋)을 잡아 뽑고 가시로 찌르는 것 같은 것 (사물탕가진피(四物湯加陳皮), 목향탕(木香湯) 증(證)).
- 요법(療法): 임읍(臨泣), 삼간(三間, 보), 통곡(通谷), 전곡(前谷, 사).

▶ 소견(所見): 은은통은 허통이다. 후계 대신 삼간을 사용하였다. 보는 증목, 생(양곡, 양보,양계), 극(삼리, 양릉천, 곡지)한다. 사(통곡, 전곡)는 양곡을 위함이다. 보의 목적은 생(양곡, 양계, 양보)이다. 보에 의한 화(양계) 기능은 상양을 억제하므로 대장 경기를 억제한다. 혈허증에 소장정격을 사용하였다. 금

극목을 못한다. 담경(임읍)이 보강되니. 목생화로 소장(화) 또한 보강된다. 소장은 화경이며 혈 기능으로 해석한다. 즉 대장 경기는 억제 소장 경기는 보강한 배혈로 해석된다.

7. 냉복통(冷腹痛)

- 견증(見證): 배꼽 아래(제하(臍下))가 쌀쌀 아픈 증.
- 요법(療法): 경거(經渠)·부류(復溜, 보), 태백(太白)·태계(太谿, 사).

▶ 소견(所見): 사암은 이론적 설명없이 제상복통은 폐허, 제하복통은 신허라고 정리하였다. 보는 증금, 생(음곡, 척택), 극(대돈, 소상, 용천)한다. 배혈은 음곡 기능을 보강한다. 사는 관.

※ 식구복통(食狗腹痛–개고기를 먹고 난 후 복통): 소충(少衝, 보), 체(體)했으면 합곡(合谷, 사).

※ 괴질복통(怪疾腹痛): 먼저 사관(四關, 좌우합곡(左右合谷), 좌우태충(左右太衝)) 침(針). 1)상충(上衝)하면 공손(公孫), 2)토(吐)하면 관충(關衝, 사), 3)전근(轉筋)되면 승산(承山, 사), 내관(內關, 보).

7.28 제28장. 요통문(腰痛門)

사암은 "요통개계(腰痛皆係) 어방광(於膀胱), 침자담사(針刺當瀉), 필보대장(必補大腸), 항척여추(項脊如錘), 시담지소상(是痰之所傷), 근골사절(筋骨似折), 시심지손비(是心之損悲), 굴통신자(屈痛伸刺), 가신허지기(可腎虛之氣), 장궁노현(張弓弩弦) 실시폐상지화(實是肺傷之禍)"라 하여 사법(四法)을 입(立)하였다.

1. 항척여추(項脊如錘)

- 견증(見證): 목과 등성마루 뼈가 쇠덩어리를 속에 넣고 내려 누르는 듯한 증.
- 요법(療法): 담상(膽傷)인지라 통곡, 협계(보), 상양, 규음(보)–담정격(膽正格).

▶ 소견(所見): 목과 등성마루 뼈라 함은 경추, 척추로서 관절의 연속 부위. 담주골이며 골은 관절을 뜻한다. 배혈은 족임읍 기능을 보강한다. 목혈(木穴)은 시경기혈(始經氣穴)이다. 담경기 불리에 의한 통증으로 해석된다.

2. 근골여추(筋骨如折)

- 견증(見證): 근골(筋骨)이 잡아 쥐고 꺾는 것 같이 아픈 증.
- 요법(療法): 대장상(大腸傷)인지라 삼리(三里), 곡지(曲池, 보), 양곡(陽谷), 양계(陽谿, 사)–대장정격(大腸正格).

▶ 소견(所見): 방광(주근(主筋)), 담주골(膽主骨, 관절). 환언하면 수, 목 경기가 불리한 증. 배혈은 상양 기능을 보강한다. 금생수, 수생목으로 제증 해결. 제증을 대장상으로 단언키 어려우나 극심한 통증이 수렴 기능 부족 때문인가 생각된다.

3. 굴신자통(屈伸刺痛)

- 견증(見證): 꾸부리거나(底下位) 펴면(仰上位) 찌르는 것 같이 아픈 증(속효산(速効散) 증(證)).
- 요법(療法): 신상(腎傷)인지라 경거(經渠)·부류(復溜, 보), 태백(太白)·태계(太谿, 사)−신정격(腎正格).

▶ 소견(所見): 굴신은 요부에 의한다. 자통은 어혈 및 근의 유연성 저하, 보는 증금, 생(음곡, 척택), 극(대돈, 소상, 용천)한다. 유연성은 적정의 기혈 순환에 의한다. 신지요부에 의한 배혈로 음곡기 능을 보강한다.

4. 장궁노현(張弓弩弦)

- 견증(見證): 머리가 발에 닿을 만큼 구부러진 증.
- 요법(療法): 폐상(肺傷)인지라 태백(太白), 태연(太淵, 보), 소부(少府), 어제(魚際, 사)−폐정격(肺正格).

▶ 소견(所見): 다소 과장된 표현이나 기의 승청 불리로 해석되고 배혈은 폐정격.

7.29 제29장. 협통문(脇痛門)

사암은 "협통자(脇痛者) 심폐삼초지위야(心肺三焦之位也)"라 하고 "목황황(目慌慌)이 불견(不見), 간약달금(肝弱達金), 이몽몽(耳朦朦)이 불문(不聞), 폐상우화(肺傷遇火), 심유견흡새(心由牽吸塞), 한냉폐어심규(寒冷蔽於心竅), 비토울이호절(脾土鬱而呼絕), 습열촉어위구(濕熱觸於胃口)"라 하여 사법(四法)을 위(立)하였다.

1. 우협통(右脇痛)

- 견증(見證): 오른쪽 옆구리가 아픈 증.
- 요법(療法): 폐(肺)의 병(病)인지라 태백(太白, 보)·태연(太淵), 소부(少府)·어제(魚際, 사)−폐정격(肺正格).

▶ 소견(所見): 배혈은 경거 기능을 보강한다. 좌간우폐의 관념적 경기론(經氣論)에 의한 것. 금극목의 불리로 해석된다.

2. 좌협통(左脇痛)

- 견증(見證): 왼쪽 옆구리가 아픈 증.
- 요법(療法): 간의 병인지라 음곡(陰谷)·곡천(曲泉, 보), 경거(經渠)·중봉(中封, 사).

▶ 소견(所見): 우협통과 같은 생각이며 배혈은 대돈 기능을 보강한다. 목극토 불리.

3. 폐골통(蔽骨痛)

- 견증(見證): 명치(蔽骨)가 당기고 아픈 증.
- 요법(療法): 심병(心病)인지라 대돈(大敦)·소충(少衝, 보), 곡천(曲泉)·소해(少海, 사).

▶ 소견(所見): 심정격 변형. 음곡 대신 곡천을 사용하였다. 보는 증목, 생(소부, 행간), 극(태충, 신문)한다. 소부 기능 보강하고 소해는 관으로 사하였다. 소해는 소부의 관, 곡천을 사하여 소부의 기능을 간으로 연계시켜 행간 기능을 보강하였다. 목생화로 보화하였다. 폐골통이 간과 연계된 통증임을 말한다.

4. 좌우만통(左右挽痛)

- 견증(見證): 비(脾)가 좌우(左右)로 당기고 아프며 소화불량(消化不良)이 되는 증.
- 요법(療法): 비(脾)의 병(病)인지라 소부(少府)·대도(大都, 보), 대돈(大敦)·은백(隱白, 사)−비정격(脾正格).

▶ 소견(所見): 보는 증화, 생(태백, 태충, 신문), 극(경거, 상구)한다. 배혈은 태백 기능을 보강한다. "온음토이평목(溫陰土而平木)"하였다. 담과 비의 상합 관계 불리.

7.30 第30장. 제기통문(諸氣痛門)

제(諸) 기통문(氣痛門) . 사암은 기통(氣痛)의 치법(治法)은 "선간칠정지장단(先看七精之長短), 후찰구기지선악(後察九氣之善惡)"이라야 한다. 강조(强調)하고 "희측기완(喜側氣緩), 노측기상(怒側氣傷), 우자기침이(憂者氣沈而) 사결(思結), 비자기소이(悲者氣消而) 경기(驚氣)"라 하여 상법(上法)을 제시(提示)하고 "시인오지(時人五志) 지화(之火), 무시불기(無時不起), 십미지편(十味之偏) 무일부상(無日不傷)"의 논(論)을 거(擧)하여 주의(注意)를 환기(喚起)하였다.

1. 노기상(怒氣上)

- 견증(見證): 미증유(未曾有)의 분노(憤怒)가 있은 후(後)에 기(氣)가 상충(上衝)하는 증.
- 요법(療法): 간실(肝實)인지라 경거(經渠)·중봉(中封, 보), 행간(行間)·소부(少府, 사)-간승격(肝勝格). 또는 경거(經渠, 사), 태충(太衝, 사).

▶ 소견(所見): 보는 증금, 생(음곡, 곡천, 척택), 극(대돈, 소상, 용천)한다. 배혈은 대돈 기능을 억제한다. 기상충은 목성이다. 금극목하여야 한다(노하면 양기 역상하여 목(木)이 비(脾)를 범하여 수혈, 식설한다). 사는 관.

2. 희기완(喜氣緩)

- 견증(見證): 소망(所望)에 넘치는 환희(歡喜)가 있은 후(後)에 기(氣)가 완만(緩慢)한 증.
- 요법(療法): 심상(心傷)인지라 대돈(大敦, 보)·소충(少衝), 음곡(陰谷)·곡천(曲泉, 사) 또는 태백(太白, 온(溫)), 삼리(三里, 량(涼)).

▶ 소견(所見): 보는 증목, 생(소부, 행간), 극(태백, 태충, 신문)한다. 목혈은 시경기혈이므로 심, 간 경기는 보강된다. 소해 대신 사(곡천)는 소부의 기능을 간으로 연계시킨다. 과희(過喜)상태, 심정격 변형.

3. 사기결(思氣結)

- 견증(見證): 용이(容易) 처결(處決)하기 곤란(困難)한 사정(事精)으로 인(因)하여 심사숙고(深思熟考)한 후(後)에 생긴 기결증(氣結證).
- 요법(療法): 비상(脾傷)인지라 소부(少府, 보)·대도(大都), 대돈(大敦)·은백(隱白, 사)-비정격(脾正格). 또는 간사(間使, 침(鍼)), 기해(氣海, 사).

▶ 소견(所見): 보는 증화, 생(태백, 신문), 극(경거, 영도, 상구)한다. 온음토하였다. 사는 관, 비(脾)에 지(志)가 재(在)하니 사(思)한다. 구(久), 과사(過思)는 비(脾)를 상(傷)한다. 배혈은 태백 기능을 보강한다.

4. 비기소(悲氣消)

- 견증(見證): 과격(過激)한 비애(悲哀)가 있은 후(後)에 초래(超來)되는 기(氣)의 소산(消散-약해지고 흩어짐) 증(證).
- 요법(療法): 상완(上脘, 구(灸)), 요수(腰兪, 사).

▶ 소견(所見): 비(悲)는 심에서 생긴다. 상완은 격(膈)을 통(通)하게 하여 불기(下氣)시킨다. 요수는

하복과 하초의 기를 조절한다. 사용한 뜻을 가늠키 어렵다.

5. 우기울(憂氣鬱)

- 견증(見證): 극도(極度)에 달(達)하는 우려(憂慮)의 사정(事精)으로 생긴 기울(氣鬱) 증(證).
- 요법(療法): 신약(腎弱)인지라 경거(經渠)·부류(復溜, 보), 태백(太白)·태계(太谿, 사). 또는 신수(腎俞, 구(灸)), 행간(行間, 사)-침(鍼).

▶ 소견(所見): 배혈은 음곡 기능을 보완한다. 신정격.

6. 경기난(驚氣亂)

- 견증(見證): 졸폭(卒暴)간에 생긴 경겁(驚怯-놀라서 겁을 냄)의 사정(事情)으로 초래(超來)된 기난증(氣亂證).
- 요법(療法): 태충(太衝, 보), 소부(少府, 사), 또는 노궁(勞宮, 사), 삼음교(三陰交)·폐수(肺俞, 구(灸)).

▶ 소견(所見): 보는 증토, 생(중봉), 극(곡천)한다. 소부는 각음경의 화원(火原)이다 이를 사함은 보완된 중봉의 간경 수렴 기능을 심경 영도를 중심으로 각 경에 연계시켜 기란을 조절한다. 태충을 사용함은 간경에 국한한 방법으로 원인이 간경에 있다는 뜻.

7. 한기수(寒氣收)

- 견증(見證): 혹한(酷寒)에 발설(跋涉)으로 인한 한기(寒氣)의 수상(受傷-상처(傷處)를 받음).
- 요법(療法): 단전(丹田, 정(正)), 기해(氣海, 구(灸) 백장(百壯)).

▶ 소견(所見): 온기 및 혈액 순환 촉진 배혈.

7.31 제31장. 산기문(疝氣門)

사암의 치산(治疝) 대법(大法)은 "종양인음(從陽引陰), 필일(必曰) 본이불실야(本以不失也)"라 하며 칠법(七法)을 입(立)하였다.

1. 수산(水疝)

- 견증(見證): 음랑이 붓고 땀이 나서 혹은 가렵고 누런 물이 흐르며 혹은 소복을 누르면 수성을 작하는 증(요자산 증).
- 요법(療法): 신에 속한지라 경거, 부류(보), 태백, 태계(사).

▶ 소견(所見): 음랑 제증(諸證)은 수(水), 소복 제증(諸證)은 토중수(土中水)가 된다. 음랑 내(內)는 신(腎), 외(外)는 방광경(膀胱經)에 해당한다. 토실수허증으로 신정격을 사용하였다. 배혈은 음곡 기능을 보강한다.

2. 한산(寒疝)

- 견증(見證): 고환이 차고 단단하며 음경(陰莖)이 일어나지 않고 혹 고환 알맹이가 당기고 아픈 증(반총산 증).
- 요법(療法): 대장에 속한지라 삼리, 곡지(보), 양곡, 양계(사).

▶ 소견(所見): 한응 상태로서 보는 증토, 생(상양, 여태), 극(통곡, 이간, 내정)한다. 대장정격으로 상양 기능을 보강한다.

3. 근산(筋疝)

- 견증(見證): 음경(陰莖)이 붓거나 몹시 가려우며, 힘줄이 당기거나 늘어지며 혹은 백물(白物)이 나와서 정수(精水)와 같은 증(용감사간탕, 청심연자탕 증).
- 요법(療法): 간(肝)에 속한지라 음곡, 곡천(보), 경거, 중봉(사).

▶ 소견(所見): 붓고 가려움은 화성이며 힘줄 제증은 간경의 증세. 즉 간경열증, 간경유열은 풍극습(風克濕, 목극토) 부족으로 간경 습열이 된 상태, 보는 증수, 생(대돈, 용천), 극(소부, 행간, 연곡)한다. 간정격, 대돈 기능을 보강한다.

4. 혈산(血疝)

- 견증(見證): 소복양방(小腹兩傍), 횡골양단(橫骨兩端) 약문중(約紋中)에 생기(生起)는 황과상(黃瓜狀)의 횡현(橫痃) 속명편옹(俗名便癰), 또는 변독(便毒), 가래톳(옥촉산(玉燭散) 증(證)).
- 요법(療法): 심(心)에 속한지라 대돈(大敦), 소충(少衝, 보), 음곡(陰谷), 소해(少海, 사).

▶ 소견(所見): 제증의 부위는 간, 비, 신경맥의 부위로서 어혈성 증이다. 배혈은 소부 기능을 보강한다. 소부 기능은 다양하다. 화는 혈이고 혈이란 혈순환으로 심정격의 기본은 혈순환을 증가한다는 뜻.

5. 기산(氣疝)

- 견증(見證): 신수혈(腎兪穴)에서부터 아래로 음랑(陰囊)에 이르기까지 편추(偏墜) 종통(腫痛)한 증(취향음자(聚香飮子) 증(證)).

● 요법(療法): 폐에 속한지라 태백, 태연(보), 소부, 어제(사).

▶ 소견(所見): 증세의 특징은 흥분이나 화가 나면 종통하며 요부로 연급된다. 즉 기의 정(正), 부(不)에 의해 좌우되므로 기산이다. 주기하는 폐정격을 사용하였다. 배혈은 경거 기능을 보강한다.

6. 호산(狐疝)

● 견증(見證): 여우가 주출야입(晝出夜入)과 같으므로 호산(狐疝)이라 하는데 앙왕상(仰瓦狀)의 물(物)이 누우면 배로 들어가고 서면 낭중(囊中)으로 편입하여 아픈 증(이향환 증).

● 요법(療法): 삼음교, 연곡(보), 은백, 태계(사).

▶ 소견(所見): 보(연곡)는 증화(火)하여 신한(腎寒)을 억제하며 생(태계), 극(부류)하나. 사(태계)하여 음곡은 보강된다. 사(은백)는 비경의 시경기혈(始經氣穴)로 비경(脾經)은 억제되니 신경이 보강된다. 즉 음교가 강하게 보강된다. 보수사토. 삼음교는 음기증(陰器證)과 하기(下氣)의 요혈로 사용하였다.

7. 퇴산(㿗疝)

● 견증(見證): 소복(小腹)이 고환을 잡아 끌어서 비틀어 짜는 것 같이 아프며 낭종여두(囊腫如斗), 혹은 완퇴불인(頑㿗不仁) 한 증(證)을 정(呈)하는 증.

● 요법(療法): 삼음교, 양릉천(보), 삼리, 태백(사).

▶ 소견(所見): 삼음교는 소복 제증에 요혈이며 양릉천은 근회혈. 주근한다. 음, 양토를 사하여 토의 습성을 정상화하여 낭종습을 정리한다.

7.32 제32장. 각기문(脚氣門)

사암은 "습종만이(濕腫滿而) 재비(在脾), 사말지기(四末之氣) 재위(在胃)"라 하며 제법(諸法)을 제시하였다.

1. 학슬풍(鶴膝風)

● 견증(見證): 상, 하퇴는 가늘고 오직 슬안만이 종대하여 학의 슬과 같으며, 시작될 때에는 한열이 교작하고, 아프기가 범이 무는 것과 같아서 보행이 불능하다가 일구하면 귀하는 증.

● 요법(療法): 중완(정), 환조(사).

▶ 소견(所見): 장기간 한습이 하부에 침습된 증으로 사암은 악질이기에 요법(療法)과 같이 한다

고 하였다. 중완은 상, 하순환을 보강하고 담주골이므로 담경에서 선혈하되 환조혈이증세에 가장 적합하다고 판단하였을 것으로 이해한다. 또한 고질을 다루는 방법은 우선적으로 토의 기능을 조절 보강한다는 의미로도 해석한다.

2. 위벽(痿癖)

- 견증(見證): 다리가 휘청거려 걷지를 못하는 증.
- 요법(療法): 폐허인지라 태백, 태연(보), 소부, 어제(사).

▶ 소견(所見): 휘청거림은 양교맥의 불리와 기순환의 문제로 해석된다. 교맥은 신, 방광에 의하고 방광 주근한다. 방광은 심과 상합, 폐와 상통한다. 이는 심과는 혈적으로 폐와는 기적 관계로 해석할 수 있다. 하지 무력은 하지근의 유연, 수축 기능이 저하된 상태로 보는 증토, 생(경거, 상구), 극(음곡, 척택, 음릉천)한다. 비경의 습윤성은 양수방광경을 극하여 극중유생하고, 생금은 방광에 기를 보강하며 사화는 관. 폐정격.

3. 각족전근(脚足轉筋)

- 견증(見證): 다리가 뒤틀리는 증. 즉 '쥐'가 나는 것.
- 요법(療法): 담허(膽虛)인지라 통곡, 협계(보), 상양, 규음(사).

▶ 소견(所見): 증세는 기, 혈순환 이상으로 나타날 경우가 많으나 견증(見證)내용 만으로 담허로 진단함은 내용이 골과 근이 결합하는 관절 중심으로 생각된다. 담주골한다. 족임읍은 대맥으로 통하고 대맥은 12경맥의 결속을 주한다. 담허하여 대맥 기능이 저하하면 관절은 정상위를 유지하지 못하며 통증을 유발할 수도 있고 각 족인 경우 보행에 어려움이 수반된다. 보는 증목, 생(족임읍, 속골), 극(양곡, 곤륜)한다. 증목은 인체의 기능적 정상위를 보강 유지한다.

목혈은 시경기혈(始經氣穴)이므로 방광(主筋), 담(主骨) 경기(經氣)가 보강된다. 사금(瀉金)은 수렴 기능을 억제하여 근의 강한 수축을 이완하며 생의 관이다. 배혈은 족임읍 기능을 보강한다. 담정격.

4. 각족한냉(脚足寒冷)

- 견증(見證): 슬(膝-무릎) 이하가 한냉(寒冷)한 것.
- 요법(療法): 신허(腎虛)인지라 경거(經渠)·부류(復溜, 보), 태백(太白)·태계(太谿, 사). 또는 용천(涌泉)·연곡(然谷, 보), 환조(環跳, 사).

▶ 소견(所見): 한랭(寒冷)함은 양(陽)과 화(火, 혈순환)부족이다. 보는 증금, 생(음곡, 척택), 극(대돈, 용천, 소상)한다. 신(腎)의 본(本) 음곡은 주(主)가 한(寒)이며 수(水)이지만 양(陽)이 포함된 음(陰)이다. 또한

슬이하는 주관절 부위와 같이 오수혈로 합혈인 신과 위의 상합 관계 기능 하에 있음을 고려하면 신 또는 위 기능 저하로 생각할 수 있다. 음토는 습토(濕土)이고 관(官)이므로 사(瀉)하였다. 다른 배혈에서 보(용천)는 시경기혈(始經氣穴)로 경기(經氣)를 보완하며 연곡은 부족한 신화(腎火)를 보강하여 신경기(腎經氣)를 활성(活成)한다. 환조는 하부 경기에 활용하는 요혈로 사용하였다.

5. 근만(筋彎)

- 견증(見證): 각근(脚筋)이 구만(拘彎)하여 굴신(屈伸)이 불능한 증.
- 요법(療法): 간약(肝弱)인지라 음곡(陰谷)·곡천(曲泉, 보), 경거(經渠)·중봉(中封, 사).

▶ 소견(所見): 간 주근(主筋)은 음적(陰的, 柔潤), 방광 주근(主筋)은 양적(陽的, 動的) 이론(理論). 간약으로 진단함은 유윤 부족을 의미한다. 보는 증수, 생(대돈, 용천), 극(소부, 행간, 연곡)한다. 증수는 보유윤하고 생목은 시경기혈(始經氣穴)로 경기를 보강한다. 사금(瀉金)은 수렴(구련) 경기를 억제하여 근구련을 감소하며 목(木)의 관(官)이다. 간정격.

7.33 제33장. 통풍문(痛風門)

통풍이라 함은 신체 모부(某部)에 극통(極痛)의 병을 발생하는 서상(敍上)의 통풍(痛風)과 여(如)한 증(證)인데 사암은 차(此)를 주제(主題)로 하고도 기실(其實)은 비(痺)에 대한 증(證), 치(治)를 나열하였다.

1. 행비(行痺)

- 견증(見證): 허사(虛邪)가 혈기(血氣)와 더불어 상박(相搏)하여 관절(關節)에 모여 뭉쳐서 상하(上下)에 유행(流行)하므로 붉게 변하거나 부으며 근맥(筋脈)이 이종불수(弛縱不收)하는 증(방풍탕(防風湯), 월비탕가(越婢湯加) 부출탕(附朮湯) 증(證)).
- 요법(療法): 담승(膽勝)인지라 상양, 규음(보), 양곡, 양보(사).

▶ 소견(所見): 관절을 중심으로 발생한 증세로 실증에 해당하여 담승격 사용하였다. 보는 증금, 생(통곡, 협계, 이간), 극(족임읍, 삼간)한다. 승격이므로 극목은 대장, 담경기를 억제한다. 사화는 증세를 억제하고 보의 관이다. 배혈은 족임읍 기능을 억제한다.

2. 통비(痛痺)

- 견증(見證): 습(濕)이 사지(四肢)에 유주(流走)하여 견우(肩髃)가 동통(疼痛)하며 당기고 붓고 밤이면 심(甚)하고 아픈 것이 정처(定處)가 있어서 역절(歷節)의 주중유통(走注流痛)과 같지 않다(오적산가(五積散加) 천마부자탕(天麻附子湯) 증(證)).
- 요법(療法): 한승(寒勝)인지라 양곡, 양계(보), 통곡, 이간(사)－대장승격(大腸勝格).

▶ 소견(所見): 견우 부위의 주경기는 대장으로 보는 증화, 생(삼리, 곡지, 소해), 극(상양,소택)한다. 증화로 한을 억제하고 생토로 습을 정리한다. 사는 한을 억제하며 보의 관이다. 대장열격.

3. 착비(着痺– 저리고 마비됨)

- 견증(見證): 기육(肌肉) 내(內)에 천만소충(千萬小蟲)이 난행(亂行)하는 것 같기도 하고, 편신(遍身)이 음음충행(淫淫蟲行)하는 것 같으며, 만져도 그치지 않고 긁으면 더 심(甚)한 즉 마(麻)의 증상(症狀)과 불양불통(不癢不痛)하여 자기의 기육(肌肉)이 타인(他人)의 기육(肌肉)과 같아서 만져도 알지 못하고 꼬집어도 감각(感覺)을 모르는 즉, "목(木)"의 증상(症狀)을 나타내는 것(당귀고통탕(當歸拈痛湯) 증(證) 혹(或)은 천궁복령탕(川芎茯苓湯) 증(證)).
- 요법(療法): 습승(濕勝)인지라 대돈(大敦)·은백(隱白, 보), 경거(經渠)·상구(商丘, 사)－비승격(脾勝格).

▶ 소견(所見): 습의 특징은 중착증(重着性)이며. 동통과 마목불인(麻木不仁)하므로 습승 증세이다. 목승습이므로 보목하여 증목, 생(소부, 대도, 행간), 극(태백, 태충)한다. 보목으로 비경기(脾經氣)가 보강되어 태백을 억제하여 습을 정리한다.

4. 골비(骨痺)

- 견증(見證): 고통(苦痛)이 심(心)을 공(攻)하고 사지(四肢)가 연급(攣急–몸의 힘살이나 힘줄이 오그라들고 당기면서 뻣뻣해지는 증상)하며 관절(關節)이 부종(浮腫)하고 몸은 차나 옷은 덥게 못 입고 기름기가 없고 힘줄에 힘이 없는 증(證).
- 요법(療法): 방광(膀胱) 허(虛)인지라 상양(商陽)·지음(至陰, 보), 삼리(三里)·위중(委中, 사)－방광정격(膀胱正格).

▶ 소견(所見): 심중을 관통하는 경기는 단지 방광경 뿐이며 기타 제증도 방광경기에 의함을 알 수 있다. 기름기가 없음은 혈순환에 의한 유윤이 부족함이다. 심, 방광의 상합 관계 불리로 해석한다. 보는 증금, 생(통곡, 이간), 극(족임읍, 속골, 삼간)한다. 증금은 금생수로 보수하며 생통곡을 보강하여 제증을 정리한다. 사토는 통곡의 관.

5. 근비(筋痺)

- 견증(見證): 풍(風), 한(寒), 습(濕)이 승허입근(乘虛入筋)하여 유행부정(遊行不定)하다가 혈기(血氣)와 더불어 상박(相搏)하여 관절(關節)에 뭉쳐 근맥(筋脈)이 이종(弛縱-풀리다)하고, 종(腫-종기, 부스럼), 홍(紅-빨개짐)하는 증(證).
- 요법(療法): 간약(肝弱)인지라 음곡(陰谷)·곡천(曲泉, 보), 경거(經渠)·중봉(中封, 사)-간정격(肝正格).

▶ 소견(所見): 간목은 주근하며 풍이다. 목극토가 불리하여 제증이 발생하였다. 보는 증수, 생(대돈, 용천), 극(소부, 행간, 연곡)한다. 증수는 관절홍종통을 억제하고 생목은 시경기혈로 경기를 보강한다. 간정격.

6.맥비(脈痺)

- 견증(見證): 기육(肌肉-몸)이 몹시 더우며 피부(皮膚)에 서주감(鼠走感-쥐가 달리는 느낌)이 있고 입술이 터지며 피부(皮膚)의 색이 변하는 증(證).
- 요법(療法): 소장(小腸) 허(虛)인지라, 임읍(臨泣), 후계(後谿, 보), 통곡(通谷), 전곡(前谷, 사)-소장정격(小腸正格).

▶ 소견(所見): 기육과 피부에 나타난 제증은 열증이다. 기육은 비, 피부는 폐가 주한다. 열은 심음화와 소장양화에 의한다. 양화와 비, 폐가 연계된 증세이며, 소장은 비와 상통, 폐와 상합한다. 보는 증목, 생(양곡, 양보), 극(삼리,양릉천, 소해)한다. 증목은 시경기혈(始經氣穴)인 후계를 증하므로 소장경기가 보강되며 생을 도와 양곡이 보강된다. 소장정격.

7. 기비(肌痺)

- 견증(見證): 풍(風), 한(寒), 습(濕)이 승허입부(乘虛入膚)하여 유이불이(留而不移)하는 까닭에 피부가 불인(不仁)하고 땀이 나며 사지(四肢)가 위약(痿弱)하고 정신(精神)이 혼색(昏塞)한 증.
- 요법(療法): 위(胃) 실(實)인지라 임읍(臨泣), 함곡(陷谷, 보), 여태(厲兌), 상양(商陽, 사)-위승격(胃勝格).

▶ 소견(所見): 사지는 비, 위가 주한다. 승허입부라하였으니 위가 풍한습을 수(受)한 증. 수사는 실증이며 보는 증목, 생(양곡, 해계, 양보), 극(삼리, 양릉천)한다. 증목은 극삼리하여 위실을 억제한다. 사금은 토의 누기이며 목의 관 배혈은 삼리 기능을 억제한다. 위승격.

8. 피비(皮痺) = 피부 마비증(皮膚麻痺症)

- 견증(見證): 흔히 은진풍창(癮疹風瘡)을 정(呈-미치도록)하여 긁어도 아프지 않고 처음 시작(始作)

될 때에 가죽 속에서 벌레가 달아나는 것 같은 증.

● 요법(療法): 폐허인지라 태백, 태연(보), 소부, 어제(사)−폐정격(肺正格).

▶ 소견(所見): 피부에 발생한 제증은 폐주 피부가 안된 상태로 보는 증토, 생(경거, 상구), 극(음곡, 음릉천, 척택)한다. 증토에 의해 습이 정리되고, 토생금으로 경거가 보강된다. 사화는 화증세를 억제하며 경거의관. 폐정격.

9. 통풍(痛風, 痛痺의 類)

● 견증(見證): 아픈 곳 피부에 청색이 나타나고 피부에 무엇이 닿기만하면 불로 지지는 것 같은 증.

● 요법(療法): 담허인지라 통곡, 협계(보), 상양, 규음(사)−담정격(膽正格).

▶ 소견(所見): 통처가 청색이라 목경을 사용하였다. 현대의 통풍과 같은 종류라면 통처의 대부분이 비경의 목, 화혈사이 골절 부위에 발생한다. 비는 담과 상합하여 토상을 만드는데 양토의 기능이므로 위 기능과 같다. 담이 허하여 상합이 이루어지지 않아 토(위) 기능 저하로 해석된다. 본 증의 대부분은 육류, 주류, 수산물, 신, 당 등 식자에 대부분 나타난다. 보는 증수, 생(족임읍, 속골), 극(양곡,곤륜, 양보)한다. 증수는 통처화기를 억제하며, 생목을 도와 족임읍 기능을 보강한다. 사금(상양)은 일정의 증(경거) 효과로 폐주 피부에 영향을 주며, 족임읍의 관이다.

10. 백호풍(白虎風)

● 견증(見證): 주신 관절이 범이 무는 것 같은 증.

● 요법(療法): 폐실인지라 소부, 어제(보), 척택, 음곡(사)−폐승격(肺勝格).

▶ 소견(所見): 역절풍과 동류로 상한이지만 통이 극심하여 역절풍과 구분하였다. 폐승이며 보는 증화, 생(태백, 태연, 신문), 극(경거, 영도)한다. 증화는 한을 억제하고 극경거하여 폐승을 정리한다. 사수는 한통을 억제하고 화의 관이다. 열격이며 승격이고 경거 기능을 억제한다.

7.34 제34장. 위증문(痿症門)

사암은 "위증유오(痿證有五), 폐열엽초자위위벽(肺熱葉焦者爲痿壁), 심열기조자위맥위(心熱氣燥者爲脈痿), 비기열자위육위(脾氣熱者爲肉痿), 신기열자위골위(腎氣熱者爲骨痿), 요슬통자위수고(腰膝痛者爲髓枯), 간기열자위근위(肝氣熱者爲筋痿), 이차(以此), 보기형화이통유토(補其滎火而通俞土), 조기허실이지기

순역(調其虛實而知其順逆), 차측근맥자평(此則筋脈自平), 골육무우(骨肉無憂), 보사자상지(補瀉者詳之)"라 하였다.

= 위증문(痿證門-병의 상태나 성질)

= 위증문(痿症門-병의 증상)

1. 위벽(痿躄)

● 견증(見證): 다리가 부드러워서 행보(行步)하지 못하는 증.

● 요법(療法): 폐열(肺熱)인지라 태백, 태연(보), 소부, 어제(사).

▶ 소견(所見): 행보 불능한 상태를 폐열 때문이라 하였다. 하지가 부드럽다는 의미는 정확하지 않다. 열에 의해 근의 이완, 수축이 안되는 증세로 이해하면, 폐열에 의해 진액이 고갈되고 폐기는 저하한다. 폐는 방광(주근 및 교맥과 연계)과 상통, 소장(주액)과 상합 관계. 사열(邪熱)의 근거가 상세하지 않아 알 수 없으나 외사(外邪)의 내용(內用)이 없으므로 내사(內邪)로 생각된다. 어떤 원인에 의해 심, 소장화에 의해 폐열이 과중되면 진액은 고갈되고 폐기는 저하되므로 상통하는 방광(심과는 상합 관계)의 주근 기능도 비정상적이 된다. 보는 증토, 생(경거, 상구), 극(음곡, 척택, 음릉천)한다. 증토는 습윤성 토가 되어 생(生)경거 기능이 보강되고, 사화는 관이며 열을 억제한다.

2. 맥위(脈痿)

● 견증(見證): 대경(大經, 오장육부의 대락)이 공허해서 기비가 되어 맥이 느려져서 전신을 쓰지 못하는 증(철분환 증).

● 요법(療法): 심열(心熱)인지라 대돈(大敦)·소충(少衝, 보), 음곡(陰谷)·소해(少海, 사).

▶ 소견(所見): 심열 기조자를 맥위라 하였다. 심은 화장이며 "심주맥"인데 화장이 열하면 기가 조하게 된다. 조하면 경맥의 기혈 이행이 불리하게 되어 근골, 지절의 유윤도 불리하다. 음화의 열은 허열이다. 심정격.

3. 근위(筋痿)

● 견증(見證): 입방태심(入房太甚-女色을 몹시 밝히는 것)으로 인(因)해서 힘줄이 늘어지는 것(자위탕 증).

● 요법(療法): 간열(肝熱)인지라 음곡(陰谷)·곡천(曲泉, 보), 경거(經渠)·중봉(中封, 사).

▶ 소견(所見): 간은 종근과 연계한다. 태심에 의해 간, 신수가 소모되며, 간기가 열하게 되면 근막이 건하고, 건하면 구련케 된다. 보는 증수, 생(대돈, 용천), 극(소부, 행간, 연곡)한다. 증수는 열을 억제하며 생목을 돕는다. 목혈은 시경기혈로 간, 신경기가 보강된다. 사금은 열중(熱中)의 조(燥)를 억

제하며 관이다.

4. 육위(肉痿)

● 견증(見證): 부육(膚肉)에 통(痛), 양감(痒感-가려움 증)을 상실(喪失)한 증(이진이출(二陣二朮)에 입고천고(入膏天膏) 증(證)).

● 요법(療法): 비열(脾熱)인지라 소부(少府)·대도(大都, 보), 대돈(大敦)·은백(隱白, 사).

▶ 소견(所見): 비기 열하면 위기 건(乾)하여 갈(渴)하고 부육(膚肉)이 불인(不仁)한다. 보는 증화, 생(태백, 신문), 극(경거, 상구)한다. 증화는 온음토하여 기육을 습윤케 하며 생토를 돕는다. 허열이 보강되어 위건은 억제된다. 통(痛)과 양감(痒感)은 화상(火象)으로 사목하니 경기가 억제되며 관이다. 비정격.

5. 골위(骨痿)

● 견증(見證): 골고수허(骨枯髓虛)로 발이 몸을 이기지 못하여 앉아서 일어나지 못하는 증(금강환 증).

● 요법(療法): 신열인지라 경거, 부류(보), 태백, 태계(사).

▶ 소견(所見): 신(腎)이 수열(收熱)하거나 노권(勞倦)이 심하면 요척불거(腰脊不擧)하며 골고하면 골수가 소진되어 신열증이 된다. 발은 음, 양교맥에 의해 동적 기능을 주관한다. 교맥은 신, 방광경기로 허하면 요척불거와 체동(體動)이 불리(不利)하다. 보는 증금, 생(음곡, 척택), 극(대돈, 용천, 소상)한다. 증금은 폐, 신경기를 수렴하며 생수를 돕는다. 사토는 관.

7.35 제35장. 이병문(耳病門)

사암은 "신자(腎者), 작강지관(作强之官), 기교지출시이(技巧之出是以), 이자(耳者), 신지외후(腎之外候), 북수지(北水之) 일양(一陽), 천일수(天一水), 남화지(南火之) 이음(二陰), 지이화(地二火), 차수보(此水補), 화사(火瀉), 이영기본(以寧其本) 억관제사(抑官制瀉) 이평기말(以平其末)"이라 하여 상(上) 이법(二法)을 입(立)하였다.

1. 이농(耳聾)

● 견증(見證): 귀가 먹어 소리가 들리지 않는 증.

● 요법(療法): 신허(腎虛)인지라 경거(經渠), 부류(復溜, 보), 지구(支溝), 양보(陽輔, 사).

▶ 소견(所見): 신정격의 태백, 태계(사) 대신 지구, 양보(사)하였다. 보금사화. 보는 증금, 생(음곡, 척택), 극(대돈, 소상, 용천)한다. 증금은 폐, 신수렴을 보강하고 금생수로 생(신,폐)수를 도와 신기를 보강한다. 사(지구, 양보)는 생(음곡)을 담, 삼초로 연계하여 수(액문, 협계)기능을 보강한다. 담, 삼초의 수경기를 보강하였다. 음(音)은 화상(火象)이나 실화(實火)아닌 상화(相火)이며 이(耳)경기는 십이경기가 모두 관여하나 담(膽), 삼초경기(三焦經氣)가 주관하므로 상화(相火)를 사용하였다. 폐는 소장과 상합하며 수상(水象)을 창조한다. 삼초는 소장병화의 상화이므로 폐와 상합한다고 해석하며 본인은 이를 상상합(象相合)이라고 표현한다. 심과 심포의 관계도 같다. 창조하는 수장(水象)은 방광 경기와 같고 방광 경기 또한 경락유주상 이 기능에 지대한 영향을 준다.

2. 이명(耳鳴)

● 견증(見證): 귀가 우는 것이니 별안간, 양측 혹은 편측에서 청극한 소자입성이 나는 증.

● 요법(療法): 상양, 통곡(보), 태백, 태계(사).

▶ 소견(所見): 상양은 대장경기를 보하여 수렴(耳가 우는 것은 火象)을 강화하고 동시에 생(生)통곡을 돕는다. 보(통곡)는 증수, 생(임읍, 속골), 극(양곡, 곤륜)한다.

증수는 방광경기, 생목은 담과 방광경기를 보강한다. 원인이 화산(火散)증이므로 실측사자로 사음토하였다. 사에 의해 화가 억제된다. 또한 음곡의 관이며 음곡은 통곡의 원(原)이다. 제증의 원인은 음(陰)이며 반응이 양(陽)으로 발현되었다는 뜻으로 해석한다.

7.36 제36장. 목병문(目病門)

사암은 "동자속수(瞳子屬水), 근지정(筋之精) ,청동속목(青瞳屬木), 간지기(肝之氣), 백자속폐(白子屬肺), 금지원(金之源), 내자속심(內眥屬心), 화지본(火之本), 외자속비위(外眥屬脾胃), 토지소경(土之所經), 안과속(眼窠屬) 삼초지개폐(三焦之開閉), 능근시이원암(能近視而遠暗), 원시이근매(遠視而近昧), 음허분명시기부분(陰虛分明視其部分), 음양허쇠가지(陰陽虛衰可知), 부실일험(不失一驗)"이라 하였다.

1. 동자탁(瞳子濁)

● 견증(見證): 눈동자가 뿌옇게 되는 증.

● 요법(療法): 신허인지라 경거, 부류(보), 태백, 태계(사) .

▶ 소견(所見): 동자속신(瞳子屬腎). 보는 증금, 생(음곡, 척택), 극(대돈, 용천, 소상)한다. 증금은 수렴

기능이 보강되어 탁기를 맑게 하고 신기(음곡)를 보강한다. 사토는 관이며 화자(火子, 태계)로서 연곡을 억제한다. 신정격.

2. 청예(青翳)

- 견증(見證): 청색운예가 안정을 덮어가는 증.
- 요법(療法): 간허인지라 음곡, 곡천(보), 경거, 중봉(사).

▶ 소견(所見): 간정격.

3. 백막(白膜)

- 견증(見證): 백태(白苔)가 눈을 덮는 증.
- 요법(療法): 폐허(肺虛)인지라. 태연(太淵), 태백(太白, 보), 어제(魚際), 대도(大都, 사)−폐정격 변형(肺正格 變形).

▶ 소견(所見): 폐정격의 소부 대신 대도를 사하였다. 소부를 사하면 각경의 화가 억제되며, 각경의 금기가 보강된다. 사화는 비, 폐열을 억제하며 관이다. 사(대도)는 상구 기능을 보강한다. 태의 원인을 비로 판단한 듯하다.

4. 외자적녹혈암(外眥赤綠血暗)

- 견증(見證): 외자가 충혈되어 붉고 푸른 증.
- 요법(療法): 위경(胃經) 허열(虛熱)이라 내정, 통곡(보), 삼리, 위중(사)−위정격(胃正格).

▶ 소견(所見): 외(外)자는 주소장(主小腸), 조삼초부위(助三焦部位), 충혈은 혈순환이 제약된 상태, 위주혈 불리, 보는 증수, 생(함곡, 족임읍, 속골), 극(양곡, 곤륜, 해계)한다. 증수는 허열 억제와 생목을 도와 위, 담, 방광경기를 보강한다. 사토(瀉土)는 위, 방광 화(火)를 누기하여 억제하고 관이며, 함곡, 속골 기능을 보강한다. 위한격.

5. 내자적홍육기(內眥赤紅肉起)

- 견증(見證): 내자에 적홍색의 기육 있는 증.
- 요법(療法): 심경(心經) 실열(實熱)인지라 소해, 음곡(陰谷, 보), 소부(少府), 연곡(사).

▶ 소견(所見): 내자는 방광경 시혈위(始穴位)이고 방광은 심과 상합 관계이며 음, 양 교맥과 통한다. 적홍은 열증이므로 심경열로 진단하였다. 보는 증수, 생(대돈, 소충, 용천), 극(소부, 연곡)한다. 증수는 심경열을 억제하고 생목을 도와 심, 신경기를 보강한다. 사화는 심, 신열을 억제하고 관이다.

보하는 과정에서 사화가 진행되는데 별도로 사화한 것은 강사키 위함으로 해석한다. 심, 신의 균형을 조절한 배혈로 해석된다.

6. 백정홍근예장막(白睛紅筋瞖障膜)

- 견증(見證): 흰자위에 붉은 힘줄이 안막을 가린 증.
- 요법(療法): 폐병인지라 태백(太白), 태연(太淵, 보), 소부(少府), 어제(魚際, 사)–폐정격(肺正格).

▶ 소견(所見): 백정은 속폐이므로 폐정격을 사용하였으나 풍열 또는 심열도 가능하기에 심, 간도 연계 될 수 있는 증이다.

7. 오정홍백예장막(烏睛紅白瞖障膜)

- 견증(見證): 검은자위에 홍백색의 백태가 끼는 증.
- 요법(療法): 간병(肝病)인지라 음곡(陰谷), 곡천(曲泉, 보), 경거(經渠), 중봉(中封, 사).

▶ 소견(所見): 간정격.

8. 상하안포여도(上下眼胞如桃)

- 견증(見證): 눈두덩이 복숭아 같이 부운 증.
- 요법(療法): 비병인지라 소부(少府), 대도(大都, 보(補))하고, 대돈(大敦), 은백(隱白), 사(瀉)한다–비정격(脾正格).

▶ 소견(所見): 눈두덩은 상측안포(上側眼胞)로 상측은 속비(屬脾), 하측은 속위(屬胃)이므로 비병으로 진단하였다. 부운 것은 종(腫)이며 풍열 또는 습열이 원인이 되는데, 비정격 사용이므로 습열인 경우로 해석한다.

9. 오백정양간의예(烏白睛兩間瞖膜)

- 견증(見證): 검은자위와 흰자위 사이에 백태가 끼는 증.
- 요법(療法): 위허(胃虛)인지라 양곡(陽谷), 해계(陽谿, 보(補))하고, 임읍(臨泣), 함곡(陷谷) 사(瀉)한다–위정격(胃正格).

▶ 소견(所見): 제증 부위는 폐, 신간이며 위정격을 사용한 사유가 모호하다. 맥진 또는 임상상 위허증을 확인하였다고 생각한다. 위정격.

10. 영풍출누(迎風出淚), 좌와생화(坐臥生花)

- 견증(見證): 바람부는데 나가면 눈물이 나고, 앉으나 누우나 안화(眼花)가 생(生)하는 증.
- 요법(療法): 신병(腎病)인지라 경거(經渠), 부류(復溜, 보(補))하고, 태백(太白), 태계(太谿) 사(瀉)한다-신정격(腎正格).

▶ 소견(所見): 금극목으로 풍을 억제한다. 눈물은 간액이며 안화는 간화에 의한다. 간혈부족 영풍출누되므로 간정격이 합당하나 신병이라 하였다. 보는 증금, 생(음곡, 척택), 극(대돈, 용천, 소상)한다. 증금은 영풍을 억제하고 보수하여 수생목으로 간경기 보강을 돕는다. 사토는 연곡을 누기하여 화를 억제하며 관이다.

11. 적통(赤痛)

- 견증(見證): 눈이 별안간 빨갛고 아픈 증.
- 요법(療法): 간경 실열인지라 음곡, 곡천(보), 태충, 태백(사).

▶ 소견(所見): 목 전체는 간규이며 적통은 내안에서 시작한다. 간열으로 한격을 사용하였다. 보는 증수, 생(대돈, 용천), 극(소부, 행간, 연곡)한다. 증수는 제열보수하며 생목하여 간경기를 보강한다. 사토는 실열을 누기(실측사자)하며 관이다.

12. 차명백일(羞明怕日)

- 견증(見證): 밝은 것을 싫어하며 해를 못 보는 증.
- 요법(療法): 비병인지라 소부, 대도(보), 대돈, 은백(사).

▶ 소견(所見): 비정격.

13. 도첩거모(倒睫卷毛)

- 견증(見證): 속눈썹이 거꾸로 눈 중앙에 들어가 눈동자를 찌르는 증.
- 요법(療法): 비풍인지라 소부, 대도(보), 대돈, 은백(사).

▶ 소견(所見): 비정격.

14. 권정노육(拳睛努肉)

- 견증(見證): 불그러진 군살이 검은자위를 휘여 잡는 증.
- 요법(療法): 심열인지라 소해, 음곡(보), 소부, 연곡(사).

▶ 소견(所見): 심한격.

15. 시물부진(視物不眞)

- 견증(見證): 똑바로 보이지 않고 둘, 혹은 셋으로 보이는 증.
- 요법(療法): 비허인지라 소부, 대도(보), 대돈, 은백(사).

▶ 소견(所見): 비정격.

16. 다다결경(眵多結硬)

- 견증(見證): 눈곱이 많이 끼어서 덩어리 지는 증.
- 요법(療法): 폐실인지라 소부, 어제(보), 음곡, 척택(사).

▶ 소견(所見): 폐승격.

17. 다희불결(眵稀不結)

- 견증(見證): 눈곱이 많으나 묽어서 덩어리 되지 않는 증.
- 요법(療法): 폐허인지라 태연, 태백(보), 소부, 어제(사).

▶ 소견(所見): 폐정격.

18. 원시불명(遠視不明)

- 견증(見證): 근시는 상관없으나 원시는 못 보는 증.
- 요법(療法): 간허인지라 음곡, 곡천(보), 경거, 중봉(사).

▶ 소견(所見): 간정격.

19. 작안(雀眼)

- 견증(見證): 밤눈 어두운 증 .
- 요법(療法): 음곡, 곡천(보), 소부, 연곡(사).

▶ 소견(所見): 야맹증. 간열신허로 음약양성 상태라 광빛이 없으면 시물 불능하다. 보는 증수, 생(대돈, 용천), 극(소부, 행간, 연곡)한다. 증수로 음약을 보완하며 간열을 억제한다. 생은 목혈로 간, 신 경기를 보강한다. 보하는 과정에서 극받는 화를 사(소부, 연곡)한 것은 특히 신화(腎火)를 강사(强瀉)키 위함이다. 보하여 간기능 사하여 신기능을 조절하여 간, 신간의 균형을 조절한 배혈로 해석된다.

20. 동자돌출(瞳子突出= 현대 의학의 갑상선 기능 이상 증상)

- 견증(見證): 동자가 불그러져 나오는 증.

● 요법(療法): 음곡(보), 연곡(사), 삼리(斜).

▶ 소견(所見): 동자는 속신(屬腎)하고 신열(腎熱)에 의해 발생한다. 목정(目睛)이면 안(眼)전체가 돌출 됨이고 면 동자(瞳子)가 종(腫)한 상태임을 이해한다. 신열증이므로 보수사화한다. 보는 증수, 생(용천, 대돈), 극(소부, 연곡)한다. 자경만으로 배혈하였다. 사(삼리)는 증(增, 통곡)한다.

21. 정예(釘翳)

● 견증(見證): 눈에 일단의 백점이 생겨 눈물이 흐르고, 밝은 걸 싫어하며 아프며 붉고 거치는 증.

● 요법(療法): 복삼, 백회(보) 또는 수소지 이절 횡문두(소장경) 침.

▶ 소견(所見): 원인은 간, 심열이 상승되었을 때 발생한다(필사본). 따라서 두부의 열을 소산하며 화강시키기 위해 방광경과 독맥을 위주로 사용하였다.

경락적으로 방광경은 내자(內眥)에서 시작하고 두정부를 거쳐 족으로 연계된다. 복삼혈을 전간에 활용하는 공효가 있음은 상병하치의 의미로 해석된다.

7.37 제37장. 구병문(口病門)

사암은 "구자중앙황색(口者中央黃色), 야입통어비(也入通於脾), 개규어심(開竅於心), 시이(是以), 비상위중설(脾傷爲重舌), 칠정번우(七情繁憂) 위패(胃敗), 위미란(爲糜爛), 오미과상(五味過傷), 비열구감(脾熱口甘), 폐열구신(肺熱口辛), 신열구함(腎熱口鹹), 담지위열(淡知胃熱), 상순속위(上脣屬胃), 하순속장(下脣屬腸)"이라 하였다.

1. 구중생창(口中生瘡)

● 견증(見證): 입 속이 허는 증.

● 요법(療法): 액문, 중저(보), 승장, 노궁(사).

▶ 소견(所見): 설상에 심맥이 분포한다. 어떤 원인으로 심화염상하면 구설에 생창한다. 설하에는 비경이 분포되어 생담되고 열담이 되면 상화상염해도 구창이 생긴다. 보(액문)는 증수, 생(중저), 극(지구)하여 삼초 화를 억제하며 보(중저)는 삼초 경기를 보강한다. 삼초화를 극하고 심포화를 사하였다. 음, 양경의 상화를 억제하였다. 양경(兩經)의 금(金, 관충, 간사)기가 보강된다. 승장은 임맥으로 구순을 순행하여 제증을 보완하는 의미이다. 중저는 목생화하여 삼초를 보강하나 액문으로 화는

억제된다. 보경기 사화한 배혈.

2. 순문불수(脣吻不收)

- 견증(見證): 입술을 잘 다물지 못하는 증.
- 요법(療法): 협거, 삼리(보). 혹은 삼리(보), 협거(사).

▶ 소견(所見): 입 주위에는 비, 위, 충, 임맥 등이 유주한다. 제증 내용으로 원인을 알 수 없으나 위기(胃氣)를 보강하며 천응혈에 연계시켰다고 해석된다.

3. 중설(重舌)

- 견증(見證): 혀 밑에 덧 혓바닥이 생기는 증.
- 요법(療法): 음곡, 곡천(보), 간사(사).

▶ 소견(所見): 중설은 설하종(舌下腫). 혈맥종. 모든 혈맥은 심에 연계하고. 심포에 의해 순행(巡行)한다. 간, 심포의 상교 관계로 이해할 수 있다. 보는 증수, 생(대돈, 용천), 극(행간, 연곡)한다. 증수는 열종을 억제하고 생목하여 간경기를 보강한다. 사금(瀉金)으로 시경기혈(始經氣穴)인 중충 기능과 목생화에 의해 노궁이 보강된다.

4. 하순병(下脣病)

- 견증(見證): 하순에 생긴 모든 병.
- 요법(療法): 장문(보), 소부(사), 태백(斜), 寫書. 삼리, 곡지(보), 양지, 양곡(사).

▶ 소견(所見): 인체의 각 부분은 모든 경맥과 연계되나 주경맥이 어떤 것 인가에 따라 구분한다. 하순이 비(脾)라는 설(說)과 대장이라는 설도 있다. 침구 요결은 비설(脾說), 사서(寫書)는 대장설(大腸說)로 배혈되었다. 장문, 태백으로 비를 보강한다. 사(소부)는 각 경의 화가 억제되며 심경으로 연계하는 배혈. 장문은 비의 모혈로 간경에 속해 있다. 간에 의해 비기능이 좌우된다. 사서의 배혈은 양계 대신 양지를 사용하였다. 보는 대장(상양)을 보강한다. 양지를 사하여 금(관충)이 보강된다. 수렴기능이 본성이다. 삼초는 주기한다. 주기 기능을 수렴한다.

5. 상순병(上脣病)

- 견증(見證): 상순에 생긴 모든 병.
- 요법(療法): 중완, 삼리(보), 해계, 상겸(사).

▶ 소견(所見): 상순은 위에 속한다. 보(삼리)는 증토, 생(여태, 상양), 극(내정, 통곡)한다. 증토는 위경

기를 보강하며 토생금으로 수렴 기능을 보강한다. 해계는 관. 중완은 상(上), 하(下) 경기 순환 요혈로 사용하였다. 상겸은 "비위 허약 습(濕)위 한설(汗泄) 등에 삼리, 기충을 자혈하고 불수면 상겸자혈하라"에 의거하였다고 한다.

6. 설열(舌裂)

- 견증(見證): 혓바닥이 갈라지는 증.
- 요법(療法): 액문(보), 중저(사).

▶ 소견(所見): 설열(舌裂)은 생창(生瘡)으로 심열(心熱)이다. 보(액문)는 증수, 생목(중저), 극(지구)한다. 설화(舌火)를 초화(焦火) 억제로 배혈하였다. 보에 의한 생(중저)을 사하였다. 초화(焦火)가 설화(舌火)로 연계됨을 의미한다(發聲과 舌, 舌과 三焦). 또한 액문은 화를 억제하고, 목을 사(瀉)하니 삼초경기(三焦經氣) 자체가 억제된다.

7. 낙함(落頷, 아래턱이 탈골(脫骨)된 것)

- 견증(見證): 아래턱이 빠진 것.
- 요법(療法): 신, 폐의 허손, 원신 부족, 혹은 담소권으로 원기의 접속이 불능하게 되어 아래턱이 별안간 낙(落)하는 증. 하관, 합곡, 삼리 좌, 우(보).

▶ 소견: 기혈 불순에 의한 근맥이 상이다. 위, 대장의 경맥이 주관한다. 하관(천응혈)과 합곡(안면 증세에 활용하고 대장경기의 원이다), 삼리(胃의 습윤성을 유지한다)를 보(좌, 우)하였다.

7.38 제38장. 후병문(喉病門)

사암은 "후위야(喉胃也), 위토과자(胃土過者), 신상(腎傷), 자동상화(自動相火), 신수상칙(腎水傷則) 심조(心燥), 정노군화(正怒君火), 조삼초지(調三焦之) 은일(隱逸), 치양화지각환(治兩火之却患), 종음양승강(從陰陽升降), 인경락보사(引經絡補瀉), 소견부실(小見不失) 광문하려(廣聞何慮)"라 하였다.

1. 후비(喉痺)

- 견증(見證): 후중(喉中)이 막혀서 통(通)하지 않는 것이니 흔히는 목이 붓고 얼굴이 붉으며 뺨이 붓고 심(甚)하면 항외(項外)까지 만종(漫腫)하며 후중(喉中)에 주먹같은 덩어리가 있어서 물 한모금을 못 넘기고 말 한마디 못하는 증.

● 요법(療法): 신상(腎傷)인지라 경거(經渠, 보), 곤륜(崑崙)·액문(液門)·중서(中渚, 사) 또는 연곡(침자), 소상(자출혈), 기효여신.

▶ 소견(所見): 보(경거)에 의한 음곡기능(水)을 방광과 삼초로 연계하였다. 또한 곤륜(화)은 경거의 관이다. 사하여 지음이 보강된다. 사(액문, 중저)는 보(지구)된다. 액문으로 화를 억제하고 중저는 목이며 풍이므로 사하였다. 후(喉)는 위(胃)와 삼초(三焦)에 의한다. 폐는 방광과 상통, 삼초와는 상합한다(一說, 간, 폐의 火가 원인이다).

2. 단아(單蛾)

● 견증(見證): 후관(喉關, 會厭) 한쪽에 잠아(蠶蛾) 혹은 율조상(栗棗狀)의 홍종(紅腫)이 생겨서 동통(疼痛)한 증.

● 요법(療法): 간상(肝傷)인지라 음곡(陰谷, 보), 상양(商陽)·액문(液門)·중서(中渚, 사).

▶ 소견(所見): 폐경의 적열과 풍사에 의한 증이다. 보(음곡)는 증수, 생(대돈, 용천), 극(소부, 연곡)한다. 상양을 사하면 대돈의 기능이 보강된다. 사(액문, 중저)는 적열분산과 풍사를 억제한다.

3. 쌍아(雙蛾)

● 견증(見證): 후관(喉關, 會厭) 양쪽에 잠아(蠶蛾) 혹은 율조상의 홍종이 생겨서 동통한 증.

● 요법(療法): 심상(心傷)인지라 대돈, 액문, 양지, 관충(사).

▶ 소견(所見): 원인은 단아와 유사하다. 대돈을 사하면 심화가 억제되고 상양의 기능이 보강되어 간, 풍은 안정된다. 사(액문)는 적열 억제. 사(관충)는 조(燥)를 억제한다.

※ 후열은 위상(胃傷)이라 양곡, 함곡(보), 액문, 중저(사) 하였다.

7.39 제39장. 치통문(齒痛門)

사암은 "위열자(胃熱者) 상치통(上齒痛), 폐화칙하치통(肺火則下齒痛)"이라 하고 삼법(三法)을 입(立)하였다.

1. 하치통(下齒痛)

● 견증(見證): 하치가 아픈 증.

● 요법(療法): 음릉천, 척택(보), 삼리, 절골(사).

▶ 소견(所見): 통(痛)은 화상(火象). 보는 증수, 생(은백, 소상), 극(대도, 어제)한다. 증수는 사열하며 목기를 보강하여 비. 폐경기를 보강한다. 사(삼리)는 관이며 토의 중화력을 추동한다. 절골은 수회혈이며 치(齒) 또한 골이므로 사용하였다.

2. 상치통(上齒痛)

● 견증(見證): 상치가 아픈 증.

● 요법(療法): 통곡, 내정(보), 양곡, 해계(사).

▶ 소견(所見): 위한격의 변형. 보는 증수, 생(속골, 함곡, 족임읍), 극(양곡, 해계, 곤륜)한다. 사(양곡, 해계)하였다. 위경(胃經)을 보수사화(補水瀉火)하였다. 사(임읍, 함곡)로도 가능하다.

3. 풍치통(風齒痛)

● 견증(見證): 잇몸이 붓고 아프며 농비(膿鼻- 고름)가 있는 증.

● 요법(療法): 삼리, 곡지(보), 양곡, 양계(사).

▶ 소견(所見): 대장정격. 붓고 아프고 농이 있다면, 염증이며 정격을 사용함은 허증으로 해석된다.

7.40 제40장. 비통문(鼻痛門)

사암은 "비자(鼻者) 속지금방야(屬之金方也), 백색입통어폐(白色入通於肺), 한기(寒氣) 개규어비야(開竅於鼻也), 또 왈폐지위장(曰肺之爲臟), 기위고(其位高), 기체취(其體脆), 기성오한(其性惡寒), 시고(是故), 호색자(好色者), 생창(生瘡), 기주자(嗜酒者), 준사(準齄), 득열유홍(得熱愈紅), 득한다흑(得寒多黑), 풍한자(風寒者) 비한(鼻寒), 위열자연침(胃熱者淵浸)"이라 하여 제법(諸法)을 입하였다.

1. 비한(鼻塞)

● 견증(見證): 코가 막힌 것.

● 요법(療法): 폐한(肺寒)인지라 태연, 태백(보), 소부, 어제(사).

▶ 소견(所見): 폐정격. 폐한이면 열격을 사용해야 하는데 정격을 사용함은 내한(內寒)으로 해석된다.

2. 비혈(鼻衊)

● 견증(見證): 코피가 나는 증.

● 요법(療法): 위열(胃熱)인지라 전곡, 내정(보), 소해, 삼리(사).

▶ 소견(所見): 보수사토하였다. 위한격이다. 양수(방광)를 보하여야 하는데 소장경을 사용한 것은 출혈(出血) 때문이다. 일반적인 열의 경우에는 방광을 사용한다. 소장은 병화이며, 화는 혈순환, 보는 극(양곡, 해계)이며 관을 사하였다.

3. 비뉵(鼻衄)

● 견증(見證): 탁체(濁涕-혼탁한 눈물)에 피가 섞여 나오는 증.

● 요법(療法): 비상(脾傷)인지라 소부, 대도(보), 대돈, 은백(사).

▶ 소견(所見): 비정격. 탁체(濁涕)를 담(痰)으로 진단하였다.

4. 비지(鼻痔)

● 견증(見證): 코 속에서 대추씨 같은 군살이 생겨 코구멍을 막는 증.

● 요법(療法): 경거, 부류(보), 태백, 태계(사).

▶ 소견(所見): 신정격. 제증을 신(腎)허로 진단한 이유는 알 수 없으나 풍, 습에 의한 결취(結聚)로 추측한다.

5. 비체(鼻涕, 축농증)

● 견증(見證): 코에서 콧물이 흐르는 즉 비연(鼻淵) 증(證).

● 요법(療法): 임읍(臨泣), 함곡(陷谷) 보(補), 해계(解谿), 음곡 (陰谷) 사(瀉).

▶ 소견(所見): 체는 액이며 소장 주액한다. 상풍하면 유청체(流淸涕)한다. 보는 증목, 생(양곡, 해계, 양보), 극(삼리, 양릉천)한다. 증목하여 풍을 억제하고 목혈이므로 경기가 보강된다. 또한 목생화를 돕는다. 비연증이므로 탁체를 뜻한다. 탁체는 풍열이며 청체는 폐한이다. 탁체이므로 사화하였다. 음곡을 사한 것은 양곡의 오자로 추론한다.

7.41 제41장. 혈증문(血症門)

사암은 "내칙혈(內則血), 외칙한(外則汗), 한혈안행(汗血安行), 기맥견강(其脈堅强), 한혈여운어기간

(汗血如運於其間), 경락병행불패(經絡併行不悖), 순환무단(循環無端), 혹태과이양실(或太過而陽實), 주류불식(周流不息), 혹불급이음약(或不及而陰弱), 지기백단(知其百端), 이차(以此), 보이무사(補而無瀉), 온이불량(溫而不凉)"이라 하였다.

1. 토혈(吐血)

- 견증(見證): 구혈(嘔血)과 같이 꿀걱 소리를 내지 않고 순혈(純血)을 토출(吐出)하는 것이나 곧 엉기지 않는 위출혈(胃出血)이다.
- 요법(療法): 간경(肝驚-간의 경기)인지라 음곡(陰谷)을 보(補)하고, 중봉(中封)을 사(瀉)하며, 삼리(三里) 영(迎)한다.

▶ 소견(所見): 대돈 기능을 보강하였다. 곡천을 사용하면 보(補)의 범위는 좁고 경거를 사용했다면 사(瀉)의 범위는 넓다. 삼리혈(胃主血)은 위출혈(胃出血)이기도 하며 토(土)의 중화 기능을 위하여 사용하였다.

2. 손혈(損血)

- 견증(見證): 외부의 손상(損傷)을 받아 출혈(出血)이 과다한 증(證)이다.
- 요법(療法): 음곡(陰谷)·곡천(曲泉) 보(補)하고, 절골(絕骨)을 영(迎)한다.

▶ 소견(所見): 보는 증수, 생(대돈, 용천), 극(소부, 행간, 연곡)한다. 출혈 화상으로 보수(補水)하여 극(克)한다. 보는 극화(克火, 행간)한다. 수는 혈의 본이므로 사(절골)하였다.

3. 어혈(瘀血)

- 견증(見證): 비위생적(非衛生的) 혈액(血液)이 응체불행(凝滯不行)하여 된 병으로 ① 상부축혈(上部蓄血)은 심(甚)한 번조(煩躁)를 소(訴)하나, 물을 먹으려 들지 않고, ② 하부축혈(下部蓄血)은 섬어(譫語-헛소리)가 많아서 미친 사람 같으며, 발황(發黃), 설흑(舌黑), 소복민(小腹憫), 소변장(小便長), 대변흑증(大便黑證)을 소(訴)하며 맥(脈)이 침실(沈實)하다.
- 요법(療法): 태백, 태연(보), 곡지(사).

▶ 소견(所見): 사(곡지)는 보에 의한 증토와 경거 기능을 대장으로 연계한다. 보(태백)는 토의 원(原)으로 태충, 신문, 태연, 태계에도 영향을 준다. 사양토는 음토의 비중을 높이며, 상양 기능을 억제하므로 음금의 비중을 높인다. 음토의 습윤성, 중화력과 생금 기능을 보강한다. 금의 수렴과 정화 기능은 목을 극하기에 어혈이 정리된다고 해석된다. 또한 사(곡지)는 상합 관계인 곡천의 기능을 이완 자극하여 응결 기능을 억제한다.

4. 해혈(咳血)

- 견증(見證): 소리는 있으나 담은 없고 피가 나오는 증.
- 요법(療法): 폐상(肺傷)인지라 태백(太白)·태연(太淵, 보), 곡지(曲池, 사).
- ▶ 소견(所見): 어혈문과 동일 배혈.

7.42 제42장. 치병문(痔病門)

사암(舍岩)은 「소문(素問)·생기통천론(生氣通天論)」에 말한 「인이포식(因而飽食) 근맥횡해(筋脈橫解) 장벽위치(腸癖爲痔)」를 이용(利用)하고 계속(繼續)하여 다시 「비위(脾胃) 창늠지사(倉廩之司) 오미출(五味出), 대장(大腸) 전도지관(傳道之官) 변화생(變化生)」이라 하여 상(上)의 제법(諸法)을 시(施)하였다.

항문(肛門) 주위내외(周圍內外)에 창(瘡-부스럼, 종기)이 생겨서 「쥐젖」같이 내민 것을 치(痔, 치질)라, 터져서(潰, 궤) 농혈(膿血, 피고름)이 나오는 것을 누(瘻)하나니 치(痔)가 경(輕)하면 누(瘻)가 중(重)하고 치(痔)가 실(實)하며 누(瘻)가 허(虛)한 것이 통례(通例)이다. 그런데 대개(大槪)는 주색(酒色)을 과(過)이하고 감비(甘肥)를 좋아하므로 해서 열독(熱毒) 또는 분울(憤鬱)의 기(氣)를 온적(蘊積)한 까닭인데 혹(或)은 항문(肛門) 내(內)에 장재(藏在)하고 혹(或)은 항문회(肛門外)에 노출(露出)하여 있기도 하다. 그의 치료법식(治療法式)은 마땅히 재외(在外)한 것이라면 점지(點之), 세지(洗之)하고 재내(在內)한 것이라면 거풍제습(祛風除濕), 청열해독 (淸熱解毒)하여야 하나 시초(始初)하면 양혈조습(養血燥濕), 오랜 것이라면 삽규살충(澁竅殺蟲)과 함께 온산(溫散)하여야 한다.

1. 치질(痔疾, 肛門에 생기는 病)

- 견증(見證): 항문(肛門) 내외사방(內外四傍)에 쥐젖같은 것이 생기(生起)하여 먼저 가렵고 뒤에 아픈 증(證).
- 요법(療法): 삼리(三里)·곡지(曲池)를 보(補)한다. 양곡(陽谷)·양계(陽谿) 사(瀉)한다-위정격(胃正格). 또 한 방법은 통곡(通谷)혈을 사(瀉)한다. 또 한 방법은 요안혈(腰眼穴, 상허손문(上虛損門), 조(條) 참조(參照))을 해일(亥日) 밤 9시에서 11시(亥日亥時) 사이에 침을 놓는다(견전허손문(見前虛損門)).

숨岩의 思考

[병증(病症) 해설 및 배혈(配穴) 해석]

8. 병증별 임상 경험 (病證別 臨狀經驗)

8. 병증별 임상 경험((病證別 臨狀經驗)

사암의 병증별 임상 경험을 모두 취합하고 저자의 소견을 기록하였다. 대부분은 병증에서 소견을 밝혔으며 간혹 치료 배혈에 차이가 있는 부분은 더 상세히 기록하였다. 또한 오랜기간 전해져 오는 귀중한 자료이므로 "사암(舍岩) 오행정리(五行正理) 신침가(神鍼歌)" 102문, "낙랑노부(樂浪老夫) 시침가(施鍼歌)" 27문 "후인(後人) 역험특효방(歷驗特效方) 요초(要抄)" 190여 증은 소견없이 복기한다.

8.1 제1장. 중풍(中風)

중풍(中風例) 경험 예(經驗例)

≪1≫ 일노인(一老人)이 연육십(年六十)에 말을 더듬거리며(言語蹇澁) 좌수족(左手足)에 힘이 없고, 조금 부증(浮症)이 있으며, 절뚝발이 걸음으로 겨우 호정출입(戶庭出入)을 한지가 벌써 칠팔년(七八年)이 된지라 차(此)는 심허증(心虛證) 반신불수(半身不遂)이므로 대돈(大敦) 보(補), 태백(太白) 사(瀉)하기. 수도(數度)에 몸이 가볍고 부증(浮症)이 빠져(身輕浮祛) 행보(行步)가 편하게 되었다(左病인 故로 右治하였다).

▶ 소견: 좌측은 혈, 우측은 기적 순환으로 구분할 수 있다. 상지와 수는 금, 화의 균형, 하지와 족은 수, 목의 균형에 의하며 각각의 균형은 토 기능에 의한다. 좌수족에 힘이 없음은 혈적 순환이 문제가 되고, 방광과 상합 관계 불리로 근 기능이 비정상 상태가 되었다고 해석되며, 우수족은 증세가 없는 상태인데 이는 폐와 상합 관계로 유지되는 기적 순환에는 문제가 없다는 의미로 해석된다. 부증은 풍에 의한 토 기능 불리이며, 보 대돈(목)은 증목, 생소부(화), 극태백(토)한다. 증목은 승습(목극토)하며 생소부되어 심허를 보강한다. 또한 보대돈 사태백은 화생토에 의한 누기를 억제한 것으로 해석할 수 있다. 태백을 강하게 사한 배혈이다.

≪2≫ 일부인(一婦人)이 연오십(年五十)에 별안간 혼침(昏沈)하여 좌수족(左手足)을 뻗고 움직이지 못하며(伸而不動) 우수(右手)는 가슴에 대고 한 시간에 한 번씩 흔들며, 우족(右足)은 무릎을 구부려 세운 채로(曲膝而立正) 꼼짝 달삭을 못하므로 대돈(大敦)을 보(補)하고 태백(太白)을 사(瀉)하였더니 곧 회

생(回生)하여 일어났다. 듣건데 병(病)이 초저녁에 시초(始初)되어 정신(精神)을 잃고 기함(氣陷)하여 호흡(呼吸)이 되지 않아서 약존약무(若存若無)하며, 이(齒)를 악물어 약이(藥餌)를 넘길 수가 없으며, 얼굴이 노랗고(面黃) 눈(目)이 들어가기 시작해서 계명시(鷄鳴時)까지 고통(苦痛)하였다. 그런데 면황(面黃)한 것으로 봐서는 비중(脾中)이라 하겠으나 차여인(此女人)이 소년과부(少年寡婦, 早孀)로서 심비(心憊)가 많았으며 또 손을 흔드는 것은 심허증(心虛證)에 속하였으므로 차방법(此方法)을 쓴 것이다(屢試屢驗).

▶ 소견: 손을 흔드는 것이 심허증에 속하였기에 보(대돈), 사(태백)한다고 하였다. 이는 환자의 신체적 행동으로 진단한 것이다. 앞의 임상에서 언급하였듯이 수와 상지, 족과 하지의 기능은 같지 않다. 좌측은 혈순환, 우측은 기순환이 기본이다. 심허이기에 좌수족은 움직일 수 없고 우수는 흔들며 우족은 구부리고 꼼짝 못한다고 해석된다. 사(태백)는 소부의 누기를 억제한 것.

≪3≫ 일아녀(一兒女)가 연십오육(年十五六)에 왼쪽 눈(左目)을 작게 감고(左目微眇), 우순(右脣)을 왼쪽으로 씰룩거리며 좌지(左指)를 흔들어 감내불능(堪耐不能)의 증(證)을 소(訴)하는데 듣건대 벌써 육칠일(六七日)이라 하며 기인(其人)이 몹시 쌀쌀한 것이 특징이다. 소해(少海)를 보(補)하고 연곡(然谷)을 사(瀉)한 결과(結果) 회복(回復)되었다(左病 故로 右治).

▶ 소견: 보(소해)는 증수, 생목(소상), 극화(소부)한다(중풍편 18 구안와사문 참조). 증수생목은 목혈이 시경기혈이므로 심경기를 보강한 것. 증세 중(中) "몹시 쌀쌀한 것이 특징"이라면서 사연곡하였다. 연곡은 신경의 화혈로서 이를 사함은 신경기의 확대를 억제한 것으로 해석된다. 즉 심경기는 생목으로 확대하고 신경기는 사화로서 억제하여 심, 신의 균형을 조절한 배혈로 해석된다.

≪4≫ 일남아(一男兒)가 연육칠(年六七)에 구안(口眼)이 와사(喎斜)되고 좌수족(左手足)을 가누지 못하며 요배(腰背)가 무력(無力)하여 비록 부축해 앉아도 지지(支持)가 곤란한지라 노궁(勞宮)을 보(補)하고 조해(照海)를 사(瀉)한지 이일(二日) 만에 한번에 앉고 두 번에 걸었다.

▶ 소견: 구안은 경락저체, 반신불수는 양수편고인데 노궁을 보하였다. 노궁은 심상화이며 주맥한다. 혈맥을 뜻한다. 신경의 조해는 음교맥과 통하며 양교맥과 함께 인체의 동적 기능을 주한다. 요배 무력은 요배 경근의 무력으로 주근하는 방광경기 불리이다. 방광은 심과 상합하므로 심상화인 심포도 방광과 상합한다고 해석된다.

≪5≫ 일남자(一男子)가 연육십(年六十)에 산(山)에 가서 나무하다가 졸연(卒然)이 혼도(昏倒)하여 우수족(右手足)을 가누지 못하며, 눈동자를 오른쪽으로 모게 떠 검은자위가 없으므로 시물(視物)이 불

능(不能)하고 요배(腰背)가 무력(無力)한지라 노궁(勞宮)을 보(補)하고 조해(照海)를 사(瀉)하기. 일일(一日)만에 지팡이를 집고 수사(數射, 활 두바탕)를 보행(步行)하여 행침삼도(行鍼三度)에 행보(行步)가 자약(自若)하며 구목(口目)이 여상(如常)하였다.

▶ 소견: 전항〈4〉 증세와 비교하면 와사와 요배무력이 공통 증세같은 배혈을 사용하였다. 모두 편풍와사 증세로서 혈맥 저체증이기에 보(노궁), 사(조해)하였다. 원인은 간실증이다.

≪6≫ 일소남아(一小男兒)가 졸역(卒然) 면색(面色)이 퍼렇게 질리고 오한(惡寒)이 나며, 기절(氣絕)한지라 합곡(合谷)을 사(瀉)하고 태충(太衝)을 보(補)하여 곧 깨어났다. 이것은 속간(俗間)에서 말하는 별복(鱉腹, 자라배, 제구슬)으로서 간경(肝經)의 질환(疾患)이므로 간중방(肝中方)을 용(用)하였다.

▶ 소견: 사관혈을 사용하였다. 사관혈은 금기를 보강한다. 보목사금은 정혈이다. 인체의 원기이며 면색청, 오한, 기절은 금기 불리 증세.

≪7≫ 일여아(一女兒)가 년십사오(年十四五)에 초야(草野)에는 오한(惡寒)을 느끼더니 문득 혼침(昏沈)으로 변(變)하여 후중(喉中)에서 때로 톱질 소리가 나며 면색(面色)이 붉고 땀기가 많은지라 처음에는 심중실증(心中實證)인가 의심(疑心)했으나 알고보니 수일전(數日前) 오식(午食)에 찬 찹쌀 밥을 먹고 잔 그 익일(翌日)에 드디어 천급(喘急)으로 변(變)했다 하며 때는 정(正)이 동절(冬節)인데 미소화물(未消化物) 수완(數椀, 주발 완)을 토(吐)한 후에 연(連)하여 혼침상(昏沈狀)을 작(作)했다 한다. 그러므로 비중허(脾中虛)로 인증(認證)하여 소부(少府)를 보(補)하고 대돈(大敦)을 사(瀉)함으로써 곧 깨어났다.

▶ 소견: 식체에 의한 혼침 증세, 보(소부)는 증화, 생토(태백), 극(경거)한다. 증화는 냉식에 의한 내한을 억제하며 온음토하고 평목(대돈)한다. 또한 극수렴(체기)한다. 사(대돈)는 관이다.

≪8≫ 일여자(一女子)가 연육십여(年六十餘)에 대추(大椎)가 입기(立起)하기 평인(平人)의 배(倍)로 되어 앉으면 앙왕상(仰臥狀)을 작(作)하며 가슴이 퉁겨지고 우비(右臂)가 견인(牽引)한지 거의 일 년(一年)이며 요배(腰背)가 뒤로 젖혀져서 각궁반장(角弓反張)의 세(勢)를 정(呈)하는 지라 풍지(風池)를 사(瀉)하고 삼리(三里)를 영(迎)하고 양곡(陽谷)을 보(補)하고 속골(束骨)을 사(瀉)하기. 일도(一度)에 견효(見效)하였다.

▶ 소견: 각궁반장은 기본적으로 주근하는 방광경기, 주골하는 담경기의 이상. 삼리(토)로 수, 화를 중화 조절하고 속골(始經氣)을 사하여 방광경기를 억제하였다. 풍지는 담경으로 상부 및 두뇌의 경기를 주관한다. 사한다는 뜻은 그곳으로 경기를 취합하는 의미이다(극중유생). 즉 속골을 사하면 경기를 위중으로 취합하게 한다.

≪9≫ 일남자(一男子)가 연십오(年十五)에 전신(全身)에 부종(浮腫)이 나고 양안(兩眼)을 미개(未開)하여 겨우 물건을 볼 뿐이라 처음에는 창증(脹證)인가 의심(疑心)했더니 진찰(診察)의 결과(結果) 항부(項部)에 결핵(結核)이 있으며 체기(體氣)가 허약(虛弱)하여 반드시 풍상부(風傷腑)라 인증(認證)되므로 대장정격(大腸正格)을 용(用)하기 일차(一次)에 부종(浮腫)이 빠지고 항상결핵(項上結核)은 수삼도(數三度)에 소멸(消滅)되었다.

▶ 소견: 대장은 주진(主津)한다. 사암은 풍필상부하여 체기허약한 즉 보양금사화라 하였다. 또한 항(項-목, 목덜미)은 대장, 경(頸)은 간의 영역으로 해석하였다.

≪10≫ 일남자(一男子)가 연십오육(年十五六)에 왼쪽 이근(耳根) 밑에 백색(白色) 보로통한 것이 나와 있을 뿐 다른 아무런 고통(苦痛)은 없는지라 이것은 체기허약(體氣虛弱)으로 오는 일종(一種)의 풍상부증(風傷腑證)으로 대장정격(大腸正格)을 용(用)하기 수도(數度)에 견효(見效)하였다.

▶ 소견: 이근하 부근의 경락 진단으로 대장정격은 상양 기능을 보강한다.

≪11≫ 일남자(一男子)가 연사십(年四十)에 항상(恒常) 음낭소양증(陰囊瘙痒症)을 소(訴)하여 뒤로 항문(肛門)까지 번지고 양각곡천하(兩脚曲泉下) 슬골(膝骨)에 이르끼까지 산통(疫痛)하며 복중(腹中)에는 소체물(所滯物)이 있는 것과 같은지라 방광정격(膀胱正格)을 용(用)하기 수도(數度)에 견효(見效)하였다. 곡천(曲泉)의 아래는 간경(肝經)의 분야(分野)가 되며, 소체물(所滯物)이 있는 것과 같은 것은 식울(食鬱)로 생각되는데 방광정격(膀胱正格)을 용(用)한 것은 낭피(囊皮)는 방광(膀胱)에 속한 까닭이며 슬내측(膝內側)의 산통(疫痛)은 흔히는 방광경(膀胱經)에 기인(起因)함이오, 체(滯)와 여(如)한 자(者)는 삼양격(三陽隔)의 까닭이다.

▶ 소견: 경락유주, 증세 부위, 통증 종류 등을 참조하였나 소양증은 화상에 속한다. 화상은 음수와 양토에 의해 정상을 유지한다. 복중의 소체물은 양토, 음랑이 음수의 영향 하에 있음을 감안하면 합혈에 해당하는 상합 관계로도 설명된다. 다만 소양증이 음랑 표피이기에 방광경을 사용하였다고 한즉, 이는 음랑의 내부는 신에 해당한다는 역설이기도 하므로 신정격으로도 어느 정도의 효과가 있을 수 있다고 생각된다.

≪12≫ 일남자(一男子)가 연오십(年五十)에 양족외과(兩足外踝, 복사뼈) 첨상(尖上)에 밤만한 혹이 각(各) 일개(一個)씩 생겨서 눌러도 아프지 않고 시의(時醫)가 혹(或)은 마목(麻木)이므로 불치(不治)라 단언(斷言)하나 내가 보기에는 좌슬(左膝)의 내측곡천(內側曲泉)이 혹산혹(或酸或).

통(痛)한 것은 방광(膀胱)의 증(證)이 분명(分明)하므로 정격(正格)을 용(用)하기 수조(數度)에 견효(見

效)한 것이다. 그러면 외과(外踝)가 담경(膽經)에 속(屬)하였다는 것은 착오(錯誤)일 것이며, 「양수편고(陽水偏枯) 위지반신하수(謂之半身不遂)」라 한 것은 인(人)에 따라 풍비(豊肥)한 자(者)에 흔히 차증(此證)이 있는 것은 고량지미(膏粱之味)에 피해(被害)인가 한다.

▶ 소견: 외과가 담경에 속한 것은 경락 유주상 틀리지 않다. 담은 주골(관절)하기 때문이다. 혹과 같이 생긴 것은 수액이 정체된 것이며, 풍비한 자라 함은 현대의 비만 체질로서 비경기 불리로 관절에 모인 것인데 방광경기에 의해 순환되지 않았기에 내측곡천 부위가 산통한 증세라 해석된다.

≪13≫ 일소아(一小兒)가 연삼세(年三歲)에 항상 설사(泄瀉, 清)가 그치지 않으며 얼굴 빛이 누렇고(黃) 약간 부기(浮氣)가 있으며, 영골(齡骨, 명치뼈) 밑에 복량(伏梁, 心積)이 있는 것 같고 이하(以下) 대장분야(大腸分野) 오른쪽에 핵(核)이 유(有)하므로 대장정격(大腸正格)을 치(治)하기 수도(數度)에 병기(病己)하였다.

▶ 소견: 설사, 면황, 부기, 복양증이 있으나 대장 부위의 핵증세로 대장정격을 사용하였다. 각 증세는 모두 대장과 연계되나 복양증은 심허증으로 소부 기능 저하로 기본 원인은 체기허약에 의하여 풍증이 되었으므로 대장(상양) 기능을 보강함으로써 풍기를 억제하면 풍은 목이므로 목생화에 의해 소부 기능이 정상으로 되면서 복양증은 치료된다. 즉 여러 증세가 있어도 근원을 치료하면 부수적 증세는 보강된 기능에 의해 스스로 해결된다.

≪14≫ 일부인(一婦人)이 연사십(年四十)에 별안간 부들부들 떨며 지절동통(肢節疼痛) 십여일(十餘日)에 고극(苦極)이 경과(經過)하여 통세(痛勢)가 조금 덜하나 낙함(落頷, 턱이 빠지는 것.)이 되어 언어(言語)와 시물(視物)이 불능(不能)하며 사지(四肢)가 비위(痺痿)하여 전측(轉側)이 불능(不能)하고 전신(全身) 육색(肉色)이 수탈(瘦脫)하며 약간 자흑색(紫黑色)을 정(呈)하고 양각어복내(兩脚魚腹內) 태양근(太陽筋)이 때로 구련(拘攣)하여 기좌(起坐)를 임인(任人)케하며 양각(兩脚)의 무력(無力)하기가 양비(兩臂)보다 심(甚)하기 벌써 사오삭(四五朔)이라 방광정격(膀胱正格)을 용(用)하기 수도(數度)에 지팡이를 집고 호정(戶庭)에 출입(出入)하며 낙함(落頷)이 반수(半收)되어 손으로 맞추어 차차 견효(見效)하였다.

▶ 소견: 방광은 주근하며 심과 상합 폐와 상통한다. 지절동통, 낙함, 태양근구련, 전측불능 모두 근기능 불리 증세로 해석된다(폐--상통--방광—상합—심). 양비(兩臂)보다 양각(兩脚)의 무력(無力)이 심한 것은 심, 폐에 의한 방광 증세를 뜻한다.

≪15≫ 일남자(一男子)가 이십여(二十餘)에 방후익일(房後翌日)에 추수(秋收)를 갔는데 종일 오한(惡

寒)이 나다가 석후(夕後)에 별안간 수전부진(手顫不鎭)이 되며, 인(因)하여 눈을 뒤집어 경한(痙寒)과 같기 일경(一頃)에 겨우 기식(氣息)을 통(通)하나 자주 손으로 입을 가르키거늘, 간병자(看病者)가 구내(口內)를 개시(開視)하니 설단(舌端)이 후중(喉中)으로 축입(縮入)되며 혹아자(或啞者)와 같이 발성(發聲)하고 땀기가 없으며, 빛이 누르고 혹섬광증(或譫狂症)을 작(作)하기 벌써 일일(一日)이 지난 지라 역절풍본방(歷節風本方)을 용(用)하였는데 보사(補瀉)가 끝나기 전에 전신(全身)에 땀이 흐르고 기식(氣息)이 여상(如常)하며 다만 언어(言語)가 평인(平人)보다 적을 뿐이다. 그러면 색후상한(色後傷寒)은 흔히 역절풍(歷節風)의 관련됨이 아닌가 한다.

▶ 소견: 역절풍 본방은 보(경거), 사(대돈)배혈로서 보금으로 보신(수)하고 동시에 극목(풍)하여 상기의 제풍증(오한, 수전부진, 경한, 설단입후중, 무한 등)을 억제한다. 색후에는 일정의 신기능이 저하되고 간, 신 동원이므로 역절풍에 쉽게 감응될 수 있다.

≪16≫ 십삼세소아(十三歲小兒)가 야제(夜啼) 까닭에 기부(其父)가 손으로 왼쪽 뺨을 쳤는데 자국은 있으나 우는 것은 그치고 아침에 음식(飮食)이 자약(自若)하더니 소간(小間)에 복부(腹部)가 부홍(浮洪)한지라 단독(丹毒), 태열(胎熱)이 아닌가 하여 대장정격(大腸正格)으로써 치료(治療)했으나 효험(效驗)이 없고 일모(日暮)에는 발경(發驚)이 되나 빛이 푸르지 않고 등에서 땀이 나는지라 다시 경풍기(驚風氣)란인가 의심(疑心)하여 태충(太衝)을 보(補)하고 소부(少府)를 사(瀉)했으나 또 불효(不效)하더니 간중방(肝中方)을 사용하므로 견효(見效)하기 여신(如神)하였나니 급타졸경(急打卒驚)이 경풍기란(驚風氣亂)이 되지 않고 간중(肝中)이 된 것은 무슨 까닭인가, 소아(小兒)는 혈기(血氣)가 미완(未完)하여 간기(肝氣)가 항상 미약(微弱)한지라 변원(拚援, 청소할 변, 당겨취할 원) 미달지제(未達之際)에 수사(受邪)가 가장 먼저 되는 까닭으로 간중(肝中)이 된 것이다.

▶ 소견: 대장정격은 상양(금)을 보강함이고, 보(태충), 사(소부)는 중봉(금)을 보강함이며, 간중방은 실증으로 사(합곡, 태충)한다. 간중방 또한 보금(補金)이므로 세 번의 배혈은 모두 금기 이상이나 대장정격과 보(태충), 사(소부)는 허증으로 배혈하여 치료되지 않았다고 해석된다.

8.2 제2장. 상한문(傷寒門)

상한(傷寒)이란 함은 속간(俗間)에서 말한 여질(厲疾)이 그것으로서 칠팔일(七八日)이 된 것은 한(汗)하여야 하며, 온역(溫疫)이라 함은 십사일(十四日) 이상(以上)의 것을 말하는 것이다. 소견일(所見日)이 2일이라면 2일 방(方)을, 3일이라면 3일 방(方)을 써야 한다. 다험(多驗)하므로 복기(復記)하지 않는다.

8.3 제3장. 천지운기문(天地運氣門)

천지운기(天地運氣) 경험 예(經驗 例)

≪1≫ 일여자(一女子)가 연삼십후(年三十後)에 임년운(壬年運)을 당(當)해서 중추월(中秋月)에 별안간 설사이차(泄瀉二次)에 전신(全身)이 궐랭(厥冷)하고 인(因)하여 피를 동이(盆)로 쏟는지라 본방(本方)을 용(用)했더니 일차(一次)에 소멸(消滅)하고 일식경(一食頃)을 대(待)하여 재침(在針)하였더니 즉지(卽止)하더라. 그러면 급증(急症)에는 혹재침(或在針)하는 것도 무방(無妨)하다.

▶ 소견: 본방은 보(해계, 양곡), 사(규음, 지음)이다. 보는 증화생(삼리, 소해), 극(여태, 소택, 상양)한다. 임년은 양수년으로 수극화가 강하여 생토가 억제되고 냉하기 쉽다. 사는 보수를 억제한다.

≪2≫ 임술년(壬戌年) 봄에 일남자(一男子)가 석후(昔後)에 복통상토(腹痛上吐)하고 연(連)하여 폭설(暴泄)을 작(作)하며, 복명(腹鳴)하여 그렇게 명일오후(明日午後)에 와서는 두 눈을 뒤집고 아무것도 보지 못하며 전신(全身)이 마비(痲痺)하여 만져도 알지 못하고 누워서 설사만하며 물 한모금만 먹어도 곧 토(土)하는지라 규음(竅陰), 지음(至陰)을 사(瀉)하고 해계(解谿), 양곡(陽谷)을 보(補)했더니 지침(刺針)이 끝나매 비로소 말하며 복중냉기(腹中冷氣)가 하강(下降)하여 사말(四末)을 꼬집은 즉시 아픈 것을 알며, 소변(小便)이 이(利)하고 귀가 들리고 눈이 보이더니 한참 후(後)에 제증(諸證)이 전차(全差)하더라.

▶ 소견: 임년으로 (1)과 같은 배혈.

≪3≫ 임술년운(壬戌年運)을 당(當)하여 일여자(一女子)가 연삼십여(年三十餘)에 잉태(孕胎)한지 오개월(五個月)이라. 홀연제하곡골부위(忽然臍下曲骨部位)가 아프기 시작(始作)하여 위로 좌협(左脇)에 지(至)하면 구토(嘔吐)하기를 수차(數次)하여 동태(動胎)라고는 할 수 있어도 운기(運氣)라고 하기에는 어려웠는데 차년운(此年運)이 구토(嘔吐)가 최다(最多)하므로 양곡(陽谷) 이혈(二穴)을 보(補)하고 오래 유침(留針)했더니 곧 낫더라.

▶ 소견: 곡골혈 부위는 방광경 모혈 부위로 임년을 맞아 항진된 증세로 해석된다. 양곡 2혈이라 하였는데 양수(兩手)의 양곡혈을 뜻하는 것이라 생각되지 않고, 해계혈을 포함하여 2혈인데 해계를 누락하고 2혈로 표기했다고 생각된다. 임부이기에 자극이 강하며 용천으로 경기를 연계하는 지음과 규음혈을 사하지 않았다.

8.4 제4장. 중서문(中暑門)

중서(中暑) 경험 예(經驗例)

단용(單用)에는 대돈(大敦)·소부(少府, 보(補)), 음곡(陰谷)·소해(少海, 사(瀉)), 만일 효험(效驗)이 없으면 중충(中衝, 보(補)), 곡택(曲澤, 사(瀉)). 소아(小兒)일 경우에는 소충(少衝) 일혈(一穴)을 보(補)하면 신효(神效)하다.

8.5 제5장. 습증문(濕症門)

중습(中濕) 경험 예(經驗例)

≪1≫ 일남자(一男子)가 연오십(年五十)에 양각(兩脚) 곡천(曲泉) 상(上)으로부터 음경(陰莖)에 이르기까지 좌우(左右)쪽에 관주상(貫珠狀)의 결핵(結核)이 있고 풍한(風寒)을 싫어하여 출문(出門)하지 않은지 이미 누일(屢日)이며, 때는 정(正)히 하말(夏末)을 당(當)한지라 습기(濕氣)가 방성(方盛)한 절기(節氣)이며, 또한 우변(右邊)이 심(甚)하므로 소부(少府)·대도(大都, 보(補)), 은백(隱白)·대돈(大敦, 사(瀉))하기 일차(一次)에 통증(痛症)이 그치고 이질(痢疾)이 작(作)하더니 제삼일(第三日)만에 두가지의 증세(症勢)가 모두 소연(掃然)하더라. 그러면 양각유주(兩脚流注)의 습기(濕氣)가 백리(白痢)로 변(變)하여 없어진 것일까?–비정격(脾正格).

▶ 소견: 풍을 싫어함은 비허로 목극토를 감당할 수 없기 때문이며 한을 외함은 음토이기 때문이다. 온음토하여야 평목되고 외한하지 않고 제증이 소멸된다.

≪2≫ 일여자(一女子)가 연십여세(年十餘歲)에 잘못 남초전(南草田)에 만청(蔓菁)을 먹고 채독(菜毒, 十二指腸蟲)이 되어 위황기사지경(痿黃幾死之境)에 도달(到達)하였더니 비경정격(脾經正格)으로서 견효(見效)하였다.

▶ 소견: 인체가 감당하지 못하는 어떤 원인은 독으로 구분된다. 만청은 순무로 이를 소화시키지 못하는 증세이다. 비정격은 태백 기능을 보강한다.

8.6 제6장. 조증문(燥症門)

조증(燥證) 경험 예(經驗例)

≪1≫ 일여자(一女子)가 연근육십(年近六十)에 두상(頭上)에서 백설(白屑)이 일어나며 백회(百會)로부터 절발제(前髮際)에 이르기까지 장지(壯紙) 두께에 손바닥만큼 육색(肉色)이 풍후(豊厚)한지라 태백(太白)·태연(太淵, 보(補)), 소부(少府)·어제(魚際, 사(瀉))함으로써 견효(見效)하였다. 그러면 내경(內經)에 삽(澁), 고(枯), 후(涸), 건(乾), 경(勁), 군(皸), 게(揭)라고 하였으나 풍후(豊厚) 또한 되는 것이 아닌가 한다.

▶ 소견: 배혈의 보는 증토, 생(경거, 상구), 극(음곡, 척택, 음릉천)한다. 사화는 관으로 영도, 경거 기능(수렴, 변혁, 교체 등)을 보강한다.

8.7 제7장. 화열문(火熱門)

화열(火熱) 경험 예(經驗例)

≪1≫ 일부인(一婦人)이 연오십제(年五十際)에 졸연(猝然) 광증(狂症)이 생겨서 혹주여리(或走閭里), 혹욕매부절(或辱罵不節) 등(等) 증(證)을 소(訴)하기 근이십여일(近二十餘日)에 외겁(畏㤼)하거나 자분도벽(自糞塗壁)의 거(擧)를 반복(反復)하며 병(病)이 시작(始作)된 후(後)로 한잠도 이루지 못하였는데 내가 비로소 그 집에 가니 처음에는 문을 열고 내다보다가 곧 일어나서 신부례(新婦禮)로 납배(納拜)하는지라 상화치법(相火治法)을 시(施)하여 미쳐 침(鍼)을 다 빼기 전(前)에 인(因)하여 누워서 잠이 포근히 들더니 구구(久久) 보사(補瀉)를 행(行)함에 언어(言語)와 행보(行步)가 평인(平人)과 조금 다를 뿐이다가 다시 자침(刺鍼)한지 하루만에 병(病)이 완쾌(完快)하였다.

▶ 소견: 치법은 보(대돈, 음곡), 사(지구, 곤륜)배혈인데 침구요결에는 대돈이 대도로 오기되었다. 대돈은 간(肝)목혈로 주혈하고 음곡은 신(腎)수로 주수하니 보수, 보혈한 것이고 지구는 삼초화, 곤륜은 방광경기로 두뇌를 주하므로 사하였다. 사화는 보금이 되니 삼초와, 방광의 금(수렴)을 보한 것이며 보수, 혈을 삼초와 방광경으로 취합한 배혈로 해석된다.

≪2≫ 일여자(一女子)가 연오십(年五十)에 그의 자부(子婦)와 언어투쟁(言語鬪爭)이 있으므로해서 기부(其夫)의 경미(輕微)한 구타(毆打)가 있어 수핵골(手核骨) 한쪽에 작은 상처(傷處)가 생겼는데, 시야심경(是夜深頃)에 기부(其夫)와 동침(同寢)할세 상합(相合)의 의(意)를 암시(暗示)하나 기부(其夫)가 괴이(怪

異)하게 여겨 부종(不從)하였더니 홀연(忽然) 대광(大狂)하여 매리(罵詈, 꾸짖을 리) 부절(不節)하며 무릎에 앉아 만집(挽執)하기 이언(於焉) 수십일(數十日)이 지난지라 상화치법(相火治法)으로써 시술(施術)한지 삼사차(三四次)에 병(病)이 완치(完治)되었다.

▶ 소견: 위의 (1)과 같은 의미.

8.8 제8장. 울문(鬱門)

울증(鬱證) 경험 예(經驗例)

≪1≫ 일남자(一男子)가 연삼십(年三十)에 살빛이 위황(痿黃)하고 목정(目睛)이 조금 부었으며, 소복(小腹)이 부견(浮堅)하고 양협(兩脇) 장문(章門) 아래 통증(痛症)이 있어 손을 델 수 없으며, 사지(四肢)에 적은 부종(浮腫) 또한 있어서 기색(氣色)이 오래 지탱하기 불능(不能)한 것 같은지라 처음에는 창증(脹證)인가 의심(疑心)하여 감히 하수(下手)치 못하다가 강청(强請)에 못견디어 목울치법(木鬱治法) 이도(二度)로 견효(見效)하였다. 목울(木鬱)은 협하(脇下)에 손을 가까이 하면 아픈 것인데 치(治)하여 쾌거(快祛)한 것은 여(余)의 본의(本意)가 아니다.

▶ 소견: 치법은 보(음곡, 곡천), 사(경거, 중봉) 배혈로 간정격. 장문은 비모혈이나 간경에 속한다. 목극토(좌간우폐 즉 좌협통은 간, 우협통은 폐의 문제로 침치하지만 본인은 양협 장문혈하의 통증 시에는 담정격으로 침치한다. 이유는 우폐는 금극목, 좌간은 목극토의 불리이나 양장문하의 통은 비와담의 상합 불리이기 때문이다) 불리로 양쪽 장문 부위에 통이 있으며 부종, 기색 저하 등 증세가 있다. 보는 증수, 생(대돈, 용천), 극(소부, 행간, 연곡)한다. 사는 관이며, 소상, 대돈 경기를 보강한다.

≪2≫ 일부인(一婦人)이 좌변곡암하(左邊曲頷下)에 연주(連珠)가 생(生)하여 결분(缺盆)에 이르기까지 번졌으며, 좌협상하(左脇上下)에 객기(客氣)가 왕래(往來)하고 좌고복토내(左股伏兎內)에 생창(生瘡)한지가 이미 십칠년(十七年)이라, 이것은 모두 간경(肝經)의 후(候)인 고(故)로 목울치법(木鬱治法)을 시(施)하여 견효(見效)하였다. 듣건대 차증(此證)으로 해서 침(針)과 약(藥)에 허비(虛費)된 것이 이만(二萬)의 거재(巨財)에 달(達)했다.

▶ 소견: (1)과 같은 배혈로 간정격인데 곡함하는 대장경 유주 부위이며 좌협하의 객기는 좌간우폐론으로 간경기 불리, 복토내 또한 간경유주 부위이다. 간허에 의한 간과 대장의 상합, 상통 관계 불리에 의한 증세로 해석된다.

≪3≫ 일부인(一婦人)이 연삼십여(年三十餘)에 제상(臍上)으로부터 심하(心下)에 이르기까지 창만(脹滿)과 같으며 냉기(冷氣)가 부채질(扇)하는 것 같아서 이불(衾)로 휘감아도 항시 복한(腹寒)을 감각(感覺)을 느끼게 되는지라 속에 있는 창만(脹滿)의 기(氣)는 모두 비후(脾候)에 속(屬)했으며, 한(寒)은 허(虛)인지라 비정격(脾正格)을 용(用)하여 완치(完治)되었다-비정격(脾正格).

▶ 소견: 비정격은 보(소부, 대도), 사(은백, 대돈). 보는 증화, 생(태백, 신문), 극(경거, 상구, 영도)한다. 비는 음토로서 오습외한(惡濕畏寒)하므로 온음토한다.

≪4≫ 일남자(一男子)가 전신(全身)에 부종(浮腫)이 나고 해수(咳嗽)가 심(甚)한지라 듣건대 생냉물(生冷物)을 다식(多食)하여 체(滯)했다 하므로 비경정격(脾經正格)을 쓰기 삼도여(三度餘)에 부증(浮症)이 빠지고 해수(咳嗽)가 점점(漸漸) 나았으니 습물(濕鬱)이었다.

▶ 소견: 비정격.

≪5≫ 일남자(一男子)가 연사십여(年四十餘)에 이명(耳鳴)의 고통(苦痛)을 느꼈는데 그 소리가 방광(膀胱)으로부터 복중(腹中)에 들어와 뇌후(腦後)를 찌르는 것 같으며, 안질(眼疾)이나 흉중민울(胸中悶鬱) 등(等) 증(證)을 소(訴)하고, 등(背)이 모닥불을 담아 붓는 것과 같으며, 재채기(嚏)를 잘하고 복중(腹中)이 괴난옹울(壞亂擁鬱)하여 훅 달아오르는(蒸氣) 것과 같고, 좀 나아질 때(小平)는 좌우수(左右手)에 혹 부기(或浮氣)가 생(生)하여 항시(恒時) 붕(掤, 억셀 붕)연(然)한지라 시인(時人)이 혈증(血證)이라하나 일변수(一邊手)가 우중(尤重)하므로 병(病)들지 않은 쪽에 위경정격(胃經正格)을 용(用)하기 육칠도(六七度)에 병(病)이 완쾌(完快)하였다. 이것은 삼십년(三十年) 숙질(宿疾)로서 열울(熱鬱)이었던 것이다-위정격(胃正格).

▶ 소견: 내용 중 핵심적 증세는 이명, 안질, 흉민, 배열감(背熱感), 분체, 복중열기, 양수부기(兩手浮氣)로 다양하나 모두 복중(腹中) 및 비(脾),위경기(胃經氣)와 연계되어 있다. 방광경기는 심중을 관통하는 유일한 경맥. 해당되는 기본 이론은 신, 위의 상합 불리이다. 위정격은 증화, 생(삼리, 소해), 극(상양, 여태, 소택), 사(임읍, 함곡)한다.

8.9 제9장. 담음문(痰飮門)

담음(痰飮) 경험 예(經驗例)

탄산(呑酸, 가슴에 酸味가 떠올라서 心臟을 자극하는 證이니 洋醫所謂「胃酸過多症」), 구얼(嘔噦=게우고, 구역질하는 것), 조잡(嘈雜)은 각각 소치(所致)가 있으나 만일 일인(一人)으로서 차삼증(此三症)을 겸(兼)했으면 반드시 폐탁(肺濁)이 틀림없는 것이니 소부(少府)·어제(魚際)를 보(補)하고 척택(尺澤), 함곡(陷谷, 陰谷?)을 사(瀉)하라고 누누시험(屢屢試驗)하였다. 여자(女子)가 더욱 많더라.

≪1≫ 일남자(一男子)가 연오십(年五十)에 우협하(右脇下)에 폐적(肺積)과 같은 것이 있었는데 그 사람이 기주무도(嗜酒無度)하였으므로 태백(太白)·태연(太淵, 보(補)), 대돈(大敦)·은백(隱白, 사(瀉))함으로써 견효(見效)하였다.

▶ 소견: 비, 폐 배혈로서. 보(태연, 태백)는 증토, 생(경거, 상구), 극(척택, 음릉천, 음곡)한다. 보토사목의 배혈 목적은 극수이며, 사(대돈, 은백)는 관이며 간,비경기를 억제한다.

≪2≫ 일남자(一男子)가 연사십(年四十)에 냉수(冷水)에 체(滯)하여 오래 낫지 않는지라 간정격(肝正格)을 사용하여 지음(至陰)으로서 치료(治療)하였더니 유효(有效)하더라.

▶ 소견: 지음치법은 보(음곡, 곡천), 사(경거, 중봉)으로. 냉수에 체하였는데 비경을 사용하지 않고 간경을 사용하였다. 목극토를 보강한 배혈로 해석된다. 비는 일정한 간의 극을 받아야 정상 기능 상태가 된다.

8.10 제10장. 해수문(咳嗽門=西醫 所謂 急性氣管支炎)

해수(咳嗽) 경험 예(經驗例)

≪1≫ 일남자(一男子)가 연육십여(年六十餘)에 외신(外腎, 陰莖)이 항시 뻣뻣하여 매야(每夜)에 응색(應色)하기 육칠도(六七度)나 도로 매한가지여서 밤낮 성침(成寢)이 불능(不能)하며 양족(兩足)이 위벽(痿躄)하고 손도 또한 불리(不利)한지라 심신허(心腎虛)에 상관(相關)이 아닌가 하여 대돈(大敦)·소충(少衝, 보(補)), 태백(太白)·태계(太谿, 瀉))하기 수도(數度)에 병기(病己)하였다(해수(咳嗽)라는 것은 원래(原來) 심(心), 간(肝), 신(腎)에 비토(脾土)가 기(寄)하여 작수(作祟)하는 것이다. 그러나 혹(或) 어혈(瘀血)이 있는 자(者)는 어혈(瘀血)을 치(治)하고 노채(勞瘵)로 기인(起因)하는 자(者)는 노채(勞瘵)를 치료(治療)하되 원방(原方)에 찰색분치(察色分治)하면 많은 효험(效驗)이 있더라).

▶ 소견: 심, 신허로 진단하고 배혈하였다. 심정격의 보(補)와, 신정격의 사(瀉)로 배혈하였다. 보는 대돈을 사는 음곡를 위한 것이다. 대돈은 목혈로 주혈하고 음곡은 수혈로 주수한다. 간, 신은 동원이며 상자 관계이다. 보는 증목, 생(소부, 행간), 극(태백, 신문)한다. 증목은 심, 간의 시(始)경기를 보

강하며 생화하면서 심, 간경기를 최대로 보강한다. 동시에 극토하는데 또 다시 사(태백, 태계)함은 소부, 행간은 최대로 태백, 태계는 최소로 한 배혈로 해석한다.

≪2≫ 일남자(一男子)가 연오십(年五十)에 때로 답답한 기운이 있으며, 냉물(冷物)을 좋아하므로 처음에는 심등(心證)인가 의심(疑心)했으나 효험(效驗)이 없더니 중년(中年)에 많은 상처가 있던 것을 알고 어혈치법(瘀血治法)을 시(施)한 결과(結果), 완차(完差)하였다.

▶ 소견: 어혈치법은 보(태연, 태백), 사(곡지)로서 어혈문에서 해석한다. 증세 내용으로 어혈임을 진단하기는 쉽지 않으나 답답한 기운은 흉민을 뜻하는 것일 수 있으나 다소의 열감이 포함된 느낌으로 해석된다. 이는 어혈로 인하여 혈순환이 원만치 않고 그로 인해 오히려 현대의 혈압상승에 따른 열감이 있는 어혈 증세로 해석된다.

8.11 제11장. 효천문(哮喘門)

효천(哮喘) 경험 예(經驗例)

≪1≫ 일인(一人)이 서습토사후(暑濕吐瀉後)에 효천(哮喘)을 소(訴)하여 소리가 사린(四隣)에 진동(震動)하는지라 듣는 사람들이 위험(危險)을 느끼거늘 액문(液門)·해계(解谿, 보(補)), 중저(中渚)·함곡(陷谷, 사(瀉))하였더니 일차(一次)에 견효(見效)하였다. 단장취의(斷章取義)에서 여신(如神)에 효(效)를 본 것이다.

▶ 소견: 삼초는 실화로 위는 허로 진단하고 삼초는 보수사목으로 위는 보화사목으로 배혈하였다. 열재 삼초 습재위중이라는 사암의 사고와 같다. 위중습이 삼초화에 의해 습열이 되었다. 액문으로 사화하고 사중저는 생지구를 억제한다. 위는 해계로 보화하고 사함곡하여 목극토를 억제한 배혈로 해석된다.

8.12 제12장. 학질문(瘧疾門, 말라리아)

학질(瘧疾) 경험 예(經驗例)

▶ 소견: 현대 의학으로 학질의 치료가 완벽함으로 해석하지 않으나 고전의 기록을 보전하는 의미로 복기하며 논하지 않음.

≪1≫ 일인(一人)이 학질(瘧疾) 삼년후(三年後)부터 항시(恒時) 객증(客證)을 겸발(兼發)하여 이러한 지가 이미 십칠팔년(十七八年)이라 시통일(始痛日)의 일진(日辰)으로 치(治)하였더니 병(病)이 낫더라. 풍(風), 한(寒), 열(熱) 등 삼학(三瘧)은 분치(分治)하는 것이 좋으나 일진치료법(日辰治療法)이 가장 신효(神效)하더라.

≪2≫ 일남자(一男子)가 연삼십여(年三十餘)에 이일학(二日瘧)에 걸린지 이미 주년(周年)이라. 득병일진(得病日辰)은 알 수 없으나 자오묘유일(子午卯酉日)임을 알게되므로 소음학(少陰瘧)으로써 치료(治療)하였더니 일도(一度)에 유효(有效)하더라.

≪3≫ 일남자(一男子)가 연이십여(年二十餘)에 학질(瘧疾)에 걸린지 이미 수년(數年)이라 또한 시병(始病)을 알 수 없으나 방통일(方痛日, 아픈 날)이 진술축미(辰戌丑未)인지라 태음장(太陰方)을 서서 치료(治療)하였더니 일도(一度)에 병(病)이 낫더라.

≪4≫ 일남자(一男子)가 연삼십팔(年三十八)에 이일학(二日瘧)에 걸린지 삼(三), 사도(四度)에 일진(日辰)이 인일(寅日)이므로 궐음방(厥陰方)을 썼더니 이차(二次)에 병쾌(病快)하더라. 초학(草瘧), 부학(婦瘧, 며느리보곰)도 또한 일진요법(日辰療法) 일(一), 이차(二次)에 쾌차(快差)하지 않은 게 없더라.

8.13 제13장. 이질문(痢疾門)

▶ 소견: 이질에 대한 경험 예가 없다.

8.14 제14장. 열격문(噎膈門)

열격(噎膈) 경험 예(經驗例)

≪1≫ 기결흉격(氣結胸膈)을 열격(噎膈)이라하는데 일남자(一男子)가 연이십여(年二十餘)에 면색(面色)이 위황미부(萎黃微浮)하고 기부(肌膚)가 비대(肥大)하며 항시(恒時) 식체(食滯)로 고통(苦痛)을 받고 항측(項側)에 결핵(結核)이 있어 나력(瘰癧)과 같은지라 대장열(大腸噎)로 치(治하)였더니 유효(有效)하더라.

▶ 소견: 침구요결에는 보(삼리, 곡지), 사(통곡, 후계)이나 인쇄 전 필사본은 보(삼리, 곡지), 사(양곡, 양

계)인 대장정격으로 기록되어 있다. 양쪽 모두 보는 상양 기능을 보강한다. 요결의 사는 소장, 방광경으로 상양 기능을 취합케 함이며 필사본의 사는 소장, 대장으로 상양 기능을 취합케 하는 차이가 있을 뿐이다. 열격은 목이 잠겨 불하지 못하고 토한다는 뜻이고, 삼양은 대장, 소장, 방광이며 격은 열이 맥힘이다. 소장이면 혈맥 이조하고, 대장이면 행청(화장실)치 못하고, 방광이면 진액 고갈하며 삼양 총결하게 되면 폐색되어 불하하고 필히 반대로 상행하므로 토식물한다. 이는 양화 불능 하강함을 이해하고 진단한다.

≪2≫ 일남자(一男子)가 항상(恒常) 구토(嘔吐)를 환(患)하므로 비경정격(脾經正格)을 써도 효험(效驗)이 없을 뿐 아니라 오랜 뒤에 배종(背腫)이 많음으로 비로소 삼양열(三陽噎)인 것을 깨닫고 방광정격(膀胱正格)을 썼더니 병(病)이 낫더라. 대체(大體) 부인(婦人) 혈허증(血虛證), 복통(腹痛), 심하비만(心下痞滿)한 자(者)에게 소장열법(小腸噎法)으로 치(治)하여 견효(見效)한 것이 불소(不少)하다.

▶ 소견: 소장격은 심조라하며 보(임읍, 후계), 사(통곡, 전곡)로 소장정격을 사용하였다. 소장에 열이 맺혔는데 정격을 사용함은 소장허가 원인이기 때문이며 상시 구토는 비경기 불리 배종은 방광경기 부위이므로 방광정격을 사용하였다고 해석된다.

8.15 제15장. 애역문(呃逆門)

▶ 소견: 임상 경험이 없음.

8.16 제16장. 구토문(嘔吐門)

구토(嘔吐) 경험 예(經驗例)

≪1≫ 일여자(一女子)가 항상 홰기(噦氣)가 있고 두어 달 만큼씩 위완(胃脘)이 아프기 시작(始作)하게 되면 십수일간(十數日間)을 거의 죽었다 살아나는 지라 위홰법(胃噦法)으로 치(治)하였더니 수도(數度)에 병(病이) 나았다.

▶ 소견: 얼은 소리는 나지만 토물이 없는 증세로서 위얼은 허이므로 정격 사용.

≪2≫ 일남자(一男子)가 매양 여름이면 토(吐), 사(瀉)를 빈작(頻作)하여 기사지경(幾死之境)에 이르

느지라 비경정격(脾經正格)을 썼더니 수도(數度)에 병(病)이 낫더라—비정격(脾正格).

▶ 소견: 비정격.

8.17 제17장. 탄산문(呑酸門=위산과다증(胃酸過多症))

탄산(呑酸) 경험 예(經驗例)

≪1≫ 일남자(一男子)가 연이십여(年二十餘)에 심하(心下)가 울민(鬱悶)하고 항상(恒常) 탄산(呑酸)을 정(呈)하는데 스스로 식체(食滯)가 있다고 말하며 하절(夏節)을 당(當)하면 우심(尤甚)한지라 비로소 심열산(心熱酸)인줄 알고 의법시료(依法施療)하였던 바 일도(一度)에 쾌거(快祛)하였다. 오육년숙질(五六年宿疾)이었다.

▶ 소견: 심열산치법은 보(대돈, 소충), 사(소해, 곡천)로서 음곡 대신 곡천을 사용한 심정격 변형으로서 배혈은 증목, 생(소부, 행간), 극(태백, 신문, 태충)한다. 증목은 시(始)경기혈로 심, 간경기를 보강하며 생화하고 사(곡천)은 행간의 관으로 행간을 보강하여 산을 억제하며 사(소해)는 소부의 관이다.

8.18 제18장. 조잡(嘈雜)·애기문(噯氣門)

조잡(嘈雜) 경험 예(經驗例)

≪1≫ 일남자(一男子)가 밥을 먹고 난 조금 뒤에 먹은 것이 도로 나와 입에 가득하여 이러한지가 벌써 누년(屢年)이라, 소부(少府)·대도(大都,보(補)), 대돈(大敦)·은백(隱白, 사(瀉))하였더니 일도(一度)에 낫더라—비정격(脾正格).

≪2≫ 일부인(一婦人)이 채독(菜毒)에 걸린지 근십여년(近十餘年)에 몸이 바싹 마르고 위황(痿黃)한지라 비경정격(脾經正格)을 사용하였더니 신효(神效)하더라—비정격(脾正格).

≪3≫ 일남자(一男子)가 연사십(年四十)에 유월분(六月糞)으로 비배(肥培)한 소채(蔬菜)를 먹고 혹부혹하(或浮或下)하는지라 비경정격(脾經正格)을 썼더니 한 번에 병(病)이 나았다—비정격(脾正格).

≪4≫ 일남자(一男子)가 연이십여(年二十餘)에 항상 복통상충(腹痛上衝)을 환(患)하여 음식후(飮食後)

조금 있다가는 토(吐)하여 입에 가득히 물어 다시 삼키거나 뱉어 내버리기를 오육년(五六年)을 반복(反復)하더니 비정격(脾正格) 일도(一度)에 병(病)이 완차(完差)하였다-비정격(脾正格).

▶ 소견: 모두 비정격으로 진단, 치료하였다. 보(소부, 대도), 사(대돈, 은백)을 분석하면 화로서 온음토하고 동시에 토의 습윤성, 중화력 등을 보강하며 관경(官經) 간과 관혈(官穴) 은백을 사(瀉)하여 태백을 보강하는 배혈이다. 1)은 식을 넘기지 못하고, 2)는 몸이 마르는 위황, 3)은 음식에 의한 체증, 4)는 복통과 음식 불하 증세로서 모두 비정격을 사용하였다. 비허로 태백 기능 저하 증세이다.

8.19 제19장. 종창문(腫脹門)

종창(腫脹) 경험 예(經驗例)

종창(腫脹)은 가장 난치(難治)의 증(證)이므로 잘 응수(應酬)하지 않으려 하였으나 세부득이(勢不得已)한 관계(關系)로 기인(幾人)에게 시침(施針)하였으나 침후(針後)에 미미유효(微微有效)한 자(者), 혹은 침후(針後)에 다시 재발(再發)되는 자(者)가 있어 완치(完治)를 기(期)하기 어려우니 속소위(俗所謂) 말질(末疾)이라 함이 틀림없다.

≪1≫ 하월(月)에 남자(男子) 십세전후(十歲前後) 한 자(者)가 전신(全身)이 창만(脹滿)한지라 대돈(大敦)·소충(少衝, 보(補)), 음곡(陰谷, 사(瀉))하기 부과수삼차(不過數三次)에 병(病)이 났었는데 여차(如此)한 것은 부지기인(不知幾人)이었다. 음경(陰莖), 음란(陰卵)이 병창(併脹)한 자(者)는 본방(本方)의 외(外)일 것이나 상서(傷暑)한 것은 심경(心經)이 수사(受邪)한 것인지라 차방(此方)을 용(用)하였다.

▶ 소견: 심정격 배혈이나 소해를 사하지 않았다. 정격의 변형으로 소해를 사할 경우와 그렇치 않은 경우는 다른 의미. 음곡은 각 경 수원이고 소해는 심경수로서 소해를 사하면 사의 기능을 심으로 취합하는 의미이고, 소해를 사하지 않고 음곡을 사하면 모든 경에 같은 정도의 영향을 끼치는 의미이다.

본증은 하월의 사를 받았으므로 심에 국한하지 않은 뜻으로 해석된다.

≪2≫ 일남자(一男子)가 연사십(年四十)에 원기(元氣)가 장대(壯大)하여 주찬(酒饌)의 류(類)를 다식(多食)했었는데 졸연(卒然)이 식체(食滯)와 같이수일(數日)을 불평(不平)하더니 인(因)하여 복창(腹脹)이 되고 두(頭), 면(面), 사지(四肢)가 모두 부어서 좌와(坐臥)에 전측(轉側)이 불능(不能)한지라 처음에 식체(食滯)인가 의심(疑心)해서 내정(內庭)을 사(瀉)하기 수차(數次)에 불효(不效)하거늘 곡창방(穀脹方)을 용(用)하여

신문(神門)·태연(太淵, 보(補)), 어제(魚際)·대도(大都, 사(瀉)) 하였더니 일도(一度)에 병쾌(病快)하더라.

▶ 소견: 침구요결은 중완(영)이 포함되었으나 본증에서는 누락되었다. 종창문(5)의 곡창방 참조.

≪3≫ 일남자(一男子)가 전신(全身)이 종창(腫脹)하였다가 외후(外候)가 진청(盡淸)하였으나 음경(陰經)만은 마찬가지로 하월(夏月)인지라 심허(心虛)와 동증(同證)인데다가 바야흐로 이질(痢疾)의 여증(餘證)으로 신수(腎水)가 범일(泛溢)하였음으로 태백(太白)·태연(太淵, 보(補)), 경거(經渠)·부류(復溜, 사(瀉))하였더니 일도(一度)에 병감(病減)하고 이도(二度)에 쾌차(快差)하더라.

▶ 소견: 신수범일이므로 토극수를 보강하기 위하여 보토하였다. 즉 사금하여 생수(척택, 음곡)를 억제하는 의도도 있고 보에 의해 본의 아니게 생되는 금을 사하는 의도도 된다.

8.20 제20장. 적취문(積聚門)

적취(積聚) 경험 예(經驗例)

오적(五積)의 별(別)은 가장 간단(間斷)하나 치법(治法)을 모르면 만무일생(萬無一生)의 증(證)이다. 아(我) 남부지방(南部地方)은 열(熱)하고 함(陷)하여 수도(水道)가 정축(停蓄)해서 구구간예(久久汗穢)하고 청활(淸活)하지 못해서 복(服)하면 사람으로 하여금 수병(受病)하게 된다. 왜냐하면 심(心)은 음(陰)인지라 가장 수상(受傷)하기 쉬우므로 수기소상(水氣所傷)에는 반드시 여기서 먼저 되게 되는데 원래(原來) 수토불복(水土不服)의 처방(處方)이 없고, 다만 심적(心積) 복량(伏梁)이라 했는데, 즉 누구나 기리(其理)를 모르는 것 같다. 일실지내(一室之內)에 삼사인(三四人)이 같이 앉아서 체(滯)니, 담(痰)이니 하여 소산(消散)하여도 공효(功效)를 못보고 도리어 천명(天命)의 화(禍)를 초래하는 것은 다른 까닭이 아니라 간지소진(邪之所湊), 기기필허(其氣必虛)하게 되므로 음수(陰水)가 승심(乘心)하면 심기(心氣)가 필허(必虛)하나니 소지(消之), 산지(散之)한들 어찌 감지(堪支)할까보냐. 대돈(大敦)·소충(少衝)을 보(補)하고 기해(氣海)·음곡(陰谷)을 사(瀉)하여 虛허(하)게 된 심기(心氣)를 보(補)하고 수(水)의 창궐(猖獗)을 사(瀉)하는 것이 기부미재(豈不美哉)리오, 이것은 구명(救命)의 제일방(第一方)이다. 목황여달(目黃如疸)하거던 연곡(然谷)을 사(瀉)하고 해수(咳嗽)하거던 태백(太白)·태계(太谿)를 사(瀉)하라(見心咳章).

≪1≫ 일남자(一男子)가 연삼십(年三十)에 좌적(左積)이 있어 흉복(胸腹)이 탱만(撑滿)하기 십삭잉부(十朔孕婦)와 같고 겸(兼)하여 작목(雀目, 밤눈이 어두운 것)이 있었는데 시의(時醫)들이 창증(脹證)이라 지

칭(指稱)하나 백(百)번 다스려도 무효(無效)하더니 간적방(肝積方)을 용(用)하기 수회(數回)에 견효(見效)하였다.

▶ 소견: 간적방은 보(음곡, 곡천), 사(경거, 중봉)로 간정격. 좌적이면 비장 부위로 목극토 불리에 의한 증세로 해석된다.

≪2≫ 일남자(一男子)가 연삼십(年三十)에 위완(胃脘)에 적(積)이 있어 누르면 통오(痛惡)하고 이(二), 삼월(三月)을 간격(間隔)으로 빈혈(便血)을 작(作)하는지라 비적방(脾積方)을 썼더니 유효(有效)하더라. 그러면 빈혈(便血)은 비병(脾病)으로 해서 그런 것인가?

▶ 소견: 비적방은 보(소부, 대도), 사(대돈, 은백)로 비정격, 비주통혈 불리로 해석된다.

≪3≫ 일남자(一男子)가 연근사십(年近四十)에 폐골하(蔽骨下)에 적기(積氣)가 있어 좌협(左脇)에 연급(延及)하였으므로 사람들이 간적(肝積)으로써 치(治)하여 효험(效驗)이 없더니 반세후(半歲後)에 나(我)에게 올 때에는 눈이 누렇고 소변(小便)이 적황(赤黃)하며 매일(每日) 이차(二次)씩 설사(泄瀉)하는지라 복양방(伏梁方)으로 치(治)하기를 일도(一度)에 사오도(四五度)씩 사(瀉)하였더니 병(病)이 낫더라.

▶ 소견: 복양방은 보(대돈, 소충), 사(음곡, 소해)로 심정격.

≪4≫ 일남아(一男兒)가 연십여(年十餘)에 심적(心積)이 제상(臍上)에 찼으되 중단(中段)이 최장(最長)하므로 복량치법(伏梁治法)으로 치(治)하였더니 삼사도(三四度)에 병(病)이 쾌(快)하더라. 그런데 기부(其父)가 원래(原來) 육자(六子)를 두었었는데 모두 차증(此證)에 사(死)하였다 한다.

≪5≫ 일남자(一男子)가 십오육(十五六)에 하말추초(夏末秋初)를 당(當)하여 졸연(卒然)이 부증(浮證)이 생기(生起)하여 면목(面目), 사지(四肢), 흉복(胸腹), 음낭(陰囊), 음경(陰莖) 등(等)이 붕장(繃張)하고 양안(兩眼)을 합이불개(合而不開)하거늘 당시(當時)는 정(正)히 하월(夏月)인지라 처음에는 심경(心經)에 수사(受邪)로 치의(致疑)하여 정격(正格)을 썼더니 일차(一次)에 양안(兩眼)이 미개(微開)하고 사오차(四五次)에 부기(浮氣)가 쾌전(快痊)한지라 자세히 진찰(診察)하니 심하(心下)에 복량(伏梁)이 있으므로 다시 치료(治療)한지 수월(數月)에 쾌전소성(快痊蘇醒)하였다.

≪6≫ 일남자(一男子)가 연십사(年十四)에 통상(痛狀)이 일일학(一日瘧) 같은 지가 이미 사오삭(四五朔)이라 형체(形體)가 수약(瘦弱)하여 폐골(蔽骨) 하제근처(下臍近處)에 적(積)이 있는지라 복량치법(伏梁治法)으로써 다스렸더니 사도(四度)에 병(病)이 낫더라.

≪7≫ 일남자(一男子)가 연이십(年二十)에 양족내과(兩足內踝) 앞에 골(骨)이 있어 위절(違折)된 것 같으나 그 연유(緣由)를 알 수 없더니 알고보니 기인(其人) 소거리(所居里)에 수성(水性)이 불미(不美)하다하므로 만져보니 심적(心積)이 있어 심(甚)히 큰지라 본방(本方)으로 치(治)하였더니 삼도(三度)에 유효(有效)하더라.

▶ 소견: 3, 4, 5, 6, 7복 양치법을 사용하였고. 심기불금에 의해 다양한 증세가 발현될 수 있음을 알수 있다.

8.21 제21장. 허로문(虛勞門)

허로(虛勞) 경험 예(經驗例)

허로(虛勞)는 속소위(俗所謂) 갈문지질(減門之疾)로서 치병자(治病者)는 반드시 주의(主意)하지 않으면 안될 중요증(重要證)이니 그 경과(經過)를 듣고 그 소견(所見)을 아울러서 이른바 「찰지여호(察之如毫), 임지여빙(臨之如氷)」하여야 할 것이다.

≪1≫ 일남자(一男子)가 연이십여(年二十餘)에 항상(恒常) 허한(虛寒)을 작(作)하고 원기(元氣)가 탕실(蕩失)되어 행보(行步)가 십리(十里)가기가 불능(不能)하며 육탈(肉脫)이 심(甚)한지라 폐경정격(肺經正格)을 썼더니 유효(有效)하더라.

▶ 소견: 폐정격으로 경거 기능을 보강한다.

≪2≫ 일남자(一男子)가 연삼십(年三十)에 몽설(夢泄), 혹(或)은 유정(遺精)하기 벌써 십여년(十餘年)이니 신경정격(腎經正格)을 썼더니 유효(有效)하더라.

▶ 소견: 신정격으로 음곡 기능을 보강한다.

≪3≫ 일남자(一男子)가 연근사십(年近四十)에 원기(元氣)가 탕실(蕩失)되어 오한(惡寒)을 작(作)하고 육색(肉色)이 담백(淡白)하거늘 태백(太白)·태연(太淵, 보(補)), 지구(支溝)·연곡(然谷, 사(瀉))하기 이도(二度)에 병(病)이 나았다.

▶ 소견: 보토사화로 보는 증토, 생(경거, 상구), 극(음곡, 척택, 음릉천)한다. 보강된 경거 기능을 사연곡하여 부류 기능, 사지구하여 관충 기능을 보강한다. 신과 삼초는 상통 관계.

8.22 제22장. 곽란문(霍亂門)

곽란(霍亂) 경험 예(經驗例)

진증(診證)이 만일 기의(其宜)를 미득(未得)하였거든 먼저 사관(四關)을 통(通)하고 음식(飮食)에 상(傷)한 자(者)는 비경정격(脾經正格)을, 서습(暑濕)에 상(傷)한 자(者)는 위경정격(胃經正格)을 용(用)할지니라.

8.23 제23장. 설사문(泄瀉門)

설사(泄瀉) 경험 예(經驗例)

≪1≫ 일부인(一婦人)이 산후실섭(産後失攝)으로 일일(一日) 오육도(五六度) 설사(泄瀉)한 지가 근수십년(近數十年)에 기부수척(肌膚瘦瘠)하고 겨우 호정(戶庭)에 출입(出入)하더니 음곡(陰谷)·곡천(曲泉, 보(補)), 경거(經渠)·중봉(中封, 사(瀉))하기 일일(一日)만에 그치고 사오일(四五日)에 완쾌(完快)하였다-간정격(肝正格).

▶ 소견: 산중에 실혈, 산후실섭 및 심한 설사로 탈수 상태임 간경기 저하는 목극토 기능 저하.

≪3≫ 일부인(一婦人)이 연삼십오(年三十五)에 하월(夏月)에 해만(解娩)하고 당일(當日)에 하혈(下血)을 쉴새 없이 하며, 인내(忍耐)하기 어려운 정도(程度)로 배가 아프고 눈이 컴컴해지는 지라 삼음교(三陰交)를 보(補)하였더니 지혈(止血)이 되고 좀 기동(起動)을 하다가 수일후(數日後)에 복통(腹痛)이 상충(上衝)하며 설사(泄瀉)가 무도(無度)하고 원기(元氣)가 하함(下陷)하여 겨우 오육보(五六步)를 행(行)하는지라 음곡(陰谷)·곡천(曲泉, 보(補)), 경거(經渠)·중봉(中封, 사(瀉))하였더니 식경(食頃)에 병(病)이 낫더라-간정격(肝正格).

▶ 소견: 상기 경험 예와 동일.

≪1≫ 일소아(一小兒)가 연십세(年十歲) 안짝에 항상(恒常) 설사(泄瀉)를 환(患-질병)하여, 백탁(白濁) 혹(或)은 유설(濡泄), 혹(或)은 손설(飧泄-大泄) 등(等) 증(證)과 함께 면복(面腹)이 미부(微浮)하고, 주야불분(晝夜不分) 혹(或)은 반일(半日)을 간(間)하여 선탁후청물(先濁後淸物)을 사(瀉)하고 심하(心下)에 복량(伏梁-맹장염)이 있는 것 같아 대장증후(大腸證候)를 다견(多見)하므로 대장정격(大腸正格)으로 치(治)하였더니 유효(有效)하더라. 그러면 태열(胎熱)의 육(肉)에 재(在)한 자(者)가 진액(津液)을 옹알(壅遏-막힘)하여 전도(傳導)하지 못한 까닭이라 할까, 설문(泄門)에 원래 대장치법(大腸治法)이 없어서 치지자(治之者)의

난급처(難及處)가 되므로 복통문(腹痛門)의 한사입장(寒邪入腸)을 인용(引用)하여 밝혀 놓는다.

▶ 소견: 대장정격은 상양 기능을 보강하며 동시에 대돈기능을 보강한다. "설사에 대장치법이 없다한 것"은 대장 원인이 아니라는 의미. 대돈 기능이 보강되어 목극토가 정상이 되어야 제증이 해결된다.

8.24 제24장. 현훈문(眩暈門)

현훈(眩暈) 경험 예(經驗例)

≪1≫ 일남자(一男子)가 우협(右脇)이 항시(恒時) 아파서 운신(運身)이 불편(不便)하므로 우협통(右脇痛)이라 하여 태백(太白)·태연(太淵, 보(補)), 소부(少府)·어제(魚際, 사(瀉))하였더니 수일후(數日後)에 홀연(忽然) 우협(右脇)이 당겨서 호흡(呼吸)이 불능(不能)하여 점점엄엄(漸漸奄奄)한지라 다시 숙수(宿祟)를 물었더니 일월(一月) 내지(乃至) 이월(二月)을 간격(間隔)으로 현훈(眩暈)하기가 간질(癎疾)과 같다하므로 비로소 담현(痰眩)인지를 알고 소부(少府)·어제(魚際, 보(補)), 태백(太白)·태연(太淵, 사(瀉))하였더니 수일(數日) 후(後)에 유효(有效)하더라.

▶ 소견: 처음에는 폐정격을 사용하였는데 수일 후 재발되어 폐정격의 보사를 반대로 하였는데 이는 보화로서 경거를 극하고 토생금을 억제하고 거담을 위해 사토하였다–승격 변형.

≪2≫ 일만자(一男子)가 연십오육(年十五六)에 우수(右手)가 구이무역(鉤而無力)하고 면색(面色)이 창백(蒼白)하며 겸(兼)하여 간질(癎疾)이 있는지라 담현방(痰眩方–담, 가래, 어지러움)을 썼더니 우수(右手)의 구(鉤)가 펴지고 현훈(眩暈 – 현기증)이 낫더라.

▶ 소견: 담현방은 보(어제, 소부), 사(태연, 태백)로 폐실증에 활용한다. 전문과 동일.

≪3≫ 일남자(一男子)가 항상(恒常) 현훈(眩暈)을 환(患)하여 일월(一月)에는 삼사차(三四次)씩 속소위(俗所謂) 간질(癎疾)을 정(呈)하고 방통지시(方痛之時)에는 혼도(昏倒)하여 우수비(右手臂)를 권체(卷掣)하고 만(挽)하기 부득(不得)한지라 담현방(痰眩方) 사오도(四五度)를 썼더니 쾌차(快差)하더라.

▶ 소견: 전문과 동일.

≪4≫ 일남자(一男子)가 연삼십여(年三十餘)에 현기(眩氣)가 이상(異常)하여 일월(一月)에 일(一), 이차(二次)씩 발(發)하며 소발시(所發時)에는 십여일(十餘日)씩 죽다 살아나고 토말(吐沫)과 함께 탄탄(癱瘓)

을 소(訴)하기 벌써 근이십년(近二十年)이라 풍현방(風眩方)을 써도 처음에 삼사삭(三四朔)은 효험(效驗)이 없더니 용침육칠삭(用鍼六七朔)에 차차 나서 복작(復作)하지 않은지가 이미 주년(周年)이니 이것이 쾌기(快己)의 점(漸)으로서 혹(或) 경작(更作)하더라도 가치(加治)하면 근심이 없을 줄로 생각된다.

▶ 소견: 풍현방은 보(경거, 중봉), 사(소부, 행간)로 간실증에 활용한다. 보는 증금, 생(음곡, 곡천, 척택), 극(대돈, 소상)한다. 현기는 풍상이고 극목은 극풍이며 사는 관으로 간승격.

8.25 제25장. 두통문(頭痛門)

≪1≫ 일남자(一男子)가 연사십여(年四十餘)에 두면(頭面)이 진통(盡痛)하되 경항(頸項)이 우심(尤甚)함으로 음곡(陰谷)·곡천(曲泉, 보(補)), 경거(經渠)·중봉(中封, 사(瀉))한지 수일(數日)에 반감(半減)하고 우수일(又數日)에 쾌거(快祛)하였다. 편두통(偏頭痛)이라 하는 것은 한쪽만 아픈 것으로, 아프지 않은 쪽 절골(絕骨)만 단사(單瀉)하여도 병(病)이 낫더라–간정격(肝正格).

▶ 소견: 사암은 경(頸 – 목덜미 앞부분)은 간, 항(項–목덜미)은 대장의 영역으로 진단한 경우가 침구요결에 기록되어 있다. 간정격.

≪2≫ 일인(一人)이 한쪽 눈에 안질(眼疾)이 대작(大作)하고 같은 쪽 골치 또한 아픈지라 대돈(大敦)·소충(少衝, 보(補)), 태백(太白)·태연(太淵, 사(瀉))하였더니 양병(兩病)이 전쾌(全快)하더라.

▶ 소견: 보는 증목, 생(소부, 행간), 극(태백, 신문, 태충)한다. 증목은 두통을 억제하고 사토는 경거 기능을 억제하며 소부의 누기를 억제한다.

≪3≫ 일부인(一婦人)이 연사십여(年四十餘)에 오른쪽 편두통(偏頭痛)이 심(甚)한지가 이미 십여 년(十餘年)이러니 좌변절골(左邊絕骨)을 사(瀉)한지 수일(數日)에 병(病)이 낫더라.

▶ 소견: 담경이며 수회혈 사용. 두는 목상, 담경은 목경이며 목경의 수회혈 의미로 해석된다.

≪4≫ 일여자(一女子)가 항시 두(頭), 경항(頸項)에 통감(痛感)이 심(甚)하고 발작시(發作時)에는 깜짝 놀라며 거안시물(擧眼視物)이 불능(不能)한데 듣건대 십세전후(十歲前後)에 경항통(頸項痛)이 있었다 한다. 비록 간후(肝候)와 비슷하나 대장증(大腸證)이 있으므로 정격(正格)을 섰더니 효험(效驗)이 있더라. 두통(頭痛)은 원래 대장증(大腸證)이 없는 것인데 경항통(頸項痛)은 치병(治病)하는 자(者)가 반드시 간경(肝經)인가 의심(疑心)하므로 풍문(風門)에 「체기허약(體氣虛弱), 풍필상부(風必傷腑)」의 증(證)을 인용(引

用)하여 해명(解明)해 둔다-대장정격(大腸正格).

▶ 소견: 경항과 대장증을 연계 진단한다. 체기허약은 간기를 의미하며 대장증이 발현된다는 의미.

8.26 제26장. 위완통문(胃脘痛門)

위완통(胃脘痛) 경험 예(經驗例)

≪1≫ 일남자(一男子)가 연가오십(年可五十)에 항상 위완통(胃脘痛)을 환(患)하는데 심하(心下)로부터 제상(臍上)에 이르기까지 작통(作痛)하기 유시무정(有時無定)하여 충통(蟲痛)과 비슷한지라 양곡(陽谷)·해계(解谿, 보(補)), 임읍(臨泣)·함곡(陷谷, 사(瀉))하였더니 수도(數度)에 유효(有效)하더라.-위정격(胃正格).

▶ 소견: 보는 증화, 생(삼리, 소해), 극(상양, 여태)한다. 사는 생의 관.

≪2≫ 일남자(一男子)가 연이십여(年二十餘)에 위완통(胃脘痛)이 있어 매양 시통(始痛)일에는 오한(惡寒), 두통(頭痛), 지절통(肢節痛) 등(等) 증(證)과 함께 사지(四肢)에 육기(肉起)하기 조율(棗栗)과 같은 것이 수(數)가 없으며 차차(次次) 소진(消盡)하기도 하고 기개(幾個)가 위부(胃部)와 양각(兩脚) 상하(上下)에 남아 있기도 하여 십여일(十餘日)을 간격(間隔)으로 반복(反復)한지가 누년(屢年)이라 위경정격(胃經正格) 오육도(五六度)로 완치(完治)하였는데 오른쪽이 승(勝)하였으므로 좌치(左治)하였으며 가마를 타고 왔다가 걸어갔다-위정격(胃正格).

▶ 소견: 전문과 동일.

8.27 제27장. 복통문(腹痛門)

복통(腹痛) 경험 예(經驗例)

외찰부분(外察部分)이 소험(所驗)한 바 많으나 지어례탁(至於肺濁)의 우통(右痛), 간통(肝痛)의 좌변(左邊), 냉통(冷痛)의 재하(在下), 위허(胃虛)의 무정처(無定處), 대장근제(大腸近臍), 혈허(血虛)의 소장(小腸)에는 가론(可論)이라 하겠으나 화울심통(火鬱心痛)은 위완통(胃脘痛)과 다르지 않은 것이 우위최난(尤爲最難)이라 하겠다.

≪1≫ 일남자(一男子)가 처음에는 복통(腹痛)을 작(作)하더니 요통(腰痛)도 있으며, 후(後)에 풍단(風丹)이 있어 왼빰이 온통 붉고 좌항대장분야(左項大腸分野)에 결핵(結核)이 많으므로 대장정격(大腸正格)을 썼더니 병(病)이 낫더라. 동시에 일여자(一女子)가 또한 차증(此證)이 있으나 다만 요통(腰痛)을 작(作)하고 풍단(風丹)이 있으므로 목을 진찰(診察)한 결과(結果) 상(上)과 같은 치료법(治療法)으로 유효(有效)하였다-대장정격(大腸正格).

▶ 소견: 항부 증세로 대장정격 사용.

≪2≫ 일부인(一婦人)이 연삽십(年三十)에 아직도 행경(行經)이 안되고 매양 복통(腹痛)을 작(作)하여 일망후(一望後)라야 조금 낫거늘 혈허작수(血虛作祟)로 진단(診斷)하여 임읍(臨泣)·삼간(三間, 보(補)), 통곡(通谷)·전곡(前谷, 사(瀉))를 하였더니 일도(一度)에 경(經)이 행(行)하고 복통(腹痛)이 점감(漸減)하더라.

▶ 소견: 소장정격 변형으로 후계 대신 삼간 사용. 후계를 사용하면 양곡, 삼간을 사용하면 양계를 보강한다. 삼간을 사용함은 양계가 보강되며 대장경(상양)이 억제된다. 따라서 임읍이 강화되고 동시에 소장경이 보강되기 때문이다(이러한 사고로 침하는 방법을 횡자한다고 하였다). 사는 관.

≪3≫ 일장정남자(一壯丁男子)가 종일(終日) 건상수역(蹇裳水役) 끝에 복통(腹痛)이 대작(大作)하거늘 임년(壬年)을 당(當)한지라 운기(運氣)로써 치(治)하고 수역(水役)은 융한(隆寒)한 것이므로 대장정격(大腸正格)으로써 치(治)하여 유효(有效)하였다. 입효활변(立效活變)의 도(道)가 미묘(微妙)하지 않은가?-대장정격(大腸正格).

▶ 소견: 임년 운기 치법은 보(양곡, 해계), 사(규음, 지음)으로 선치하고 대장정격으로 후치하였다.

≪4≫ 일부인(一婦人)이 연오십(年五十)에 배가 아파 죽을 뻔 한지가 수십일(數十日)이더니 소감지후(小減之後)에 또한 음식(飮食)이 불하(不下)하여 식체(食滯)와 같고 또 복통(腹痛)과 설사(泄瀉)가 있으나 좌변증(左邊證)이 많으므로 간울(肝鬱)로써 치(治)하였더니 이도(二度)에 유효(有效)하더라.

▶ 소견: 단순하게 좌변이 심하여 간울 치료하였다. 이는 목극토가 안되어 발현하는 증세로 해석된다.

≪5≫ 일부인(一婦人)이 연오십(年五十)에 복통(腹痛)이 고악(苦惡)하나 별(別)로 이렇다 할 부분증후(部分證候)를 확인(確認)할 수가 없으며 진찰(診察)한 결과(結果) 우협하(右脇下)에 만져지는 것이 있어서 담울(痰鬱)과 같으므로 기통방(氣痛方)을 썼더니 유효(有效)하더라. 기통(氣痛)은 우협통(右脇痛)과 같

으나 기약(氣弱)한 자(者)는 협통(脇痛)이 많이 생기고 기타(氣多)한 자(者)는 기통(氣痛)을 선작(善作)하는 것이 통례(通例)이다.

▶ 소견: 기통방은 폐승격 변형이며 보(소부, 어제), 사(척택, 곡택)으로 음곡 대신 곡택을 사용하였다. 이는 간기가 연계되었음을 의미한다. 보는 증화, 생(태백, 태연, 신문), 극(경거, 영도)한다. 배혈 의미는 경거를 극하고 간경 곡택을 사하여 억제된 경거 기능을 간(중봉)으로 연계하는 뜻이다.

≪6≫ 일남자(一男子)가 연삼십(年三十)에 항상(恒常) 소복(小腹)이 아프고 매일 새벽에 냉설(冷泄)이 있는지라 신경정격(腎經正格)을 썼더니 유효(有效)하더라-신경격(腎正格).

▶ 소견: 새벽 냉설을 신허로 진단하여 신정격 사용.

≪7≫ 일부인(一婦人)이 연오십ㅋ(年五十)에 복통(腹痛)을 환(患)한지 이미 삼십년(三十年)으로 흉복(胸腹)이 창만(脹滿)하고 이렇다 할 부분적 증후(證候)는 없으나 위완(胃脘)이 우심(尤甚)하며 발에 땀기가 없고 부상(跗上)이 또한 부(浮)한 지라 위경정격(胃經正格)을 썼더니 일도(一度)에 발에 땀이 있고 복통(腹痛)이 그치더라-위정격(胃正格).

▶ 소견: 발에 땀기가 없고 부상이 부하기에 위정격을 사용하였다. 위주혈한다. 주혈은 혈순환이며 땀기는 혈순환 과정에 의한다고 해석되기에 위정격이 합당하다.

≪8≫ 일여자(一女子)가 항상(恒常) 소복(小腹)이 작통(作痛)하는데 신약(腎弱)인지 대장(大腸)의 부족(不足)인지 항부(項部)를 진찰(診察)하니 결핵(結核)이 있으므로 불통편(不痛便) 대장정격(大腸正格)을 썼더니 즉지(卽止)하더라. 태열(胎熱)에도 많이 효험(效驗)을 보았다-대장정격(大腸正格).

▶ 소견: 소복 작통의 원인 분류 방법을 제시하였다.

≪9≫ 일남자(一男子)가 항상(恒常) 심하통(心下痛)이 있었는데 화울방(火鬱方)을 썼더니 유효(有效)하더라. 화울(火鬱)이 비록 심하통(心下痛)과 같으나 진실(眞實)한 화울(火鬱)은 은은(隱隱)히 아플 뿐이다.

▶ 소견: 화울방은 보(대돈, 소충), 사(음곡, 곡천)이며 심정격 변형으로 소해 대신 곡천을 사용하였다.

≪10≫ 일남아(一男兒)가 연십여(年十餘)에 제하통(臍下痛), 누일(屢日)에 울고 몸부림치는데 이하(耳下) 대장분야(大腸分野)를 진찰(診察)하니 결핵(結核)이 있는지라 대장허(大腸虛)인 줄 알게 되므로 정격(正格)을 썼더니 쾌차(快差)하더라-대장정격(大腸正格).

▶ 소견: 대장 주진(主津)한다. 항부의 결핵을 대장경기 이상으로 진단하였다.

≪11≫ 일여아(一女兒)가 연십사오(年十四五)세에 전신(全身)에 부종(浮腫)이 생겨 두눈을 겨우 뜨며, 두창(頭瘡)이 있은 지 이미 오래이고, 목(項) 대장분야(大腸分野)에 결핵(結核)이 있는지라 바야흐로 태독(胎毒)인줄 알게 되어 대장정격(大腸正格)을 썼더니 수일회(數三回)에 부종(浮腫)이 다 빠지고 태열(胎熱)이 또한 낫더라-대장정격(大腸正格).

▶ 소견: 전신 부종, 두창, 항부 결핵, 태독이 모두 대장경기와 연계된다.

≪12≫ 일남자(一男子)가 연십사오(年十四五)에 우변아치(右邊牙齒)가 감창(疳瘡)이 먹어서 농즙(膿汁)이 치간(齒間)으로부터 솟아나오며 왼뺨이 붓고 때로 진한(振寒)을 작(作)하며 종처(腫處)가 아프고 쑤시며 두(頭), 면일변(面一邊)을 만지지 못하게 하고 왼쪽으로 돌이킨 채 전측(轉側)이 불능(不能)한지라 목을 진찰(診察)하여 태독(胎毒)인 줄 알고 대장정격(大腸正格)을 썼더니 유효(有效)하더라. 항상결핵(項上結核)이 아니었으면 어찌 태열(胎熱)인 줄을 알았으랴. 소아(小兒)의 두창(頭瘡)과 항핵(項核)은 모두 대장(大腸)의 허(虛)이다-대장정격(大腸正格).

▶ 소견: 우변아치, 좌협부종, 진한, 전측불능, 항부태독이 모두 대장경기와 연계됨을 이해한다.

≪13≫ 일부인(一婦人)이 연오십여(年五十餘)에 복통(腹痛)이 간작(間作)한지가 이미 이삼년(二三年)인데 방통기월여(方痛幾月餘)에 안화(眼花)가 생(生)하고 양미골(兩眉骨)이 아프며, 머리를 들면 공허(空虛)한 것 같고, 심하(心下)가 울민(鬱悶)하더니 화울방(火鬱方)을 써서 일도(一度)에 견효(見效)하였다.

▶ 소견: 심정격 변형으로 간경 곡천을 사하였다.

≪14≫ 일남자(一男子)가 연근오십(年近五十)에 왼쪽 다리가 아프고 음수(陰水)가 부족(不足)한지가 오래된 데다가 행로인(行路人)의 말을 잘못 듣고 치자일근(梔子一斤)을 농전련복(濃煎連服)하였으므로 복울통(腹鬱痛)이 생긴 것이어늘 이것을 생각치 못한 병자(病者)는 두부체(豆腐滯)라 하므로 연(連)하여 내정(內庭)을 사(瀉)하기 삼사일(三四日)을 해도 불험(不驗)한지라 더욱 치의(致疑)하여 그 연유(緣由)를 물은 즉, 강화제(降火劑)를 많이 썼다하므로 심경(心經)의 수사(受邪)임을 안지라 소충(少衝)을 단사(單瀉)하였더니 수일(數日)에 울통(鬱痛)이 쾌차(快差)하였다. 만일 기미(機微)를 잘 알아채지 못하였으면 누가 병상가병(病上加病)을 알았겠느냐.

▶ 소견: 소충은 심경목혈로 이를 사함은 시경기혈을 사하는 것이므로 심경기를 억제하는 의

미이다. 부연하면 좌족이 아프다. 음수가 부족하다. 한성치자로 울복통. 강화제 사용이 중요한 내용으로 모두가 화경과 연계되었다. 다리가 아프고 음수가 부족함은 심(心)이 방광과 상합(相合) 관계임을 이해하면 심경수사임을 알 수 있다.

8.28 제28장. 요통문(腰痛門)

요통(腰痛) 경험 예(經驗例)

대범(大凡)=요통(腰痛)은 모두 방광당사(膀胱當瀉)에 관련(關聯)되는 것이어늘 시의(時醫)들이 요통(腰痛)을 다스린다는 자(者)가 모두 보(補), 사법(瀉法)을 알지 못하고 다만 위중(委中)을 자(刺)하고 곤륜(崑崙)을 자(刺)하여 혹(或) 낫기도 하나, 낫지 않는 것은 허물을 모두 병자(病者)의 조리(調理)와 가정(家庭)의 공궤(供饋-먹일 궤)에 돌려 보내고 폐(肺), 신(腎), 담(膽), 대장(大腸)의 부분(部分)을 구별(區別)하여 다스릴 줄 모르니 한탄한들 무엇하겠느냐. 요통(腰痛)은 커녕 나력(瘰癧)이 생겨서 견전함중(肩前陷中)으로부터 이주하(耳珠下)에 이르기까지 관주상(貫珠狀)을 성(成)한 것이라도 삼리(三里)·곡지(曲池, 보(補)), 양곡(陽谷)·양계(陽谿, 사(瀉))하는 대장정격(大腸正格)을 용(用)하면 낫지 않는 자(者)가 없더라.

≪1≫ 일동자(一童子)가 연십여(年十餘)에 오른쪽 다리를 절고 과골(踝骨) 밑이 돌아가면서 산통(痠痛)하며 좌우(左右) 귀밑이 결핵(結核)의 대자(大者)가 십여(十餘)요, 소자(小者)가 부계기수(不計其數)인데 대부분이 대장분야(大腸分野)에 있으며 양안흑정(兩眼黑睛)에 홍백사상물(紅白絲狀物)이 난산(亂散)하기 안개와 같거늘 대장정격(大腸正格)으로써 치(治)하였더니 사오도(四五度)에 쾌유(快癒)하더라-대장정격(大腸正格).

▶ 소견: 우족절고, 과골하 산통하며 귀밑 결핵이 대장경상이며, 양안흑정의 홍백 등은 모두 대장경기와 연계되었다.

≪2≫ 일남자(一男子)가 연십여(年十餘)에 제칠팔추(第七八椎, 腰椎)가 구부러지기 주먹과 같아서 행보(行步)할 적에는 양수(兩手)로 무릎을 짚은 지가 벌써 수년유여(數年有餘)러니 일침객(一鍼客)의 장담(壯談)하는 자(者)가 있어서 위중(委中)을 자(刺)한 후(後)부터 담박 앙와불기(仰臥不起)하며 양각(兩脚)을 뻗고 구부리지 못하고 부드럽기가 힘줄이 없는 것 같으며, 중봉혈근처(中封穴近處)를 만진 즉, 전도요요(戰掉搖搖)하거늘 내가 처음에는 근위(筋痿)인가 의심(疑心)하여 간경정격(肝經正格)을 썼더니 수일후(數月後)에 안열(眼熱)이 졸발(卒發)하고 순구(唇口)가 미란(糜爛)하며 양안흑백정상(兩眼黑白睛上)에

단단(團團) 붉고 검은 것이 각각 삼사개(三四個)씩 생겨 시물(視物)이 부득(不得)하는지라 폐경정격(肺經正格)을 용(用)하기 수도(數度)에 양안(兩眼)이 여상(如常)하고 양각(兩脚)을 겨우 굴신(屈伸)하며 요상기골(腰上起骨)이 소멸(小滅)한 것 같더니 불가피(不可避)의 사정(事情)이 있어 계속 치료(治療)하지 못하고 갔다. 삼사월후(三四月後)에 들으니 양수(兩手)로 의인행보(依人行步)한다하더라. 아까운 것은 도수(度數)를 채우지 못한 것이 한(恨)이다-폐정격(肺正格).

▶ 소견: 간, 폐는 상극 관계인데 오판하여 반대로 시침하였다. 간정격이 아닌 승격을 사용하였다면 악화되지는 않았을 것으로 해석된다.

≪3≫ 일부인(一婦人)이 항상 요통(腰痛)의 고(苦)로 먹지를 못하고 전신(全身)에 부기(浮氣)가 있는데 두(頭), 면(面)이 우중(尤重)하며 은진(癮疹)이 생(生)하고 복통(腹痛)이 있는지라 대장(大腸)의 허(虛)이므로 대장정격(大腸正格)을 썼더니 제증(諸證)이 쾌차(快差)하더라-대장정격(大腸正格).

▶ 소견: 상기 예와 동일.

≪4≫ 일남자(一男子)가 연오십(年五十)에 요통(腰痛)과 함께 우각(右脚)이 무력(無力)한지가 이미 누년(屢年)이러니 항부(項部)를 진찰(診察)한 결과(結果) 대장분야(大腸分野)에 결핵(結核)이 있으므로 대장정격(大腸正格)을 썼더니 수도(數度)에 낫더라-대장정격(大腸正格).

▶ 소견: 상기 예와 동일.

≪5≫ 일부인(一婦人)이 제구요추(第九腰椎)가 구부러지고 일어나면 전(前), 후음(後陰)이 당기고 아프며, 양쪽 환도이하(環跳以下) 오금(膕)위가 자통불인(刺痛不仁)하며 귀배(龜背)가 되어 장궁노현(張弓弩弦)한지라, 폐정격(肺正格)을 쓴 결과(結果) 제통(諸痛)이 진제(盡除)하고 추곡(椎曲)이 반쯤 펴졌더니 측근자(側近者)의 저훼지만(詛毁止挽)으로 수도(數度)를 미진(未盡)한 까닭에 쾌효(快效)를 보지 못하였으니 가석(可惜)한 일이다-폐정격(肺正格).

▶ 소견: 요추가 구부러지는 증세가 무엇인가 해석하면 외상을 제외하면 내적으로 수없이 연계된 근의 수축력 이상으로 판단할 수 있다. 근의 양적 기능은 방광에 의해 좌우된다. 다른 증세 또한 폐기능 불급이다. 방광과 폐는 상통 관계.

≪6≫ 일남자(一男子)가 연근육십(年近六十)에 귀배(龜背)를 환(患)하여 입맛이 쓰고 먹지를 못하며 흉중(胸中)이 찢어지는 것 같고 똑바로 서면 신장(身長)이 평일(平日)에 반(半)에 불과(不過)한지라 태백(太白)·태연(太淵, 보(補)), 소부(少府)·어제(魚際, 사(瀉))하였더니 삼도(三度)에 행보(行步)가 소이(少異)할 뿐

이러니 다시 육칠도(六七度)에 쾌전(快痊)하였다-폐정격(肺正格).

▶ 소견: 구배, 흉중 등은 폐기능의 불급 상태로서 금극목(담)이 불리하여 입맛이 쓸 수 있으며 신장 축소 등 폐경기와 연계되어 폐정격 사용.

≪7≫ 일남자(一男子)가 연이십(年二十)에 귀배(龜背)를 환(患)하기 시작하여 나이(年)를 따라 더욱 심(甚)한지라 폐경정격(肺經正格)을 썼더니 일도(一度)에 반쯤 펴지고 앙와(仰臥)하면 등에서 절골성(折骨聲)이 나더라-폐정격(肺正格).

▶ 소견: 상기 예와 동일.

≪8≫ 내가(舍岩 자신) 소시(少時)로부터 은은(隱隱)히 요통(腰痛)이 있고 혹환절기(或換節期)에는 좌우수비(左右手臂)가 수종(水腫)과 같았다가 혹(或) 이삼월(二三月)에 풀리기도 하고 혹(或)은 사절(四節)을 풀리지 않기도 하며 혹(或)은 가을(秋)이면 우극(尤劇)하여 흉배(胸背)가 무중(瞀重)하고 상복(上腹)이 여포(如飽)하며, 이명(耳鳴)이 대작(大作)하고 때로는 소연(蕭然)이 잠이 드나, 때로는 공포증(恐怖症)을 느끼거늘 널리 약사(藥肆)에 물었더니 내종(內腫)이라고도 하고 심화(心火)라고도하여 백구(百口)가 이설(異說)하고 한사람도 대장증후(大腸證候)인 것을 말하는 사람들이 없더라. 시체 사람들이 잘못 허로(虛勞)라 지칭(指稱)하여 생명(生命)을 버리는 자(者)가 십상팔구(十常八九)로 이것이 대장(大腸)의 허(虛)이다. 나의 삼제(三第)와 장질(長姪)이 모두 이것으로 그르쳤다. 하고(何故)아 모태부족(母胎不足)과 두경(痘經)의 여열(餘熱)로 항핵(項核)이 되고, 후열(喉熱)이 되고 입이 마르고 재채기를 잘하며, 협액(脇腋)이 아프고 산기(疝氣)로 되며, 풍질(風疾)도 되고 열격(噎膈)도 되며 안질(眼疾)도 된다. 차등제증(此等諸證)은 이른바 품부부족(稟賦不足)으로서 가장 한(恨)되는 것은 만각(晩覺)이다. 경열(經閱)이 아니면 여신(如神)한 차이(此理)를 어찌 알겠느냐?

▶ 소견: 내용은 많으나 모든 증세가 체기 허약에 의한 진단으로 대장정격.

8.29 제29장. 협통문(脇痛門)

협통(脇痛) 경험 예(經驗例)

우협통(右脇痛)은 담연증(痰涎證)과 같으나 만일 담통(痰痛)이라면 우협(右脇)이 다만 통악(痛惡)할 뿐이오 심하견(心下牽)은 때로 당기고 아프다. 많이 경험(經驗)한 것이다.

≪1≫ 일남자(一男子)가 연삼십(年三十)에 항상(恒常) 심통(心痛)을 환(患)하고 몹시 수척(瘦瘠)한지라 대돈(大敦)·소충(少衝, 보(補)), 어제(魚際, 사(瀉))하기 이도(二度)에 견효(見效)하였다. 전(前)부터 심하견인(心下牽引)이 아래로 횡골(橫骨)까지 뻗어서 정립(正立)하지 못하던 터이다.

▶ 소견: 보는 증목, 생(소부, 행간), 극(태백, 신문)한다. 즉 소부 기능은 보강한다. 소부는 모든 경화의 원이므로 각 경의 화가 보강되나 사어제하여 폐경화를 억제하였다. 이는 보소충으로 심경기를 보강하고 사어제(화는 경기의 확대 의미)로 폐경기를 억제하였다. 심, 폐균형을 조절한 배혈로 해석된다.

8.30 제30장. 제기통문(諸氣痛門)

기통(氣痛) 경험 예(經驗例)

주왈(註曰) 군자(君子)는 행지무우(行之無憂)어늘 하기지유재(何氣之有哉)아, 경(經)에 왈(曰) 궐(蹶-넘어질 궐) 자(者) 추(趨-달릴 추) 자(者)는 시기야(是氣也)로서 반동기심(反動其心)이오 영위지배합(營衛之配合)은 이소고연자야(理所固然者也)라, 기자(氣者)는 기지소출(己之所出)이나 기성병근(己成病根)하여 불능자제자야(不能自制者也)로다.

≪1≫ 일소아(一小兒)가 연오육(年五六)에 항시(恒時) 별복(鱉腹)을 환(患)하여 침약(針藥)으로 소하(小可)하더니 잘못 높은 마루에서 떨어져 경도(驚倒) 부기(扶起)한지 식경(食頃)에 회생(回生)하더니 기후(其後)부터 경혼일경(驚昏一頃)에 기(起)하고 시시(時時)로 오한두통(惡寒頭痛)을 소(訴)하거늘 소충(少衝, 보(補)), 소부(少府, 사(瀉))하였더니 일차(一次)에 낫더라(침구요결은 보, 소충이나 필사본은 태충으로 기록되었음).

▶ 소견: 보(태충)가 논리적으로 합당하다. 어린이는 간기가 미약하여 쉽게 놀란다. 사관의 합곡 대신 사(소부)하였다. 태충으로 혈원을 안정시키고 이를 사(소부)로 심경에 연계하며 심경항진은 억제한 배혈로 해석된다. 오한 두통은 경도에 의해 심경이 수사하면 방광 경기 이상으로 상합의 불리 상태로 해석된다. 간혹 이유 없이 방광염증이 있는 여성의 경우 심적 이상이 발견되면 심, 방광 상합 관계 불리로 진단하여 치료한 경우가 적지 않다. 놀라기만 해도 방광염증이 생기는 여성이 의외로 많다.

≪2≫ 일남자(一男子)가 연근삼십(年近三十)에 기처(其妻)가 발광(發狂)이 대작(大作)하는 것을 보고 여치부진(如癡不振)하더니 일일간(一日間)에 오한(惡寒)이 삼사차(三四次)요, 언어(言語)가 불명(不明)하고

점침(漸駸-말달릴 침) 점극(漸極)하여 보는 사람들이 필사불치(必死不治)라 하더니 경란본방(驚亂本方)으로써 치(治)하기 일차(一次)에 병쾌(病快)하더라.

▶ 소견: 본방은 보(태충), 사(소부)로 심, 간배혈로 증세 내용과 일치한다. 태충은 간수혈이며 원혈로 혈기를 안정시키고, 소부는 심의 본으로 사하여 혈순환을 억제하고 정신적 안정을 취한다.

8.31 제31장. 산기문(疝氣門)

산기(疝氣) 경험 예(經驗例)

≪1≫ 일남자(一男子)가 연오십여(年五十餘)에 제(臍)를 중심(中心)으로 하(下)로는 곡골(曲骨), 상(上)으로는 협하(脇下)에 이르기까지 우변(右邊)이 인통(引痛)하므로 기산(氣疝)으로써 치(治)하였더니 곧 낫더라.

▶ 소견: 기산은 폐정격으로 보(태연, 태백), 사(소부, 어제)한다. 곡골 부위는 방광 모혈 부위이며, 우협하는 간 부위로서 폐는 방광과 상통, 간과 상극 관계(금극목에 의해 간 기능이 정상이 된다).

≪2≫ 일남자(一男子)가 연이십(年二十)에 우변음낭(右邊陰囊)이 편추(偏墜)하여 크기가 주먹같고 혹원행(或遠行)하면 장부(臟腑)가 당기고 아프다 하거늘 태백(太白)·태연(太淵, 보(補)), 소부(少府)·어제(魚際, 사(瀉))하였더니 수도(數度)에 유효(有效)하더라. 음낭편추(陰囊偏墜)는 퇴산(㿗疝)으로 치(治)하여야 하고 우협통(右脇痛)은 폐후(肺候)가 있으므로 폐정격(肺正格)을 쓴 것이다–폐정격(肺正格).

▶ 소견: 퇴산은 보(삼음교, 양릉천), 사(삼리, 태백)인데 사용 여부는 확실치 않고 폐정격을 사용하였다고 만하였다. 퇴산은 소장경기 이상으로서 퇴산치법을 사용하지 않고 폐정격만으로도 가능한 것은 폐와 소장이 상합(相合) 관계로 폐경기 이상은 소장 경기에 영향을 끼치기 때문으로 해석된다.

≪3≫ 일남자(一男子)가 연이십여(年二十餘)에 명치(鳩尾)로부터 아래로 곡골(曲骨)에 이르기까지 반상물(盤狀物)이 있고 우협하(右脇下)에 서넛 또는 너덧 손가락(可容三四肢) 내(內)의 별(鱉)과 같은 것이 만져지는데 듣건대 시작(始作)된 후(後)로 더하지도 않고 덜하지도 않으며, 일정부동(一定不動)하다 하는지라 이것은 음경(陰經)의 증(證)으로 인정(認定)되고 중만(中滿)하다 하므로 처음이 비적방(脾積方)을 썼더니 삼사도(三四度)에 효험(效驗)이 없는지라 다시 혈산방(血疝方)을 쓰기 이일(二日)에 눈에 현기(眩氣)가 있다가 삼오일(三五日)에 다시 현기(眩氣)가 없었는데 마침 수백리(數百里) 밖인 본가(本家)에서 보교(步轎, 조군)가 왔으므로 부득이(不得已) 귀가(歸家)하였다. 도가후(到家後)에는 삼사일(三四日) 동안

복통여실(腹痛如失)하였으나 방사(房事)를 불근(不謹)함으로써 급기야(及其也)는 불귀(不歸)의 객(客)이 되고 말았다. 가석(可惜)한 일이다.

▶ 소견: 혈산방은 보(대돈, 소충), 사(음곡, 소해)로 심정격.

8.32 제32장. 각기문(脚氣門, 痿證 및 通風條 參照)

각기(脚氣) 경험 예(經驗例)

≪1≫ 일남자(一男子)가 연이십여(年二十餘)에 우슬골후당중(右膝骨後當中)에 구창(久瘡)이 있은지 벌써 삼사년(三四年)이라 농(膿)이 흘러 내려와 버선 목을 적시며 아픈 다리를 뻗고 구부리지 못하는지라 임읍(臨泣)·함곡(陷谷, 보(補)), 여태(厲兌)·상양(商陽, 사(瀉))하기 수일(數日)에 구부린 것을 펴고, 삼도(三度)에 병(病)이 완쾌(完快)하였다. 이것이 비록 각족(脚足)의 병(病)이나 위부(胃部) 습상(濕傷)의 소치(所致)이므로 승격(勝格)으로써 치(治)한 것이다-위승격(胃勝格).

▶ 소견: 우슬골 후 당중이 정확히 알 수 없으나 슬골하는 위경 영역이며 습상과 종창으로 위승격 사용.

8.33 제33장. 통풍문(痛風門, 所謂 麻木者는 多有此證)

통풍(通風) 경험 예(經驗例)

≪1≫ 일남자(一男子)가 연이십(年三十)에 사지(四肢)와 전신(全身)이 자통(刺痛)하고 사오일후(四五日後)에 무수(無數)한 결핵(結核)이 생겨서 주먹, 혹(或)은 호도(胡桃) 및 생율(生栗)과 같은지라 이렇게 하기를 수십일(數十日)하다가 곧 풀려 평상(平常)과 같고 삼사일후(三四日後)에 다시 그런지가 벌써 누년(屢年)이라 하는지라 상양(商陽)·규음(竅陰, 보(補)), 양곡(陽谷)·양보(陽輔, 사(瀉))하였더니 복작(腹作)하지 않고 수도(數度)에 쾌차(快差)하였다. 차증(此證)은 행비(行痺)인 것이다-담승격(膽勝格).

▶ 소견: 행비는 허사가 혈기와 상박하여 관절에 모여서 발생한다. 담주골(관절 위주)한다. 따라서 담승격을 사용하였다.

≪2≫ 일남자(一男子)가 연십여세(年十餘歲)에 족대지내측(足大趾內側)에 피육(皮肉)이 탄개(綻開)하기 장(長)이 촌여(寸餘), 광(廣)이 삼분허(三分許)로 부양부통(不癢不痛)한지가 이미 수년(數年)이라 말하

기를 유락(油烙)이라야 가치(可治)한다하여 면니(麵泥)로써 사위(四圍)하고 채종유(菜種油)로 낙(烙)하기 수차(數次)에 불한불열(不寒不熱)한다하므로 대돈(大敦)·은백(隱白, 보(補)), 경거(經渠)·상구(商丘, 사(瀉))하기 이도(二度)에 완합(完合)하고 사도(四度)에 완차(完差)하더라.

皮肉이 터지는 것은 착비(着痺)이다-비승격(脾勝格).

▶ 소견: 현대의 통풍 증세, 또한 족대지 내측은 비경이므로 비승격 사용.

≪3≫ 일남자(一男子)가 연근삼십(年近三十)에 수대지(手大指)가 마목(麻木)하였는데 잘못 침(鍼)하고 구(灸)하여 벌써 한마디가 물러났으며, 병세(病勢)는 더하다 하므로 소부(少府)·어제(魚際, 보(補)), 척택(尺澤)·음곡(陰谷, 사(瀉))하였더니 유효(有效)하더라-폐승격(肺勝格).

▶ 소견: 수대지마목과 경락 유주로 폐승격.

≪4≫ 일여자(一女子)가 연근삼십(年近三十)에 오른발 상구(商丘)·연곡(然谷)·용천혈처(湧泉穴處)가 미백(微白)하기 일장대(一掌大)와 여(如)하고 진독(疹毒) 같기도 하며, 속미(粟米)같기도 한 것이 하얗고 붉으며, 붙은 곳이 몹시 가렵다 하는지라 대돈(大敦)·은백(隱白, 보(補)), 경거(經渠)·상구(商丘, 사(瀉))하기 삼개월(三個月)에 병(病)이 나았다. 착흔(着痕)이 신경(腎經)에 범(犯)한 것은 흔히 착비(着痺)로써 치(治)함은 하고아? 신경(腎經)은 근본 마(麻)가 없는 까닭이다-비승격(脾勝格).

▶ 소견: 착비는 습승 증세로 보(대돈, 은백), 사(경거, 상구)로 비승격.

≪5≫ 일남자(一男子)가 연삼십(年三十)에 양각족(兩脚足)이 미란(糜爛)하기 습창(濕瘡)과 같은 것이 위로 흉배(胸背)에 지(至)한지라 대돈(大敦)·은백(隱白, 보(補)), 경거(經渠)·상구(商丘, 사(瀉))하였더니 유효(有效)하더라. 착비(着痺)로서 치(治)한 것은 병재부(病在部)가 비경분야(脾經分野)요, 창(瘡)의 아래에 있는 것은 습(濕)인 까닭이다-폐승격(脾勝格).

▶ 소견: 상기 전 예와 동일.

≪6≫ 일남자(一男子)가 연삼십여(年三十餘)에 미저골(尾骶骨)로부터 뒤로 요하(腰下)에 이르기까지 여장대(如掌大)의 피부(皮膚)가 심백색(深白色)을 정(呈)하고 반연(斑然)하기 호문(虎紋)과 여(如)한대, 듣건대 칠팔세전(七八歲前)에 우족대지단(右足大趾端)에 생창(生瘡)하여 백치무효(百治無效)했다 하므로 소부(少府)·어제(魚際, 보(補)), 척택(尺澤)·음곡(陰谷, 사(瀉))하였더니 대지창(大趾瘡)이 먼저 낫더라-폐승격(肺勝格).

▶ 소견: 침백색 부위와 우족대지단의 생창은 방광경과 폐경의 관계로 해석된다.

≪7≫ 일남자(一男子)가 연사십(年四十)에 사말(四末)이 부백(浮白)하고 위전무력(痿戰無力)하여 겨우 문정출입(門庭出入)이 있을 뿐이며, 전면(全面)이 홍훈(紅暈)하고 전신(全身)에 부기(浮氣)가 있는 것같은 지라 처음에 통비증(痛痺證)으로 치(治)하여 불효(不效)하더니 기비(肌痺)로써 치(治)하였더니 유효(有效)하더라. 경락(經絡)도 불명(不明)하였지만 사말(四末)과 면부(面部)는 위(胃)에 속(屬)한 까닭이다–위승격(胃勝格).

▶ 소견: 기비는 풍, 한, 습이 입부하여 발생하며 위승격은 보(임읍, 함곡),사(여태, 상양)한다.

≪8≫ 일남자(一男子)가 사말(四末)과 면부(面部)에 풀을 발라 마른 것 같되 수(手)의 폐분야(肺分野)가 우심(尤甚)하므로 폐승격(肺勝格)을 썼더니 유효(有效)하더라. 백호풍(白虎風)이 아니거늘 차방(此方)으로써 치(治)함은 하고(何故)인가? 폐병(肺病)이 위에 있는 자(者)는 흔히 폐승격(肺勝格)을 쓰는 까닭이다–폐승격(肺勝格).

▶ 소견: 폐승격 보(소부, 어제), 사(음곡, 척택)한다.

≪9≫ 일여자(一女子)가 연육십(年六十)에 양편견비통(兩便肩臂痛)과 마비(麻痺)가 심(甚)하였는데 시의(時醫)가 천응혈(天應穴)을 난자(亂刺)함으로 인(因)해 病勢가 전극(轉劇)하여 의복(衣服)을 여미는데도 타인(他人)을 의뢰(依賴)하더니 통비한승(痛痺寒勝)으로 치(治)하였더니 유효(有效)하더라.

▶ 소견: 통비한승은 보(양곡, 양계), 사(통곡, 이간)으로 대장열격.

≪10≫ 일남자(一男子)가 연이십여(年二十餘)에 두다리 무릎 아래가 빈틈없이 짓물러 추동(秋冬)에 더욱 심(甚)하고 춘하(春夏)에는 피육(皮肉)이 견후(堅厚)하며 밖에는 적흑부백(赤黑浮白)하여 비(痺)와 여(如)한지 벌써 십여년(十餘年)에 거거우심(去去尤甚)하더니 착비방(着痺方)을 썼더니 유효(有效)하더라–비승격(脾勝格).

▶ 소견: 착비는 습승으로 보(대돈, 은백), 사(경거, 상구)로 비승격.

≪11≫ 일여자(一女子)가 연삼십(年三十)에 좌수대지(左手大指), 차지중절(次指中節)이 먼저 마비(麻痺)되어 점점(漸漸) 구안와사(口眼喎斜)에 이르는지라 통비한승방(痛痺寒勝方)을 썼더니 유효(有效)하더라.

▶ 소견: 대장열격

≪12≫ 일남자(一男子)가 연근삼십(年近三十)에 백전(白錢)과 같은 것이 우각행골전(右脚骱骨前) 간

분야(肝分野)에서 시작(始作)되어 위분야(胃分野)에 연급(延及)되었으나 발제전후(髮際前後)가 우백(尤白)하기 오육년(五六年)에 도리어 위부(胃部)보다 심(甚)하였는데, 들건대 간분야(肝分野)에서 시작(始作)되었다하므로 근비(筋痺)로써 치(治)하였더니 유효(有效)하더라. 이것 뿐이 아니라 백전(白錢)이 각부(脚部)에서 시작(始作)한 것은 간(肝)이며 하얗기가 눈과 같은 것이 간(肝)이 많은 것은 여러 번 경험(經驗)한 것이다–간정격(肝正格).

▶ 소견: 근비, 간정격 (다양한 증세가 있어도 가장 오래된 증세를 원인으로 해석하였다).

≪13≫ 일남자(一男子)가 연오십여(年五十餘)에 전신(全身)이 소양(瘙痒)하며 빛이 암적복백(暗赤復白)한 것이 미저골전후(尾骶骨前後)로부터 시작(始作)되어 음낭전모제(陰囊前毛際), 신맥하(申脈下)가 역심(亦甚)하며 상부(上部)는 척택근지(尺澤近地)가 더욱 심(甚)하여 비록 골비(骨痺)에는 이르지 아니 하였으나 양수부족(陽水不足)을 알았으므로 방광정격(膀胱正格)을 썼더니 유효(有效)하더라–방광정격(膀胱正格).

▶ 소견: 전신 소상은 전신 피부이고, 신맥은 방광경기, 척택 부위 등 폐와의 연계가 많고 폐와 방광이 상합 관계임을 감안하고 증세의 시작이 미저골 전후이므로 방광정격을 사용하였다고 해석된다.

≪14≫ 일부인(一婦人)이 우견(右肩)이 통비(痛痺)하고 손도 또한 같으며 기형(其兄)이 원래(元來) 침약(鍼藥)으로 유명(有名)하여 데려오더니 천응혈(天應穴)을 난자(亂刺)함으로 인(因)해 통세(痛勢)가 경심(更甚)하고 한열(寒熱)이 왕래(往來)하여 거지(擧止)가 민조(憫措)하므로 의대(衣帶)를 사람에게 의뢰(依賴)하게된지라 내가 통비한승(痛痺寒勝)으로써 치(治)하였더니 일일(一日)에 진한(振寒)이 그치고 수회(數回)에 통비(痛痺)가 그쳐서 의대자임(衣帶自任)이 가능(可能)하더라.

▶ 소견: 대장열격

≪15≫ 일남자(一男子)가 우슬상내측(右膝上內側)에 백전(白錢)과 여(如)한 것이 일수장대(一手掌大)로 시작(始作)되어 전신(全身)에 延及되어서 大小가 斑斑하였는데 肝分野에서 始作되었다하므로 연급정격(肝經正格)을 용(用)하기 수월(數月)에 견효(見效)하였다. 그러면 속명(俗名) 전풍(癜風)이라는 것은 간(肝), 비경(脾經)에서 자출(多出)하는 것인가 보다–간정격(肝正格).

▶ 소견: 우측이며 백전이나 간부에서 시작한 관계로 간정격 사용.

≪16≫ 일남자(一男子)가 연사십오(年四十五)에 좌수소지(左手小指)가 구부러지고 오른팔이 세이소

력(細而小力)하며 소지내외측(小指內外側)이 마목(麻木)한지라 처음에는 심경정격(心經正格)을 써도 효험(效驗)이 없어서 다시 맥비방(脈痺方)을 썼더니 유효(有效)하니 그렇다면 심경(心經)에는 원래(元來) 마목(麻木)이 없는 것인가 보다–소장정격(小腸正格).

▶ 소견: 맥비방은 소장허로 보(임읍, 후계), 사(통곡, 전곡)한다. 소지 내, 외마목으로 심, 소장을 구분하기 어려우나 오른팔 세이소력과 구부러짐은 소지 첫 관절을 뜻한다. 이는 폐경기 이상으로 폐, 소장 관계를 감안하여 해석된다.

≪17≫ 일남자(一男子)가 연사십(年四十)에 우족속골(右足束骨)로부터 위로 과골하(踝骨下)에 이르기까지 마목(麻木)이 있는지라 골비방(骨痺方)을 썼더니 유효(有效)하더라–방광정격(膀胱正格).

▶ 소견: 경락 진단, 골비방 병증(제33장 통풍문)에서 견증(見證)은 고통이 심을 공하고…로 해석하며 방광정격을 사용하였다. 이는 심과 방광의 상합 관계를 암시한다. 보(상양, 지음), 사(삼리, 위중)로 통곡 기능을 보강한다.

≪18≫ 일남자(一男子)가 오른발 부상(趺上)에 행역지여(行役之餘)의 신들미근에 치상(致傷)하여 오래 욕(辱)보다가 합창(合瘡)은 되었으나 본처(本處)에 항상(恒常) 근핵(根核)이 있어 구이성마(久而成麻)하여 전신(全身)에 연급(延及)하여 대두대(大豆大), 대소전대(大小錢大), 혹(或)은 소아권대(小兒拳大)의 멍울이 연면(延綿)하고 부기(浮氣)가 두종(痘腫)의 미농(未膿)한 것과 같으며 상순(上脣)이 부적(浮赤)하고 동요(動搖)가 불능(不能)하고 비준(鼻準)에 연급(延及)되어서 미간(眉間)에 즉상(卽上)하여 발제(髮際)에 접근(接近)하는지라 상순(上脣)은 위(胃)에 속(屬)했고 부상(趺上)은 비(脾)이므로 기비방(肌痺方)을 썼더니 유효(有效)하더라–위승격(胃勝格).

▶ 소견: 우측부상–항시근해–전신연급–멍울부기–상순부적–동요불능–비준–미간–발제 접근으로 전개되었다. 상순 속위와 부상 속비이며, 비보다는 위의 증세가 많으므로 골비로 진단하였다.

≪19≫ 일남자(一男子)가 연이십(年二十)에 우변구안(右邊口眼)이 와사(喎斜)하고 소지외측(小指外側)으로부터 주상(肘上)에 지(至)하기까지 마목(麻木)하며 안주(眼珠)가 빨갛고 뒤집히고 전신(全身)에 마목처(麻木處)가 많으며 오른발 과골(踝骨) 아래가 헐어서 아물지 않고 왼발 엄지발가락이 터져서 창(瘡)이 된지가 이미 오륙년(五六年)이 된지라 먼저 맥비(脈痺)로써 치(治)하였더니 사오도(四五度)에 구(口), 안(眼)이 바로 되며, 두군데 창(瘡)이 모두 아물고 마목증(麻木症)이 여소(如掃)하더라. 그러기까지는 이십여도(二十餘度)가 걸렸다–소장정격(小腸正格).

▶ 소견: 밑줄있는 증세 중 과골하헐은 담, 족엄지의 창은 비증세이며 다른 모든 증세는 소장증으로 해석된다. 소장—비—담증으로 연계 해석된다. 소장허증이라며 보(임읍, 후계), 사(여태, 상양)하였다. 사수(통곡, 전곡)대신 사금(여태, 상양)의 차이는 사수는 화, 사금은 토를 위함이다.

≪20≫ 일남자(一男子)가 연근오십(年近五十)에 좌슬내측(左膝內側)에 전풍(癜風)이 나더니 점점(漸漸) 커져서 손바닥만하여 만지면 마목(麻木)한지가 팔구년(八九年)이오 전신(全身)이 모두 변(變)하고 눈썹이 빠져서 문을 닫고 주저 앉은 지가 이미 수년(數年)이라 처음 볼 때에 전신(全身)이 모두 같고 부분(部分)을 분별(分別)할 수가 없었는데 자세히 물은 결과(結果) 슬내(膝內)에서 시작(始作)된 줄 알고 근비(筋痺)로 확인(確認)하였으나 병자(病者)는 올 수가 없고 또 가서 치료(治療)하지도 못하게 되었으므로 본방(本方)과 호흡보사법(呼吸補瀉法)을 알려 주어서 병자(病者)로 하여금 자침(刺針)하게 하였더니 주년(周年)에 과반(過半)이나 나았다하니 지금쯤은 완차(完差)하였을 줄로 믿어진다–간정격(肝正格).

▶ 소견: 체위, 유주의 증세가 간허에 의함으로 근비로 진단하였다. 보(음곡, 곡천), 사(경거, 중봉).

≪21≫ 일남자(一男子)가 연이십여(年二十餘)에 한쪽 소지(小趾), 차지(次趾) 마디가 물러나고 악연(惡涎)이 흐르며 족전후(足前後)에 마목처(麻木處)가 많은지라 소지(小趾), 차지(次趾)는 담경역(膽領域)으로서 소지(小趾)에서 시작되었다하므로 골비방(骨痺方)을 썼더니 유효(有效)하더라–방광정격(膀胱正格).

▶ 소견: 소지, 차지가 담영역이라 함은 관절을 뜻하며, 소지는 방광경이므로 방광정격을 사용하였다.

≪22≫ 일남자(一男子)가 연사십(年四十)에 우수(右手)가 마비(麻痺)되고 아프기가 탕화중에 들어간 듯, 항시 물로 축이고 겨울밤에도 방에 들어앉지 못하고 손가락을 내흔드는데 부분이 불명하나 하월로 부터 시작된 줄 알고 맥비(脈痺)로 치(治)하였더니 유효(有效)하더라–소장정격(小腸正格).

▶ 소견: 우수는 속폐하고 극통이 열화하고 하월에 시작이라 하며 소장정격을 사용하였다. 폐, 소장의 관계를 암시한다.

≪23≫ 일남자(一男子)가 연오십(年五十)에 오른손 지구(支溝) 위가 어린아이 손바닥만큼 천백(淺白)하고 피개육란(皮開肉爛)하나 유엽(柳葉)의 소자(小者)와 여(如)하며 그 손등이 한결같이 천백(淺白)하여 손으로 만지며 환처를 깊이 긁으면 아프고, 얕게 긁으면 아프지 않은 지가 이미 십여년(十餘年)이라 삼초(三焦)는 비록 원래(元來)부터 마목(麻木)이 없는 것이나 환처(患處)가 정(正)이 지구상(支溝上)에 있으므로 처음에는 임읍(臨泣)·중저(中渚, 보(補)), 액문(液門)·협계(俠谿, 사(瀉))하였더니 치(治)하기 삼사

월(三四月)에 효험(效驗)이 없고, 또 천백(淺白)한 까닭으로 백호풍(白虎風)인가 의심(疑心)하여 치(治)하기 월여(月餘)에 육란(肉爛)이 점점(漸漸) 자만(滋蔓)하여 진증(診證)이 또한 어려운지라 통비한승(痛痺寒勝)으로써 시치(試治)하였더니 역시 수월(數月)에 불험(不驗)하거늘 바야흐로 얕게 긁으면 아프지 않은 것은 피비(皮痺)인줄을 깨닫고 본법(本法)으로 치(治)하기 수월(數月)에 터진 피육(皮肉)과 진물은 살이 모두 합창(合瘡)이 되더라. 그러나 병자(病者)가 수삼방(數三方)을 시(試)함에 싫증이 나서 철거(輟去)하므로 나 또한 붙들지 않았다-폐정격(肺正格).

▶ 소견: 우측 지구혈 부위, 소양 증세에 보(임읍, 중저), 사(액문, 협계)함은 삼초정격 변형을 사용하여 무효험하였고 천백하므로 백호풍으로 진단하여도, 통비한승(대장열격)하여도 무효험한 후에 결론은 얕게 긁으면 아프지 않아서 피비로 진단하였으나 얕게 긁음이 어떤 의미인지는 밝히지 않았다. 이는 폐주피모에 의한 의미가 아닌가 생각되지만 지구가 삼초경이고 삼초는 폐와 상합 관계이므로 폐정격으로 해석된다.

≪24≫ 일여자(一女子)가 연십여(年十餘)에 요척좌변일촌허(腰脊左邊一寸許)에 먼저 작은 돈짝만한 백호풍(白虎風)이 생기(生起)하여 심백무설(深白無屑)하더니 일세(一歲)에 지(至)하여 대전(大錢)과 여(如)하여 우배항측(右背項側)에 또 백흔(白痕)이 생(生)하여 기자대(棋子大)와 여(如)한지라 피비방(皮痺方)으로 치(治)하기 일월(一月)에 먼저 항측(項側)의 것이 소멸(消滅)되고 배척(背脊)의 것은 삼사삭(三四朔)이 걸려서 낫더라-폐정격(肺正格).

▶ 소견: 요척좌변 1촌 부위는 방광경 유주 부위이며 백호풍과 심백무층은 폐의 영향이므로 폐와 방광의 상통 관계로 해석하며, 항측은 대장영역이라 하였으니 대장-폐-방광의 관계로 해석된다.

8.34 第34장. 위증문(痿症門)

위증(痿證) 경험 예(經驗例)

≪1≫ 일소아(一小兒)가 연이세(年二歲)에 별학(鱉瘧)으로 구통(久痛)하였는데 칠계삼수(漆鷄三首) 먹이기를 권(勸)하는 사람이 있어 칠피삼합(漆皮三合)을 전복(煎服)하더니 인(因)하여 칠독(漆毒)을 발(發)해서 우측(右脚)이 위벽(痿躄)하고 슬하(膝下)가 세이무력(細而無力)하여 이지(履地)가 불능(不能)하며 대지(大趾)를 굴(屈)하여 향하(向下)하는지라 근위(筋痿)로 좌치(左治)하였더니 유효(有效)한지라, 그러면 간증(肝證)도 우(右)에 재(在)하기도 한가보다-간정격(肝正格).

▶ 소견: 위벽의 사전적 의미는 폐열엽초로 인해 사열이 혈맥을 작상하기 때문이다. 대부분 하지부터 시작하여 수족으로 악화된다. 우각 증세면 대부분 경우 속폐로 진단하나 대지가 굴하되었기에 간정격을 사용하며 간증도 우측에 있다.

≪2≫ 일남자(一男子)가 연사십(年四十)에 좌슬(左膝)이 산통(痠痛)하여 제방(諸方)을 용(用)하기 수조(數條)에 불효(不效)함으로 태백(太白)·태연(太淵, 보(補)), 소부(少府)·어제(魚際, 사(瀉))하였더니 일도(一度)에 쾌차(快差)하더라–폐정격(肺正格).

▶ 소견: 좌슬산통에 폐정격을 사용하였다. 좌, 우의 진단이 아닌 위벽 증세 때문이다.

≪3≫ 일소아(一小兒)가 왼쪽 다리가 힘이 없어서 앉으나 서나 들지 못하는데 그 좌협(左脇)을 만지니 별복(鱉腹)의 흔(痕)이 있는지라 근위방(筋痿方)으로 우변(右邊)을 치(治)하였더니 일도(一度)에 제증(諸證)이 병쾌(倂快)하더라–간정격(肝正格).

▶ 소견: 좌협의 이상은 우협 내의 간에 의한 목극토 불리로 발현되기에 좌간우폐라 하였다.

≪4≫ 일소아(一小兒)가 귀배(龜背)와 구흉(龜胸)이 생기(生起)하고 양각(兩脚)이 위벽(痿躄)하여 굴신(屈伸)하지 못하고 장와불기(長臥不起)하며 양족(兩足)을 시시(時時)로 전도(戰掉)하되 만지면 더하거늘 귀배(龜背)와 위벽(痿躄)은 모두 폐상(肺傷)인지라 태백(太白)·태연(太淵, 보(補)), 소부(少府)·어제(魚際, 사(瀉))하였더니 제증(諸證)이 병쾌(倂快)하였다–폐정격(肺正格).

▶ 소견: 구배, 구흉, 양각은 방광경으로 연계되었고, 방광주근하며 폐와 상통 관계임을 적용, 해석된다.

8.35 제35장. 이병문(耳病門)

이병(耳聾) 경험 예(經驗例)

≪1≫ 일남자(一男子)가 연사십여(年四十餘)에 근력(筋力)이 장대(壯大)한데 까닭없이 귀가 먹어서 들리지 않는지라 경거(經渠)·부류(復溜, 보(補)), 지구(支溝)·양보(陽輔, 사(瀉))하였더니 수회(數回)에 병(病)이 낫더라. 중병후(重病後)와 이창후여수(耳瘡後餘祟)로 온 이농(耳聾)과 오랜 이농(耳聾)도 모두 차(此)로써 치(治)하여 유효(有效)하였다.

▶ 소견: 보는 증금, 생(음곡, 척택), 사(대돈, 소상, 용천)한다. 증금은 수렴 기능 증진, 생수는 신본(腎

本) 음곡을 보강한다. 사는 보의 기능을 삼초, 담으로 연계시킨다. 제35장 이농요법(療法)참조.

8.36 제36장. 목병문(目病門)

목병(目病) 경험 예(經驗例)

≪1≫ 일남자(一男子)가 연육십(年六十)에 눈이 부어 들러 붙어서 뜨지 못하고 아파서 잠을 이루지 못하며 촌보(寸步)를 행(行)하지 못하는지라. 대돈(大敦)·소충(少衝)·부류(復溜, 보(補)), 태백(太白)·태연(太淵, 사(瀉))하였더니 사도(四度)에 병(病)이 나서 아픈게 그치고 물건이 뵈더라.

▶ 소견: 심허열에 의한 증세로 보(대돈, 소충)는 소부, 부류는 음곡을 보강하므로 전체적으로는 심, 신을 보강한 배혈로 해석된다. 사(태백, 태연. 수사본에는 태계로 되어 있음)는 음곡의 관이며, 소부의 누기를 억제하고 태연에 의해 토생금에 의한 경거 기능을 억제한다.

≪2≫ 일남자(一男子)가 연이십(年二十)에 오른쪽 눈 검은자가 좁쌀 반입(半粒)만큼 조금 흰지라 흑정(黑睛)에 있는 것은 간병(肝病)이라 하겠으나 바야흐로 외자(外眥)가 더욱 붉으므로 위경정격(胃經正格)을 썼더니 유효(有效)하더라-위정격(胃正格).

▶ 소견: "외자속위"는 사암의 사고에 의한 것이며 위경허열이라 하였다. 외자의 주경락은 삼초경인데 "외자는 소장, 위 또는 뭐라뭐라"라 함은 증세에 따른 원인을 말한 것으로 신체의 모든 부분은 12경 모두의 영향을 받으나 부위 별로 대표적 경기가 주관한다고 해석한다. 본 증의 "외자가 붉음"은 열이며 습에 의함이기에 위정격을 사용하였다.

≪3≫ 일부인(一婦人)이 연이십여(年二十餘)에 屢年을 상하포(上下胞)와 눈 전체가 붉어서 더했다 덜했다하며 검은자위, 흰자위가 거미줄같이 붉은지라 간열(肝熱)인 줄 알므로 정격(正格)을 썼더니 낫더라-간정격(肝正格).

▶ 소견: 넓은 의미로 눈은 간의 영향 하에 있고 세부적으로는 여러 경기의 영향을 받는다. 간허열.

≪4≫ 일남자(一男子)가 연근삼십(年近三十)에 양안흑백정(兩眼黑白睛)의 사면(四面)으로 홍백사(紅白絲)가 번져 들어가므로 폐경정격(肺經正格)을 썼더니 무효(無效)한지라 다시 간정격(肝正格)을 쓰지 수도(數度)에 시물(視物)이 가능(可能)하며 흑백(黑白)을 분별(分別)할 수 있더라-간정격(肝正格).

▶ 소견: 홍백사라서 폐경을 사용하였지만 간정격을 사용한 이유에 대해서는 언급치 않았다. 이는 폐의 과극 상태임을 뜻한다.

≪5≫ 일여자(一女子)가 연십칠팔(年十七八)에 항상 안질(眼疾)을 고통(苦痛)하며 머리 또한 아픈지가 이미 삼년(三年)에 두눈이 모두 빨갛되 백정(白睛)이 우심(尤甚)하거늘, 위경정격(胃經正格)을 썼더니 병(病)이 쾌차(快差)하더라－위정격(胃正格).

▶ 소견: 안질, 두통, 목적 증세나 백정이 심하기에 위정격을 사용하였다. 위주혈 기능 저하로 목적(目赤)하다.

≪6≫ 일남자(一男子)가 연이십(年二十)에 작목(雀目－밤눈 어두운 것)에 걸린지가 삼사년(三四年)이라 마땅히 본방(本方)으로써 간경(肝經)을 보(補)하여야 할 것이지만 차인(此人)이 본래(本來) 복량증(伏梁證)이 있으므로 대돈(大敦)·소충(少衝, 보(補)), 음곡(陰谷, 瀉))하기 사오도(四五度)에 목병(目病)은 여상(如常)하나 복량(伏梁)은 낫더라. 그러면 간(肝)·심(心)이 구병(俱病)하여「목득혈불능(目得血不能)」으로 시물불명(視物不明)이 되었던 것인가, 탄산(呑酸)도 있으므로 간경정격(肝經正格)을 썼더니 일도(一度)에 유효(有效)하고 이도(二度)에 평일(平日)과 같더라－간정격(肝正格).

▶ 소견: 복양증은 심허, 야맹증은 간허에 의함인데 심정격으로 복양증이 치료되나, 야맹증은 여전하다 함은, 원래는 간허에 의해 야맹이 먼저 발생 후 목생화가 불리하여 심허가 되었다고 해석된다.

≪7≫ 일남자(一男子)가 연근오십(年近五十)에 양안(兩眼)이 짓무르고 흑정상(黑睛上)에 홍백예(紅白翳)가 번져들어가나 부분(部分)이 불분명(不分明)하고 다만 내자(內眥)가 심(甚)한 것 같으므로 심신방(心腎方)을 썼더니 일도(一度)에 낫더라. 그러면「유행방(流行方)」에 오정(烏睛)의 홍백예(紅白翳)는 간(肝)의 실열(實熱)이라 한 것은 잘못이 아닐까? 삼십년(三十年)이나 된 병(病)이 단 한 번에 유효(有效)하니 풍(風)의 소상(所傷) 외에는 비록 오랜 병(病)이라도 또한 속(速)하더라.

▶ 소견: 흑정은 신에 속하고 내자는 정명혈로 대장경기가 연계되며 방광경기 시혈(始穴)이다. 여기에 홍백예가 발현하였다. 방광은 심과 상합한다. 방광경기있는 곳에 심경기, 심경기 있는 곳에 방광경기가 존재한다. 심신방의 배혈은 기록하지 않았으나 간정격으로 판단한다. 보(음곡, 곡천), 사(경거, 중봉)인데 보는 증수로 신경기가 증하고, 생목으로 간경기가 보강되니 따라서 목생화에 의해 심경기가 보완된다.

≪8≫ 일남자(一男子)가 임년(壬年)을 당(當)하여 눈돌림병으로 심(甚)이 고통(苦痛)한지가 이미 수월(數月)에 내가 보기에는 우목(右目)은 외자(外眥)가 심적(甚赤)하고 좌목(左目)은 내자(內眥)가 심적(甚赤)한지라, 그러면 위경치법(胃經治法)을 써야 할 것인가? 차년(此年)의 운(運)이 「목관범토(木官犯土)」이므로 위경정격(胃經正格)을 썼다. 그러면 위허수사(胃虛受邪)는 평년(平年)에는 별현증(別顯證)이 없다가 본경운년(本經運年)에 위토(胃土)가 더욱 허(虛)하고 풍기(風氣)가 경심(更甚)한 까닭으로 발(發)한 것이다-위정격(胃正格).

▶ 소견: 임년은 수해로 목이 태과하여 풍기가 유행한다. 따라서 토기가 사를 받기 쉽다.

≪9≫ 일남자(一男子)가 임년(壬年)을 당(當)하여 왼쪽 눈 또한 아프고, 왼쪽 귀 뒤에 백비(白痺)같으나 천백(淺白)하고 어린아이 손바닥만하며 골(骨)아래에 흑자(黑刺)가 많아서 만지면 조금씩 농즙(膿汁)이 나는지라 위경정격(胃經正格)을 썼더니 일도(一度)에 모든 병(病)이 낫더라-위정격(胃正格).

▶ 소견: 임상(8)과 같이 원인은 임년이라서 풍기 유행에 의한 증세이나 환자의 상태에 따라 발현 증세는 다르게 나타난다.

8.37 제37장. 구병문(口病門)

구병(口病) 경험 예(經驗例)

≪1≫ 일남자(一男子)가 구중생창(口中生瘡)하여 심(甚)히 고통(苦痛)하거늘 액문(液門)·중저(中渚, 보(補)), 승장(承漿)·노궁(勞宮, 사(瀉))하기 수차(數次)에 불효(不效)하므로 위열치법(胃熱治法)을 썼더니 유효(有效)하더라.

▶ 소견: 심화 염상 증세 삼초화는 억제하며, 경기는 보강한 배혈. 구병문 구중생창 참조.

≪2≫ 일남자(一男子)가 연오십(年五十)에 구중(口中)이 미란(糜爛)하여 음식(飮食)이 무미(無味)하고 짜고 매운 것을 가까이 못한 지가 이미 오육일(五六日)었는데 차인(此人)은 몸 반쪽이 마목(麻木)한지가 벌써 삼십년(三十年)이라 액문(液門)·중저(中渚) 보(補), 승장(承漿)·노궁(勞宮) 사(瀉)하였더니 일차(一次)에 구병(舊病)지는 더욱 심(甚)한지라 통풍(痛風)이라 한다면 삼초(三焦)는 근본(根本) 마목(麻木)이 없거늘 삼십여년(三十餘年)을 마목(麻木)했으니 이같은 통풍증(通風證)이 어찌 대풍(大風-문둥병)인 줄 알지 못하였는가 이것은 「기부족이혈불능배야(氣不足而血不能配也)」이므로 임읍(臨泣)·중저(中渚) 보(補), 액문(液門)·협계(俠谿) 사(瀉)하여 낫도록 하였다.

▶ 소견: 보는 증목, 생(지구, 양곡, 양보), 극(삼리, 천정, 양릉천)한다. 증목은 담, 삼초 경기를 증하며 생화한다. 초기에는 삼초화를 억제한 배혈로 악화되었다고 해석된다. 보강된 화는 사(액문, 협계)에 의해 더욱 강화된다. 즉 생의 관이다. 기부족, 혈불능에 의한 배혈.

≪3≫ 일부인(一婦人)이 연근팔십(年近八十)에 좌측(左側)이 깍아 내는 것 같이 콩하나 깊이로 살이 패인지가 이미 칠팔삭(七八朔)이라 우변(右邊) 액문(液門) 보(實), 중저(中渚) 사(瀉)하였더니 수차(數次)에 병(病)이 낫더라.

▶ 소견: 삼초화 지구를 억제하며 동시에 삼초경기 자체를 억제한 배혈이다.

8.38 제38장. 후병문(喉病門)

후증(喉證) 경험 예(經驗例)

≪1≫ 일남자(一男子)가 일변통(一邊痛)의 단아(單蛾)를 환(患)하는지라 음곡(陰谷) 보(補), 액문(液門)·중저(中渚)·상양(商陽) 사(瀉)를 하였더니 수차(數次)에 효험(效驗)이 없거늘 다시 후열치법(喉熱治法)으로 양곡(陽谷) 보(補), 액문(液門)·중저(中渚)·함곡(陷谷) 사(瀉)하였더니 신효(神效)하더라.

▶ 소견: 양곡은 생삼리로 위기능을 보강한다. 사함곡은 목극토로 인해 보강된 위기능 억제를 방지한다. 사액문은 지구 기능을 보강하고 사중저는 목혈로 삼초경기를 억제하나 후증이 풍사에 의함이며 목은 풍이기에 사한것으로 해석된다. 위기를 보강하고 풍기와 열은 억제하였다.

≪2≫ 일남자(一男子)가 후중우변(喉中右邊)에 단아(單蛾)같은 것이 있어서 시시(時時)로 오한(惡寒)이 나고 삼킬 수가 없으며 말이 어눌하고 침을 흘리거늘 단아방(單蛾方)으로 좌변(左邊)을 치(治)하였더니 유효(有效)하더라.

▶ 소견: 단아방은 간상으로 보(음곡), 사(상양, 액문, 중저)한다. 인후가 부운 것인데 폐경적 열과 풍사에 의한다. 음곡은 간신을 보강하며 사상양은 금극목을 억제하고 액문은 지구를보강한다. 중저는 목혈로 풍사를 억제한다.

≪3≫ 일남자(一男子)가 우변인후(右邊咽喉)가 부어서 오한(惡寒), 연간(嚥艱-어려울 간), 언눌(言訥), 유연(流涎) 등(等) 증(證)을 소(訴)하여 후열(喉熱)로써 치(治)하였더니 효험(效驗)이 없으며 심(甚)히 위황(痿黃)하고 이하대장분야(耳下大腸分野)에 대(大), 소두(小豆)만큼씩한 삼사개(三四個)의 결핵(結核)이 있

고 요통(腰痛) 또한 있다하거늘 대장정격(大腸正格)을 썼더니 이차(二次)에 견효(見效)하였다. 그러면 진증(診證)에만 밝으면 혹본방외(或本方外)에도 기효방(奇效方)이 있는 것인가?-대장정격(大腸正格).

▶ 소견: 후열증세, 대장증세, 요통 등이 각 각인 듯하나 원인을 대장으로 진단하였다. 사암은 경부를 간과 항부를 대장과 연계시켜 논하였다. 인후 또한 간과의 연계가 강하며 간과 대장이 상합관계이기에 대장정격으로 치험할 수 있다.

≪4≫ 일남자(一男子)가 연근삼십(年近三十)에 항시 후열(喉熱)을 환(患)하여 용약과치(用藥果治)하여도 효험(效驗)이 없다 하거늘, 처음에 위상(胃傷)인가 의심(疑心)하여 사오차(四五次)를 치(治)하여도 효험(效驗)이 없고 목구멍이 부은 데가 없는지라 신상(腎傷)으로 치(治)하였더니 일도(一度)에 유효(有效)하더라.

▶ 소견: 신상은 보(경거), 사(곤륜, 액문, 중저)로 배혈한다. 후증문 후비 참조.

≪5≫ 일부인(一婦人)이 연근삼십(年近三十)에 후중우변(喉中右邊)이 종통(腫痛)하고 언어(言語)가 불능(不能)하며 항시 침을 흘리고 두눈이 홍종(紅腫)한데 매년(每年) 이차(一次)씩을 본증(本證)으로 수십일(數十日)씩 욕(辱)본다 하므로, 처음에 위상(胃傷)인가 의심(疑心)하여 치(治)하여도 무험(無驗)한지라 좌변(左邊) 음곡(陰谷, 보(補)), 상양(商陽)·액문(液門)·중저(中渚)를 사(瀉)하였더니 일차(一次)에 조금 낫고, 이삼차(二三次)에 쾌차(快差)하더라. 그러면 간후(肝候)도 혹(或) 후(喉)에 재(在)한 수도 있나 보다.

▶ 소견: 상기 예문(2)과 동일.

8.39 제39장. 치통문(齒痛門, 上下齒併痛治以頭風)

치통(齒痛) 경험 예(經驗例)

≪1≫ 일여자(一女子)가 좌변상하치(左邊上下齒)가 병통(併痛)하여 여광여취(如狂如醉)한지 사오일(四五日)에 혹좌(或坐), 혹기(或起)하여 어찌 할줄 모르며 하치(下齒)가 선통(先痛)하였다 하는데 척택(尺澤)·음릉천(陰陵泉, 보(補)), 삼리(三里)·절골(絕骨, 사(瀉))하였더니 수회(數回)에 제통(諸痛)이 낫더라.

▶ 소견: 충치가 아닌 상태의 치통으로 치는 골지여이며 골수 기능에 좌우된다. 보는 증수, 생(소상, 은백), 극(어제, 대도)한다. 증수는 감통증하고 생목은 시경기혈이므로 비, 폐경기를 보강한다. 사절골은 골수 기능을 자극하는 의미로 해석되며, 사삼리는 토의 중화 기능과 양토의 조성(燥性)을 억제한다.

≪2≫ 일부인(一婦人)이 연근사십(年近四十)에 상아(上牙)가 충치(蟲齒)로 해서 부서지며 때로 복통(腹痛)이 있어 신기(神氣)가 불평(不平)한지라 덜 아픈 쪽 통곡(通谷)·내정(內停, 보(補)), 양곡(陽谷)·해계(解谿)를 사(瀉)하였더니 일회(一回)에 반감(半減)하고 이일(二日)에 완차(完差)하더라. 그러면 복통(腹痛)도, 또한 위열(胃熱)이 있는 것일까? 알수 있는 것만을 치(治)하였는데 기여(其餘)는 불기자효(不期自效)한 것이다.

▶ 소견: 보는 증수, 생(함곡, 속골), 극(곤륜, 해계)한다. 증수는 화성(통증)을 억제하며, 생목은 위, 방광경기를 보강하며 사(양곡, 해계)하여 화를 강사한다. 통증 억제에 양수(통곡)를 보하고 양화(양곡)를 사하였다.

8.40 제40장. 비통문(鼻痛門)

비통(鼻痛) 경험 예(經驗例)

≪1≫ 일노인(一老人)이 연육십(年六十)에 비일변(鼻一邊)에서 혈출불금(血出不禁)의 오육차(五六次)로 밤에도 또한 그러하여 이같은 지 수삼일(數三日)에 안색(顔色)이 위황(痿黃)하고 이미 나온 피가 한 동이가 넘는다하므로 전곡(前谷)·내정(內庭, 보(補)), 소해(小海)·삼리(三里, 사(瀉))하였더니 일일(一日)에 반감(半減)하고 이일(二日)에 쾌차(快差)하더라. 일변(一邊)의 비혈(鼻血)이므로 한쪽만 치(治)하였다.

▶ 소견: 보는 증수, 생(후계, 함곡), 극(양곡, 해계)한다. 증수는 출혈(소장화, 위주혈)을 억제하고 생목하여 소장, 위경기를 보강한다. 사는 양토로서 보의 관.

≪2≫ 일남자(一男子)가 연이십(年二十)에 코가 막힌지가 이미 십여년(十餘年)인데 듣건대 홍역후(紅疫後)에 촉풍(觸風)으로 해서 작(作)한 것이라 하므로 폐경정격(肺經正格)을 썼더니 일도(一度)에 낫더라-폐정격(肺正格).

▶ 소견: 촉풍은 상풍으로 대장이 수풍한 것이다. 홍역 후 체기허약풍필상부로 해석되고, 방광경 시경기는 영향혈이다. 폐와 방광은 상통한다-폐정격.

≪3≫ 일인(一人)이 절차(準鰖)로 코가 빨갛거늘 태백(太白)·태연(太淵, 보(補)), 대돈(大敦)·은백(隱白, 사(瀉))하였더니 이도(二度)에 낫더라. 이사람이 근본(根本)적으로 술을 못먹거늘 주담방(酒痰方)을 써서 났으니 기주자(嗜酒者)의 절차(準鰖)는 이것으로써 미룬다면 절도(絕倒)한 일이다.

▶ 소견: 보는 증토, 생(경거, 상구), 극(음곡, 척택, 음릉천)한다. 증토는 중화, 습윤력이 증가하며 사

는 관이며, 목생화로서 습에 더해 생화를 억제 습열화를 방지한다.

8.41 제41장. 혈증문(血症門)

혈증(血證) 경험 예(經驗例)

≪1≫ 일남자(一男子)가 취중(醉中)에 무거운 짐을 싣다가 안고 넘어져서 가슴을 상(傷)한지라 태백(太白)·태연(太淵, 보(補)), 곡지(曲池, 사(瀉))하였더니 수도(數度)에 낫더라.

▶ 소견: 어혈치법으로 보는 증토, 생(경거, 상구), 극(음곡, 척택, 음릉천)한다. 증토는 중화, 윤습하며 경거 기능이 보강된다.

舍岩의 思考

[병증(病症) 해설 및 배혈(配穴) 해석]

9. 장부별 병증치료 배혈 (臟腑別 病症治療 配穴)

9. 장부별 병증치료 배혈(臟腑別 病症治療 配穴)

침구 요결의 병증치료 배혈 중에서 오장 병증을 선정하고 각 장별로 병증을 취합 작성하였다.

예로서 병증을 모두 취합하고 정, 승격 이외의 변형 배혈에는 밑줄을 만들어 구분함으로써, 전체적으로 병증을 사암이 어떻게 생각하고 배혈하였는가를 이해할 수 있도록 작성하였다.

9.1 간 병증(肝 病症)

제1장	중풍문, (중간)(간실)	사)합곡, 태충
	구안와사(간허)	보)소해, 사)연곡
	편풍구와(간실)	영)전곡, 사)완골
	상한육일(간경수한)	보)음곡, 대도 사) 경거 (대도는 대돈의 오기)
제7장	화열문, (간신화 망동)	보)대도, 음곡 사)지구, 곤륜 (대도는 대돈의 오기)
제8장	울문, 목울	보)음곡, 곡천 사)중봉, 경거
	담울	보)음곡, 곡천 사)중봉, 경거
제17장	탄산문, 간열산	보)음곡, 곡천 사)영도, 중봉
제20장	적취문, 비기(간적)	보)음곡, 곡천 사)경거, 중봉
제23장	설사문, 냉설(간상)	보)음곡, 곡천 사)경거, 중봉
제24장	현훈문, 풍현(간실)	보)경거, 중봉 사)소부, 행간
제25장	두통문, 두정통	보)음곡, 곡천 사)경거, 중봉
제27장	복통문, 울복통(간쇠)	보)음곡, 곡천 사)경거, 중봉
제29장	협통문, 좌협통(간병)	보)음곡, 곡천 사)경거, 중봉
제30장	제기통문, 노기상(간실)	보)경거, 중봉 사)소부, 행간 또는 사)경거, 사)태충

다음 페이지에 계속

제31장	산기문, 근산(간속)	보)음곡, 곡천 사)경거, 중봉
제32장	각기문, 근만(간약)	보)음곡, 곡천 사)경거, 중봉
제33장	근비(간약)	보)음곡, 곡천 사)경거, 중봉
제34장	위증문, 근위(간열)	보)음곡, 곡천 사)경거, 중봉
제36장	목병문, 청예(간허)	보)음곡, 곡천 사)경거, 중봉
	오정홍백예장막(간병)	보)음곡, 곡천 사)경거, 중봉
	적통(간경실열)	보)음곡, 곡천 사)태충, 태백
	원시불명(간허)	보)음곡, 곡천 사)경거, 중봉
	작명(밤눈어두운)	보)음곡, 곡천 사)소부, 연곡
제38장	단아(간상)	보)음곡 사)상양, 액문,중저
제41장	혈증문, 토혈(간경)	보)음곡 사)중봉 영)삼리
	손혈	보)음곡, 곡천 영)절골(현종)

9.2 심 병증(心 病症)

제1장	중풍문, 중심(심실)	보)상구 사)대돈
	반신불수(심허)	보)대돈 사)태백
	편신상여충행(심실)	보)음곡 사)대돈
제2장	상한11일 (심경수한)	보)음곡, 척택 사)태백, 태계
	상한12일 (심포경수한)	보)음곡, 곡천 사)상양, 대돈
제4장	서문, 중서	보)대돈, 소충 사)음곡, 소해, 곡택 또는 보)중저 사)곡택
제7장	화열문, 군화(대광)	보)음곡, 소해 사)대돈, 소충
제8장	울문, 화울 (실)	보)음곡, 곡천 사)단전, 대돈, 소충
제9장	담음문, 현음(심화)	보)소부, 태백 영)단전 사)소해, 음곡
	열담(심승)	보)대돈, 은백 사)신문, 태백
제10장	해수문, 열담해(심허)	사)천돌 보)대돈, 소충 사)태백, 태계

다음 페이지에 계속

제14장	열격문, 소장격(심조)	보)후계, 임읍 사)통곡, 전곡
제15장	애역문, 심애(심기불순)	보)대돈, 소충 사)음곡, 소해
제16장	구토문, 구(화에속함)	보)음곡, 소해 사)대돈, 소충
제17장	탄산문, 심열산	보)대돈, 소충 사)곡천, 소해
제19장	종창, 열창(심실)	분)단전 보)음곡, 곡천 사)태백, 신문
제21장	허로문, 심허	보)대돈, 소충 사)음곡, 소해
제22장	곽란문, 곽란전근(심열)	정)단전 영)사관 사)십선 또는 사)곤륜, 위중, 음곡
제23장	설사문, 열설(심조)	보)소부, 행간 사)대돈, 소충
제27장	복통문, 화울통(심경허)	보)대돈, 소충 사)음곡, 곡천
제29장	협통문, 폐골통(심하견) 심병	보)대돈, 소충 사)소해, 곡천
제30장	제기통문, 희기완(심상)	보)대돈, 소충 사)음곡, 곡천
제31장	산기문, 혈산(심속)	보)대돈, 소충 사)음곡, 소해
제34장	위증문, 맥위(심열)	보)대돈, 소충 사)음곡, 소해
제36장	내자적홍육기(심경실열)	보)소해, 음곡 사)소부, 연곡
제38장	후증문, 쌍아(심상)	사)대돈, 액문, 양지, 관충

9.3 비 병증(脾 病症)

제1장	중풍문, 중비(비허)	보)소부 사)대돈
	구금담색(비허)	보)경거 사)소부
제2장	한문, 상한4일	보)경거, 음릉천 사)은백
제5장	습문, 중습(내상)	보)소부, 대도 사)대돈, 은백
	습종	보)대돈, 은백 사)경거, 상양
제8장	울증 습울(비허)	보)소부, 대도 사)대돈, 은백
	식울(허)	보)소부, 양곡 사)대돈, 임읍

다음 페이지에 계속

제9장	담음문, 주담(비허)	보)태백, 태연 사)대돈, 은백
	적담	보)영)단전 보)중완, 삼리, 태백 사)대돈, 은백
제13장	이질문, 열리(비허)	보)소부, 대도 사)대돈, 은백
제15장	애역문, 습애(토패)	보)소부, 대도 사)대돈, 은백
제16장	구토문, 토(비약)	보)소부, 대도 사)대돈, 은백
제18장	조잡과 애기문, 조잡(상비)	보)소부, 대도 사)대돈, 은백
제20장	적취문, 비기(비적)	보)소부, 대도 사)대돈, 은백
제21장	허로문, 비허	보)소부, 대도 사)대돈, 은백
제23장	설사문, 폭설(비상)	보)소부, 대도 사)대돈, 은백
제24장	현훈문, 습훈(비실)	정)중완 보)대돈 사)소부
제26장	위완통문, 비통	영)단전 보)소부, 대돈 사)은백
제29장	협통문, 좌우만통(비병)	보)소부, 대도 사)은백, 대돈
제30장	제기통문, 사기결(비상)	보)소부, 대도 사)은백, 대돈
제33장	통풍문, 착비(습승)	보)대돈, 은백 사)경거, 상구
제34장	위증문, 육위(비열)	보)소부, 대도 사)대돈, 은백
제36장	목병문, 상하안포여도(비병)	보)소부, 대도 사)대돈, 은백
	차명(비병)	보)소부, 대도 사)대돈, 은백
	도진권모(비풍)	보)소부, 대도 사)대돈, 은백
	사물부진(비허)	보)소부, 대도 사)대돈, 은백
제37장	구병문, 하순병	사)태백 보)장문 사)소부
제40장	비통문, 비뉵(비상)	보)소부, 대도 사)대돈, 은백

9.4 폐 병증(肺 病症)

장	병증	처방
제1장	중풍문, 중폐(폐실)	보)소부 사)태백
제6장	조문	보)태연, 태백 사)소부, 어제
제8장	울문, 금울(실)	보)소부, 어제 사)부류, 경거
제9장	담음문, 담음(폐탁)	보)소부, 어제 사)척택, 함곡
	습담(폐상)	보)척택, 음릉천 사)태백, 태연
제10장	해수문, 폐기해	보)천돌, 음곡, 경거 사)척택, 음릉천
제19장	종창, 기창(폐실)	보)고황 영)소보, 노궁 사)용천, 연곡
	곡창(폐허)	영)중완 보)신문, 태계 사)어제, 대도
제20장	적취문, 식분(폐적)	보)태연, 태백 사)노궁, 어제
제21장	허로문, 폐허	보)태백, 태연 사)소부, 어제
제23장	설사문, 기설(폐상)	보)태백, 태연 사)어제
제24장	현훈문, 담훈(폐실)	보)소부, 어제 사)태백, 태연
제25장	두통문, 목후두통(폐냉)	보)태연, 태백 사)어제, 소부
제27장	복통문, 기복통(폐탁)	보)소부, 어제 사)척택, 곡천
제28장	요통문, 장궁노현(폐상)	보)태연, 태백 사)소부, 어제
제29장	협통문, 우협통(폐병)	보)태연, 태백 사)소부, 어제
제31장	산기문, 기산(속폐)	보)태연, 태백 사)소부, 어제
제32장	각기문, 위벽(폐허)	보)태연, 태백 사)소부, 어제
제33장	통풍문, 피비(폐허)	보)태연, 태백 사)소부, 어제
	백호풍(폐실)	보)소부, 어제 사)척택, 음곡
제34장	위증문, 위벽(폐열)	보)태백, 태연 사)소부, 어제
제36장	목병문, 백막(폐허)	보)태백, 태연 사)어제, 대도
	치다결경(폐실)	보)소부, 어제 사)음곡, 척택
	치희불결(폐허)	보)태연, 태백 사)소부, 어제
제40장	비통문, 비색(폐한)	보)태연, 태백 사)소부, 어제
제41장	혈증문, 해혈(폐상)	보)태연, 태백 사)곡지

9.5 콩팥 병증(腎(신) 病症)

장	병증	배혈
제1장	중풍문, 중신(신허)	보)경거 사)태백
	역절풍(신허)	보)경거 사)대돈
제2장	상한문, 상한5일(신경수한)	보)음곡, 경거 사)태백
	색상한(범방상한)	신정격 및승격 병용
제10장	해수문, 신한천	보)경거, 부류 사)태백, 태계
제13장	이질문, 허리(신허)	보)경거, 부류 사)태백, 태계
제15장	애역문, 냉애	보)경거, 부류 사)태백, 태계
제19장	종창, 수창(신일)	사)수분 보)태백, 태계 사)경거, 부류
제21장	허로문, 유정(신상)	보)경거, 부류 사)태백, 태계
제23장	설사문, 유설(신상)	보)경거, 음곡 사)태백, 태연
제27장	복통문, 냉복통	보)경거, 부류 사)태백, 태계
제28장	요통문, 굴신자통(신상)	보)경거, 부류 사)태백, 태계
제30장	제기통문, 우기울(신약)	보)경거, 부류 사)태백, 태계
제31장	산기문, 수산(속신)	보)경거, 부류 사)태백, 태계
제23장	각기문, 각족한냉(신허)	보)경거, 부류 사)태백, 태계
제34장	위증문, 골위(신열)	보)경거, 부류 사)태백, 태계
제35장	이농문, 이농(신허)	보)경거, 부류 사)지구, 양보
제36장	목병문, 동자탁(신허)	보)경거, 부류 사)태백, 태계
	영풍출누(신병)	보)경거, 부류 사)태백, 태계
제38장	후증문, 후비(신상)	보)경거 사)곤륜, 액문, 중저

舍岩의 思考

[병증(病症) 해설 및 배혈(配穴) 해석]

10. 사암 오행정리 신침가 (舍岩 五行正理 神鍼歌)

10. 사암 오행정리 신침가(舍岩 五行正理 神鍼歌)

1) 중풍어(中風語) 삽탄(澁癱)탄(瘓)증(證)은 선보(先補) 대돈 태백 사(瀉)라. 중풍으로 해서 말이 어눌하고 한쪽 수족을 못쓰는 병은 먼저 대돈혈을 보하고 다음에는 태백혈을 사하여야 한다.
2) 편풍구와(偏風口喎) 간실이니 노궁 보(補) 후 조해 사(瀉)라. 쪽바람으로 입이 삐뚤어진 것은 간이 실해 그런 것이니, 노궁혈을 보한 후에 조해혈을 사하여야 한다.
3) 구안와사(口眼喎斜) 소해 보(補)오 연곡 사후자연안(瀉後自然安)이라. 입과 눈이 삐뚤어진데는 먼저 소해혈을 보하고 나중에 연곡혈을 사하면 저절로 낫는다.
4) 편풍연동(偏風蠕動) 심실이니 소해 보(補) 후 태백 사(瀉)라. 쪽바람을 맞아 씰룩거리는 것은 심이 실해서 그런 것이니 소해혈을 보한 후에 태백혈을 사하라.
5) 통풍역절(痛風歷節) 신경 허(虛)이니 선보(先補) 경거, 태백 사(瀉)라. 통풍으로 해서 뼈마디가 부러지는 것 같이 아픈 것은 신경이 허해 그런 것이니 먼저 경거혈을 보하고 나중에 태백혈을 사하라.
6) 각궁반장(角弓反張) 대장 허(虛)니 삼리 보(補) 후 양계 사(瀉)하라. 활처럼 뒤로 구부러지는 것은 대장의 허이니 삼리혈을 보한 뒤에 양계혈을 사하라.
7) 풍증(風症) 삼리, 곡지 보(補)오 어제, 함곡 사자안(瀉自安)이라. 대체로 중풍에는 삼리혈과 곡지혈을 보하고 어제혈과 함곡를 사하면 저절로 낫는다.
8) 풍단(風丹) 역시(亦是) 삼리 보(補) 오 양곡 사후(瀉後) 자연안(自然安)이라. 풍단도 또한 삼리혈을 보하고 양곡혈을 사하면 저절로 낫는다.
9) 풍현(風眩) 간승격이오 습현(濕眩) 중완 정(正)이라. 풍으로 해서 된 어질병은 간승격을 써야 하며 습으로 해서 온 어질병은 중완혈을 정하면 된다.
10) 담현(痰眩) 소부,어제 보(補)오 태백, 태연 사(瀉) 폐실이다. 담으로 해서 된 어질병은 소부혈과 어제혈을 보하고 태백혈과 태연혈을 사하여 폐승격을 써라.
11) 간질발시동좌수(癎疾發時動左手)는 내시(乃是) 간실용 승격(昇格)하라. 간질 발작 시에 왼손을 내 젓는 것은 간(肝)이 실(實)해 그런 것이니 간승격을 써라.
12) 우변수족선동요(右邊手足先動搖)도 내시(乃是) 폐실역 당승(當勝)이라. 간질에 오른쪽 수족을 먼저 내흔드는 것도 폐실이니 또한 폐승격을 써라.

13) 백탁불청비풍만(白濁不淸肥豊滿)이니 정시(正是) 비실승격 당(當)이라. 소변이 뿌옇고 맑지 못한 것은 몸이 비대하여 그런 것이니 비승격을 쓰는 것이 채당할 것이다.

14) 풍의암홀부지인(風懿菴忽不知人)은 능치(能治) 십선 최위묘(最爲妙)라. 졸중 발작으로 인사불성이 된 뒤에는 열 손가락에 있는 십선혈을 취하는 것이 가장 묘하다.

15) 연설여량내하치(涎泄如浪奈何治)아 의통(宜通) 팔사 역자안(亦自安). 침을 줄줄 흘리는 것은 어떻게 치료할 것인가 팔사혈을 통해 주면 저절로 낫는다.

16) 소아경풍(小兒驚風) 태충 보(補)하고 합곡, 소부 사자안(瀉自安)이라. 소아경풍에는 태충혈을 보하고 합곡혈과 소부혈을 사하면 저절로 낫는다.

17) 소유징(素有癥) 벽발경풍(癖發驚風)엔 태충 보(補) 후 합곡 사(瀉)하라(우치). 원래부터 대증이 있어 경풍을 발하거든 태충혈을 보한 뒤에 합곡혈을 사하라(오른쪽을 치료한다).

18) 두통(頭痛) 노궁, 소부 사(瀉)오 편두(偏頭) 열결, 절골 사(瀉)라(절골은 현종의이명). 두통에는 노궁혈과 소부혈을 사하여야 하며 편두통(쪽골치 아픈 것)에는 열결혈과 현종혈을 사하여야 한다.

19) 이명두통내담궐(耳鳴頭痛乃痰厥)이니 절골, 풍지보 후안(後安)이라. 귀에서 소리가 나고 머리가 아픈 것은 담궐이어서 그런 것이니 절골혈과 풍지혈을 보한 후에야 낫는다.

20) 미릉골통(眉稜骨痛) 임읍 사(瀉)오 이륜곽통(耳輪廓痛) 소부 사(瀉)라. 눈썹 뇌가 아픈 것은 임읍혈을 사해야 하고 귀 테두리가 아픈 데는 소부혈을 사하여야 한다.

21) 적안백회출혈미(赤眼百會出血美)오 청맹신정작간정(靑盲腎正雀肝正)이라. 눈이 빨간 데는 백회혈에 피를 내는 게 좋으며, 멀거니 뜨고도 못 보는 청맹증에는 신정격을 써야 하고 밤눈이 어두운 작안증에는 간정격을 써야 한다.

22) 이명(耳鳴) 방정 능신정(能腎正)이오 폐정비새역폭음(肺正鼻塞亦暴音)이라. 귀에서 소리가 날 때에는 방광정격을, 귀가 먹었거든 신정격을 써야 하며, 코가 막힌 데와 별안간 말 못하는 데에는 폐정격을 써야 한다.

23) 구감(口疳) 액문, 중저 보(補)오 양곡 사(瀉) 지(之) 즉(卽) 안강(安康)이라. 입에 감창난 데는 액문혈과 중저혈을 보하고 양곡을 사하면 곧 안강해진다.

24) 중설(重舌) 심정 우(又) 간정이오 단아우용(單蛾又用) 간정격이라. 덧 혓바닥이 나는 데는 심정격 또는 간정격을 써야 하며 목구멍이 한쪽만 부운 데 또한 간정격을 써야 한다.

25) 후비선용(喉痺先用) 위정격하고 액문 보(補) 후(後) 양지 사(瀉)라. 후비창에는 먼저 위정격을 쓰고 액문혈을 보한 뒤에 양지혈을 사하여야 한다.

26) 항상결핵(項上結核) 대장정이오 귀흉귀배(龜胸龜背) 폐정당이라. 목에 멍울이 생긴 데는 대장

정격을 써야 하며 안, 밖 곱사등에는 폐정격이 합당하다.

27) 위중삼리, 곤륜 요(腰)오 절상선용(折傷先用) 대장정이라. 요통에는 위중혈과 삼리혈과 곤륜혈을 침하여야 하고 부러진 데에는 대장정격을 써야 한다.

28) 견비불거통난당(肩臂不擧痛難當)엔 이간, 양곡보 후(後) 안(安)이라. 어깨와 팔을 들 수가 없고 아파서 견딜 수 없을 때에는 이간혈과 양곡혈을 보하면 낫는다.

29) 관격(關格) 사관, 음교 보(補)오 설사(泄瀉) 내정, 음교 사(瀉)라. 관격에는 사관혈과 삼음교혈을 보하여야 하며 설사에는 내정혈과 삼음교혈을 사하여야 한다.

30) 내상식적(內傷食積) 비정격이오 구(嘔)홰 위허용 정격이라. 내상으로 음식이 체한 데에는 비정격을 써야 하며, 기우고 오역질하는 것은 위가 허해 그런 것이니 위의 정격을 써야 한다.

31) 구토비정즉여상(嘔吐脾正卽如常)이오 탄산(呑酸) 간정 역요지(亦要知)라. 구하고 토하는 데는 비정격이면 고만이오, 신트림하는 데는 간정이라야 되는 것을 또한 알아야 한다.

32) 해수의보(咳嗽宜補) 완골 혈(穴)이오 척택 사(瀉) 후(後) 능주공(能奏功)이라. 해수에는 마땅히 완곡혈을 보하고 척택혈을 사한 후에 주공한다.

33) 조잡(雜) 위정 효여신(效如神)이오 지음(支飮), 간정 응여향(應如響)이라. 속이 쓰릴 때에는 위정격을 쓰면 그 효험이 귀신같으며, 지음에는 간정격을 쓰면 북채로 북을 쳐서 곧 소리가 나는 것과 같다.

34) 산여분돈용(疝如奔豚用) 신정이나 좌선종자용(左先腫者用) 간정이다. 산증의 신적의 분돈과 같이 치미는 데에는 신정을 써야 하나, 왼쪽이 먼저 붓는 데에는 간정을 써야 한다.

35) 우(右)환 종자(腫者) 폐정격이오 횡골결핵(橫骨結核) 복삼혈(穴)이라. 오른쪽 고환이 붓는 데는 폐정격을 써야 하고, 횡골(불두덩)에 결핵이 있는 데는 복삼혈을 침하여야 한다.

36) 유종단사(乳腫單瀉) 태연혈(穴)이오 우사(又瀉) 경거 병자(病自)라. 유종에는 태연혈만 사하고 또 경거혈을 사하면 병이 저절로 낫는다.

37) 붕중대하최난당(崩中帶下最難當)엔 상양, 지음, 음교 보(補)라. 여자의 혈붕 과대로 견잡을 수가 없을 때에는 상양혈과 지음혈과 삼음교혈을 보하면 된다.

38) 대변불통(大便不通) 대장 정(正)이오 소변(少便)방정, 통곡 보(補)라. 대변불통에는 대장정격을 써야 하며 소변불통에는 방광정격을 쓰고 다시 통곡혈을 보하여야 한다.

39) 몽설(夢泄)신정, 연곡 사(瀉)오 유정(遺精) 신허용 정격이라. 몽설에는 신정격을 쓰고도 연곡을 사하여야 하며 유정은 신허인지라 신정을 써야 한다.

40) 황달수비정(黃疸須脾正)이오 정종(疔腫) 단사(單瀉) 대장이라. 황달에는 모름지기 비정격을 써야 한다.

41) 백설풍창최난당(白屑風瘡最難當)이나 폐주피모용(肺主皮毛用) 정격하라. 백미풍창은 가장 악질적이나 폐는 피모를 주장하는지라 폐정격을 쓰면 된다.

42) 포의(飽衣) 음교, 합곡 사(瀉)오 낙태(落胎) 음교 보막지(補莫遲)하라. 후산 못하는 데에는 삼음교혈과 합곡혈을 사하여야 하나 낙태에는 속히 삼음교를 보하여야 한다.

43) 부인난산(婦人難產) 삼음교오 섬어심정 최위의(最爲宜)라. 부인 난산에는 삼음교혈을 사하여야 되며 섬어에는 심정격을 쓰는 것이 가장 채당하다.

44) 남여전신창만증(男女全身脹滿證)엔 대돈, 소충 보(補), 음곡 사(瀉)라. 남녀 전신 창만증에는 대돈혈과 소충혈을 보하고 음곡혈을 사하여야 한다.

45) 혈분(血糞) 대정혹 간정이오 후부불음용(喉浮不飮用) 심정이다. 피똥을 누는 때에는 대장정격을 쓰는 것이나 간정격도 무방하며, 목구멍이 부어서 물 한모금 못 넘길 때에는 심정격을 써야 한다.

46) 산후복통(產後腹痛) 심정격이오 슬산선용(膝酸先用) 폐정격이다. 산후복통에는 심정격이 채당하고 무릎이 시린 데에는 폐정격을 써야 한다.

47) 주체(酒滯) 태백, 태연 보(補)오 대돈, 은백 사(瀉) 후 안이다. 주체에는 태백혈과 태연혈을 보하고 대돈혈과 은백혈을 사한 후에야 낫는다.

48) 광골결핵(横骨結核) 태충 보(補)오 음냉물체(飮冷物滯) 간정격이다. 불두덩에 멍울이 선데는 태충을 보하여야 하고, 냉물을 먹고 막힌 데는 간정격이 좋다.

49) 은진선용(癮疹先用) 대장 지(之) 정격이오 다산복통(多產腹痛) 사관, 삼음교라. 두드러기에는 대장정격이 좋으며, 다산복통에는 사관혈과 삼음교혈을 보해야 한다.

50) 구육체(狗肉滯) 소충 보(補), 합곡 사(瀉)오 편두통(偏頭痛) 절골, 열결 사(瀉)라. 개고기 체한데는 소충혈을 보하고, 합곡혈을 사해야 하며 편두통에는 절골혈도 열결혈도 모두 사해야 한다.

51) 체병제증(滯病諸證) 삼리, 내정 사(瀉)오 색후상한(色後傷寒) 삼음교, 신정(腎正)이라. 체병 모든 증에는 삼리혈과 내정혈을 사해야 하고 색후상한에는 삼음교혈을 침하고 또 신정격을 써야 한다.

52) 채달(菜疸) 비정격이오 육달(肉疸) 심정격이다. 채독에는 비정격을 써야 하며 육체로 된 단에는 심정격이 채당하다.

53) 열해(熱咳) 대돈, 중봉 보(補)오 천돌, 태백, 태연 사(瀉)라. 열로 된 기침에는 대돈혈과 중봉혈을 보해야 하며 천돌혈과 태백혈과 태연혈을 사해야 한다.

54) 풍해(風咳) 대돈, 용천 보(補)오 곡천, 태백, 태충 사(瀉)라. 풍으로 된 기침에는 대돈혈과 용

천혈을 보해야 하고 곡천혈과 태백혈과 태충혈을 사해야 한다.

55) 기해(氣咳) 음곡, 경거 보(補)오 천돌, 척택, 음릉 사(瀉)라. 기로 된 기침에는 음곡혈과 경거혈을 보해야 하고 천돌혈과 척택혈과 음릉천을 사해야 한다.

56) 한수당유오한증(寒嗽當有惡寒證)이니 신정용(用) 후(後) 효여향(效如響)이라. 한으로 된 기침에는 당연이 오한증이 있는 법인데 신정격을 쓴다면 그 효험이 북채로 북을 치면 소리나는 것과 같다.

57) 효천(哮喘) 천돌, 단전 사(瀉)오 액문, 해계 보(補) 후 중저, 함곡 사(瀉)라. 목구멍에서 골골 소리가 나고 숨찬 증은 천돌혈과 단전혈을 사하고 액문혈과 해계혈을 보한 후에 다시 중저혈과 함곡혈을 사하면 유효하다.

58) 선혈후사(先血後瀉) 비정격이오 단순적색(單純赤色) 신정격이다. 먼저 피가 보이고 뒤에 사하는 이질에는 비정격이 좋으며, 단순한 적리에는 신정격이 유효하다.

59) 제애의용(諸呃宜用) 대장정이오 구병애시(久病呃時) 심정격이다. 모든 딸꾹질에는 대장정격을 써야 하나 구병 후에 나는 딸꾹질에는 심정격을 써야 한다.

60) 조잡상비(嘈雜傷脾)비정격이오 홰(噦) 애(噯) 중완, 위정격이라. 속이 문지르는 듯이 쓰린데는 비정격을 써야 하고 헛 욕지거리와 트림하는 데는 중완과 위정격을 써야 한다.

61) 폭설(暴泄) 비정격이오 습설(濕泄) 위정격이라. 별안간 나는 설사에는 비정격을 써야 하고 습으로 해서 설사하는 데는 위정격을 써야 한다.

62) 유설(濡泄) 경거, 음곡 보(補)하고 태백, 태연 사(瀉) 자안(自安)이라. 유설에는 경거혈과 음곡혈을 보하고 태백혈과 태연혈을 사하면 저절로 낫는다.

63) 행비지통(行痺之痛) 담승격이오 백호역절(白虎歷節) 폐승격이라. 행비에는 담승격을 써야 하고 백호역절풍에는 폐승격을 써야 한다(통풍의 행비및 백호풍 견증(見證) 참조).

64) 부인두통(婦人頭桶) 신정격이오 경항두통(頸項頭痛) 간정격이라. 부인 두통에는 신정격을 써야 하고 경항통에는 간정격을 써야 한다.

65) 일절서증(一切暑證) 심정격이오 조증의용(燥證宜用) 폐정격이라. 모든 서증에는 심정격을 써야 하고 조증에는 폐정격을 쓰는 것이 채당하다.

66) 현음(懸飮) 소부, 태백 보(補)오 역용(亦用) 음곡, 소해 사(瀉)라. 현음에는 소부혈과 태백혈을 보해야 하고 음곡혈과 소해혈을 사해야 한다.

67) 유음(留飮) 연곡, 삼리 보(補)오 임읍, 함곡 사(瀉) 후(後) 안(安)이라. 유음에는 연곡혈과 삼리혈을 보하고 임읍혈과 함곡혈을 사한 후에 저절로 낫는다.

68) 담음(痰飮) 소부, 어제 보(補)오 역용(亦用) 척택, 함곡 사(瀉)라. 담음에는 소부혈과 어제혈을

보해야 하고 척택혈과 함곡혈을 사해야 한다.

69) 열담무담천식장(熱痰無痰喘息長)이니 보(補) 대돈, 은백이 사(瀉) 신문, 태백이라. 열담은 담이 없고 숨결이 가쁘니 대돈혈과 은백혈을 보하고 신문혈과 태백혈을 사해야 한다.

70) 항척여추(項脊如錘) 담정격이오 근골여절(筋骨如折) 대장정이라. 항(목)과 척(등)이 쇠덩어리를 넣고 누르는 것 같이 아픈 것은 담정격을 써야 하고, 근과 골이 부러지는 것 같은 데는 대장정격을 써야 한다.

71) 굴신자통(屈伸刺痛) 신정격이오 장궁노현(張弓弩弦) 폐정격이라. 구부리고 펴는데 쑤시고 아픈데는 신정격을 써야 하고, 머리가 발에 닿을만큼 구부러진 증에는 폐정격을 써야 한다.

72) 우협(右脇) 폐정, 좌(左) 간정이오 비중만통(脾中彎痛) 비정격이라. 우협통에는 폐정격을 써야 하며 좌협통에는 간정격을 써야 하고 비가 만통한 데는 비정격을 써야 한다.

73) 백자의막(白眥醫膜) 폐정격이오 상하생육(上下生肉) 위정격이라. 흰자위에 백태가 끼는 데에는 폐정격을 써야 하고 상하자에서 고기덩이가 자라나는 데는 위정격을 써야 한다.

74) 상치(上齒) 통곡, 내정 보(補)오 양곡, 해계 사(瀉) 후 안이라. 상치통에는 통곡혈과 내정혈을 보하고 양곡혈과 해계혈을 사하면 낫는다.

75) 하치(下齒) 음릉, 척택 보(補)오 삼리, 절골 사(瀉) 즉(卽)지라. 하치통에는 음릉천과 척택혈을 보하고 삼리혈과 절골혈을 사하면 곧 그친다.

76) 비색(鼻塞) 폐한폐정격이오 비치(鼻痔) 비창(鼻瘡)신정격이라. 비색은 폐한이니 폐정격을 써야 하고 비치와 비창에는 신정격을 써야 한다.

77) 비혈부지(鼻血不止) 비정격이오 통곡, 태충, 행간 사(瀉)이다. 코피가 그치지 않는 데는 비정격을 쓰고도 다시 통곡 태충 행간혈을 사해야 한다.

78) 손혈(損血) 음곡, 곡천 보(補)하고 해혈(咳血) 태백, 태연 보(補)라. 손혈된 데에는 음곡 곡천혈을 보하고 해혈에는 태백 태연혈을 보해야 한다.

79) 근만(筋彎) 간정격이오 위벽(痿躄) 폐정격이다. 근만에는 간정격을 써야 하고 위벽에는 폐정격을 써야 한다.

80) 마비불(痲痺不) 족삼리 보(補)오 부산유통(浮酸有痛) 풍륭 사(瀉)라. 수족이 마비된 데에는 삼리혈을 보하고 뼈마디가 붓고 시큰거리는 데에는 풍륭혈을 사해야 한다.

81) 풍입배부(風入背部) 장명통(腸鳴痛)과 한사입장(寒邪入腸) 대장정이다. 풍이 배부에 입하여 배에서 꾸룩꾸룩 소리가 나며 아픈 것과 한사가 장에 입한 데는 대장정격을 써야 한다.

82) 화울통심(畵鬱痛甚) 심정격이오 위허장통(胃虛腸痛) 위정격이라. 부인에게 흔히 있는 병으로 화로 해서 아픈 데는 심정격을 써야 하고, 위가 허하여 창통한 데는 위정격을 써야 한다.

83) 제상임통(臍上淋痛) 폐정격이오 제하임통(臍下淋痛) 신정격이라. 배꼽 위가 살살 아픈 데는 폐정격을 써야 하고 배꼽 아래가 살살 아픈 데에는 신정격을 써야 한다.

84) 간쇠인통(肝衰引痛) 간정격이오 혈허정통(血虛定痛) 소장정이라. 간기가 쇠하여 당기고 아픈 데는 간정격을 써야 하고 혈허로 해서 일정한 곳이 아픈 데는 소장정격을 써야 한다.

85) 전근심열(轉筋心熱) 단전 정(正)하고 사관영(四關迎), 후(後) 십선 사(瀉)라. 전근은 심열이니 단전혈을 정하고 사관혈을 영하고 십선혈을 사하라.

86) 사란기사유온기(霍亂已死有溫氣)엔 태, 삼 보(補)이(而) 합곡 사(瀉)라. 곽란으로 이미 죽었더라도 가슴에 더운 기운이 있으면 태충혈과 삼리혈을 보하고 합곡혈을 사하라.

87) 민란(悶亂) 음곡, 소해 보(報)오 중완, 양곡, 소부 사(瀉)라. 곽란 민란에는 음곡 소해혈을 보하고 중완 양곡 소부혈을 사하라.

88) 위통(胃痛) 위정격이오 비통(脾痛) 비정격하라. 위통에는 위정격을 써야 하고 비통에는 비정격을 써야 한다.

89) 토혈지통(吐血之證) 삼리영이오 음곡 보(補) 이(而) 중봉 사(瀉)라. 피를 토하는 데는 삼리혈을 영한 뒤에 음곡혈을 보하고 중봉혈을 사해야 한다.

90) 육혈지중(衄血之中) 통곡 보(補)오 행간 사(瀉) 이(而) 태충 정(正)이다. 육혈(코피)에는 통곡혈을 보하고 행간혈을 사한 다음에 태충혈을 정해야 한다.

91) 비식간상(脾瘜肝傷) 간정격이오 비옹(鼻壅) 삼초정격이라. 비식은 간상이니 간정격을 써야 하고 비옹에는 삼초정격을 써야 한다.

92) 비체(鼻涕) 임읍, 함곡 보(補)하고 양곡, 양계 사(瀉) 자안(自安)이라. 비체에는 임읍 함곡혈을 보하고 양곡 양계혈을 사하면 저절로 낫는다.

93) 후비신상(喉痺腎傷) 경거 보(補)오 곤륜, 액문, 중저 사(瀉)라. 후비는 신상이니 경거혈을 보하고 곤륜 액문 중저혈을 사하라.

94) 단아(單蛾) 간상음곡 보(補)오 상양, 액문, 중저 사(瀉)라. 단아는 간상이니 음곡혈을 보하고 상양 액문 중저혈을 사하라.

95) 쌍아(雙蛾) 액문, 대돈 보(補)오 양지, 관충 사(瀉) 후(後) 안(安)이라. 쌍아는 액문 대돈혈을 보하고 양지 관충혈을 사하면 저절로 낫는다.

96) 불기(不嗜) 음식증 내정과 여태, 은백, 음릉천. 음식 맛이 없는 증에는 내정, 여태, 은백, 음릉천혈을 침하라.

97) 열창(熱脹) 음곡, 곡천 보(補)하고 단분, 태백, 신문 사(瀉)라. 열창에는 음곡 곡천혈을 보하고 태백 신문혈을 사한 다음에 단전혈을 분하라.

98) 기창(氣脹) 소부, 노궁 영(迎)이오 고정(膏正) 용천, 연곡 사(瀉)라. 기창에는 소부 노궁혈을 영하고 고황혈을 정한 다음에 용천 연곡혈을 사한다.

99) 수창(水脹) 태백, 태계 보(補)하고 수사(水斜) 경거, 부류 사(瀉)라. 수창에는 먼저 수분혈을 사하고 태백 태계혈을 보한 뒤에 경거 부류혈을 사한다.

100) 곡창(穀脹) 신문, 태연 보(補)오 중정(中正), 어제, 대도 사(瀉)라. 곡창에는 먼저 중완혈을 정하고 신문, 태연혈을 사한 다음에 어제, 대도혈을 사한다.

101) 습만(濕滿) 임읍, 음곡 사(瀉)오 기해 영(迎), 후(後) 양곡 보(補)라. 습만에는 먼저 기해혈을 영한 다음 양곡혈을 보하고 다시 임읍, 음곡혈을 사하라.

102) 학슬풍시최악증(鶴膝風是最惡證)이니 중완 정후(正後) 환조 사(瀉)라. 학슬풍은 가장 악한 증이니 중완혈을 정한 후에 환조혈을 사하라.

□ 사암 오행정리 신침가(舍岩 五行正理 神鍼歌) □

〈1〉 중풍어삽탄탄증(中風語澁癱瘓症)은 선보대돈태백사(先補大敦太白瀉)라.

〈2〉 편풍구와내간실(偏風口喎乃肝實)이니 노궁보후조해사(勞宮補後照海瀉)라.

〈3〉 구안와사소해보(口眼喎斜少海補)오 연곡사후자안(然谷瀉後自然安)이라.

〈4〉 편풍연동내심실(偏風蠕動乃心實)이니 소해보후태백사(少海補後太白瀉)라.

〈5〉 통풍역절신경허(痛風歷節腎經虛)니 선보경거태백사(先補經渠太白瀉)라.

〈6〉 각궁반장대장정(角弓反張大腸正)이니 삼리보후양곡사(三里補後陽谷瀉)라.

〈7〉 풍증삼리곡지보(風證三里曲池補)오 어제함곡사자안(魚際陷谷瀉自安)이라.

〈8〉 풍단역시삼리보(風丹亦是三里補)오 양곡사후자연안(陽谷瀉後自然安)이라.

〈9〉 풍현간승격(風眩肝勝格)이오 습현중완정(濕眩中脘正)이라.

〈10〉 담현소부어제보(痰眩少府魚際補)오 태백태연사폐실(太白太淵瀉肺實)이라.

〈11〉 간질발시동좌수(癇疾發時動左手)는 내시간실용승격(乃是肝實用勝格)하라.

〈12〉 우변수족망동요(右邊手足忘動搖)도 내시폐실역당승(乃是肺實亦當勝)이라.

〈13〉 백탁불청비풍만(白濁不淸肥豊滿)이니 정시비실승격당(正是脾實勝格當)이라.

〈14〉 풍의엄홀부지인(風懿奄忽不知人)은 능치십선최의묘(能治十宣最宜妙)라.

〈15〉 연설여랑내하치(涎泄如浪奈何治)아 의통팔사역자안(宜通八邪亦自安)이라.

〈16〉 소아경풍태충보(小兒驚風太衝補)하고 합곡소부사자안(合谷少府瀉自安)이라.

〈17〉 소유징벽발경풍(素有癥癖發驚風)엔 태충보후합곡사(太衝補後合谷瀉)라.

〈18〉 두통노궁소부사(頭痛勞宮少府瀉)오 편두열절골사(偏頭列缺絕骨瀉)라.

〈19〉 이명두통내담궐(耳鳴頭痛乃痰厥)이니 절골풍지보후안(絕骨風池補後安)이라.

〈20〉 미릉골통임읍사(眉稜骨痛臨泣瀉)오 이륜곽통소부사(耳輪廓痛少府瀉)라.

〈21〉 적안백회출혈미(赤眼百會出血美)오 청맹신정작간정(青盲腎正雀肝正)이라.

〈22〉 이명방정농신정(耳鳴膀正聾腎正)이오 폐정비새역폭음(肺正鼻塞亦暴瘖)이라.

〈23〉 구감액문중저보(口疳液門中渚補)오 양곡사지즉안강(陽谷瀉之卽安康)이라.

〈24〉 중설심정우간정(重舌心正又肝正)이오 단아우용간정격(單蛾又用肝正格)이라.

〈25〉 후비선용위정격(喉痺先用胃正格)하고 액문보후양지사(液門補後陽池瀉)라.

〈26〉 항상결핵대장정(項上結核大腸正)이오 귀흉귀배폐정당(龜胸龜背肺正當)이라.

〈27〉 위중사리곤륜요(委中三里崑崙腰)오 절상의용대장정(折傷宜用大腸正)이라.

〈28〉 견비불거통난당(肩臂不擧痛難當)엔 이간양곡보후안(二間陽谷補後安)이라.

〈29〉 관격사관음교보(關格四關陰交補)오 설사내정음교사(泄瀉內庭陰交瀉)라.

〈30〉 내상식적비정격(內傷食積脾正格)이오 구홰위허용정격(嘔噦胃虛用正格)이라.

〈31〉 구토비정즉여상(嘔吐脾正卽如常)이오 탄산간정역요지(呑酸肝正亦要知)라.

〈32〉 해수의보완골혈(咳嗽宜補腕骨穴)이오 척택사후능주공(尺澤瀉後能奏功)이라.

〈33〉 조잡위정효여신(嘈雜胃正效如神)이오 지음간정응여향(支飮肝正應如響)이라.

〈34〉 산여분돈용신정(疝如奔豚用腎正)이나 좌선종자용간정(左先腫者用肝正)이라.

〈35〉 우고종자폐정격(右睾腫者肺正格)이오 횡골결핵복참혈(橫骨結核僕參穴)이라.

〈36〉 유종단사태연혈(乳腫單瀉太淵穴)이오 우사경거병자안(又瀉經渠病自安)이라.

〈37〉 붕중대하최난당(崩中帶下最難當)엔 상양지음음교보(商陽至陰陰交補)라.

〈38〉 대변하통대장정(大便不通大腸正)이오 소변방광정통곡보(小便膀胱正通谷補)라.

〈39〉 몽설신정연곡사(夢泄腎正然谷瀉)오 유정신허용정격(遺精腎虛用正格)이라.

〈40〉 황달수비정격(黃疸須脾正格)이오 정종단사대장(疔腫單瀉大腸)이라.

〈41〉 백설풍창최난당(白屑風瘡最難當)이나 폐주피모용정격(肺主皮毛用正格)하라.

〈42〉 포의음교합곡사(飽衣陰交合谷瀉)오 낙태음교보막지(落胎陰交補莫遲)하라.

〈43〉 부인난산삼음교(婦人難産三陰交)오 섬어심정최위의(譫語心正最爲宜)라.

〈44〉 남녀전신창만증(男女全身脹滿證)엔 대돈소충음곡사(大敦少衝補陰谷瀉)라.

〈45〉 혈분대정혹간정(血糞大正或肝正)이오 후부불음용심정(喉浮不飮用心正)이라.

〈46〉 산후복통심정격(産後腹痛心正格)이오 슬산의용폐정격(膝痠宜用肺正格)이라.

〈47〉 주체태백태연보(酒滯太白太淵補)오 대돈은백사후안(大敦隱白瀉後安)이라.

〈48〉 횡골결핵태충보(橫骨結核太衝補)오 음냉물체폐정격(飮冷物滯肝正格)이라.

〈49〉 은진의용대장지정격(癮疹宜用大腸之正格)이오 다산복통사관삼음보(多産腹痛四關三陰補)라.

〈50〉 구육체소충보합곡사(狗肉滯少衝補合谷瀉)오 편두통절골사열결사(偏頭痛絕骨瀉列缺瀉)라.

〈51〉 체병제증삼리내정사(滯病諸證三里內庭瀉)오 색후상한삼음교신정(色後傷寒三陰交腎正)이라.

〈52〉 채달비정격(菜疸脾正格)이오 육달심정격(肉疸心正格)이라.

〈53〉 열해대돈중봉보(熱咳大敦中封補)오 천돌태백태연사(天突太白太淵瀉)라.

〈54〉 풍해대돈통천보(風咳大敦湧泉補)오 곡천태백태충사(曲泉太白太衝瀉)라.

〈55〉 기해음곡경거보(氣咳陰谷經渠補)오 천동척택음릉사(天突尺澤陰陵瀉)라.

〈56〉 한수당유오한증(寒嗽當有惡寒證)이니 신정용후효여향(腎正用後效如響)이라.

〈57〉 효천천돌단전사(哮喘天突丹田瀉)오 액문해계보후중저함곡사(液門解谿補後中渚陷谷瀉)라.

〈58〉 선혈후사비정격(先血後瀉脾正格)이오 단순적색신정격(單純赤色腎正格)이라.

〈59〉 제애의용대장정(諸呃宜用大腸正)이오 구병애시심정격(久病呃時心正格)이라.

〈60〉 조잡상비비정격(嘈雜傷脾脾正格)이오 홰홰중완위정격(噦噯中脘胃正格)이라.

〈61〉 폭설비정격(暴泄脾正格)이오 습설위정격(濕泄胃正格)이라.

〈62〉 유설경거음곡보(濡泄經渠陰谷補)하고 태백태연사자안(太白太淵瀉自安)이라.

〈63〉 행비지통담승격(行痺之痛膽勝格)이오 백호역절폐승격(白虎歷節肺勝格)이라.

〈64〉 부인두통시정격(婦人頭痛腎正格)이오 경항두통간정격(頸項頭痛肝正格)이라.

〈65〉 일절서증심정격(一切暑證心正格)이오 조증의용폐정격(燥證宜用肺正格)이라.

〈66〉 현음소부태백보(懸飮少府太白補)오 역용음곡소해사(亦用陰谷少海瀉)라.

〈67〉 유음연곡삼리보(留飮然谷三里補)오 임읍유곡사후안(臨泣陷谷瀉後安)이라.

〈68〉 담음소부어제보(痰飮少府魚際補)오 역용척택유곡사(亦用尺澤陷谷瀉)라.

〈69〉 열담무담천식장(熱痰無痰喘息長)이니 보대돈은백이사신문태백(補大敦隱白而瀉神門太白)이라.

〈70〉 항척여추담정격(項脊如錐膽正格)이오 근골여절대장정(筋骨如折大腸正)이라.

〈71〉 굴신자통신정격(屈伸刺痛腎正格)이오 장궁노현폐정격(張弓弩弦肺正格)이라.

〈72〉 우협폐정좌간정(右脇肺正左肝正)이오 비중만통비정격(脾中彎痛脾正格)이라.

〈73〉 백자예막폐정격(白眥瞖膜肺正格)이오 상하생육위정격(上下生肉胃正格)이라.

〈74〉 상치통곡내정(相値通谷內庭)오 양곡해계후안(陽谷解谿後安)이라.

〈75〉 하치음릉척택보(下齒陰陵尺澤補)오 삼리절골사즉지(三里絕骨瀉卽止)라.

〈76〉 비새폐한폐정격(鼻塞肺寒肺正格)이오 비치비창신정격(鼻痔鼻瘡腎正格)이라.

〈77〉 비혈하지비정격(鼻血不止脾正格)이오 통곡태충행간사(通谷太衝行間瀉)라.

〈78〉 손혈음곡곡천보(損血陰谷曲泉補)하고 해혈태백태연보(咳血太白太淵補)라.

〈79〉 근만간정격(筋彎肝正格)이오 위벽폐정격(痿躄肺正格)이라.

〈80〉 마비부족삼리보(痲痺不足三里補)오 부산유통풍륭사(浮酸有痛豊隆瀉)라.

〈81〉 풍입배부장명통(風入背部腸鳴痛)과 한사입장대장정(寒邪入腸大腸正)이라.

〈82〉 화울통심정격(火鬱痛甚心正格)이오 위허창통위정격(胃虛脹痛胃正格)이라.

〈83〉 제상림통폐정격(臍上淋痛肺正格)이오 제하림통신정격(臍下淋痛腎正格)이라.

〈84〉 간쇠인통간정격(肝衰引痛肝正格)이오 혈허정통소장정(血虛定痛小腸正)이라.

〈85〉 전근심열단전정(轉筋心熱丹田正)하고 사관영후십선사(史觀迎後十宣瀉)라.

〈86〉 곽란이사유온기(霍亂已死有溫氣)엔 태삼보이삽곡사(太三補而合谷瀉)라.

〈87〉 민란음곡소해보(悶亂陰谷少海補)오 중완양곡소부사(中脘陽谷少府瀉)라.

〈88〉 위통위정격(胃痛胃正格)이오 비통비정격(脾痛脾正格)이라.

〈89〉 토혈지증삼지영(吐血之證三里迎)이오 음곡보이중봉사(陰谷補而中封瀉)라.

〈90〉 육혈지중통곡보(衄血之中通谷補)오 행간사이태충정(行間瀉而太衝正)이라.

〈91〉 비식간상간정격(脾瘜肝傷肝正格)이오 비몽삼초정격가(鼻壅三焦正格可)라.

〈92〉 비체임읍합곡보(鼻滯臨泣合谷補)하고 양곡양계사자안(陽谷陽谿瀉自安)이라.

〈93〉 후비신상경거보(喉痺腎傷經渠補)오 곤륜액문중저사(崑崙液門中渚瀉)라.

〈94〉 단아간상음곡보(單蛾肝傷陰谷補)오 상양액문중저사(商陽液門中渚瀉)라.

〈95〉 쌍아액문대돈보(雙蛾腋門大敦補)오 양지관충사후안(陽池關衝瀉後安)이라.

〈96〉 불기음식증내정(不嗜飮食證內庭)과 여태은백음릉천(厲兌隱白陰陵泉)이라.

〈97〉 열창음곡곡천보(熱脹陰谷曲泉補)하고 단탈태백신문사(丹奪太白神門瀉)라.

〈98〉 기창소부노궁영(氣脹少府勞宮迎)이오 고정용천연곡사(膏正湧泉然谷瀉)라.

〈99〉 수창태백태계보(水脹太白太谿補)하고 수사경거부류사(水斜經渠復溜瀉)라.

〈100〉 곡창신문태연보(穀脹神門太淵補)오 중정어제대도사(中正魚際大都瀉)라.

〈101〉 폭만임읍함곡사(暴滿臨泣陷谷瀉)오 기해영후양곡보(氣海迎後陽谷補)라.

〈102〉 학슬풍시최오증(鶴膝風是最惡證)이니 중완정후환조사(中脘正後環跳瀉)라.

숨岩의 思考

[병증(病症) 해설 및 배혈(配穴) 해석]

11. 낙랑 노부 시침가 (樂浪老夫施鍼歌)

11. 낙랑 노부 시침가(樂浪老夫施鍼歌)

(勿失經而施鍼經을 잃지 말고 施鍼하라)

1) 침지이방현미(鍼之理方玄微)하니 제음양이보사(察陰陽而補瀉)하라. 침의 이치가 바야흐로 현미하니 음양을 살펴서 보, 사하라.

2) 남지좌방위양(男之左方爲陽)이오 여지우방위양(女之右方爲陽)이라. 남자는 왼쪽이 양이 되고 여자는 오른쪽이 양이 된다.

3) 오전시방위양(午前時方爲陽)이오 오후시방위음(午後時方爲陰)이라. 오전이 양이 되고 오후가 음이 된다.

4) 남좌비지위보(男左批之爲補)오 여우비지위보(女右批之爲補)라. 남자는 왼쪽으로 비비는게 보가 되고 여자는 오른쪽으로 비비는게 보가 된다.

5) 보지보방구구(補之批方九九)오 사지비방육육(瀉之批方六六)이라. 보하는 데 비비는 방법은 구구수로 하고 사하는데 비비는 방법은 육육으로 한다.

6) 법구삼이삼육(法九三而三六)은 수지소양소음(數之少陽少陰)이라. 법을 구삼과 삼육으로 하는 것은 소양 소음수가 그렇고,

7) 우구구이육육(又九九而六六)은 수지노양노음(數之老陽老陰)이라. 또 구구와 육육으로 한 것은 노양노음 수가 그렇다.

8) 혈유육심육혈(穴有六十六穴)하니 물실경이탈혈(勿失經而奪穴)하라. 폐, 비, 심, 신 , 포락, 간 등경의 정, 형, 수, 경, 합 오혈식과 대장, 위, 소장, 방광, 삼초, 담등경의 정, 형, 수, 원, 경, 합 육혈식 총합 육십육혈이니 경을 잃지 말고 찾아야 한다.

9) 좌수심기혈처(左手深其穴處)하여 이조습이절십(以爪褶而切十)하라. 왼손으로 그 혈처를 심사해 가지고 손톱으로 적이기를 열 번을 한 후에,

10) 우지수방지침(右之手方持鍼)하고 진중하이천심(珍重下而淺深)이라. 오른손으로 침을 가지고 천, 심을 마련해서 진중하게 찔러라.

11) 보자천이입심(補自淺而入深)하고 사직심이출천(瀉直深而出淺)하여. 보법은 천으로부터 심에 입하고 사법은 곧 깊게 찔러가지고 얕게 뽑아내서,

12) 조이하자위보(爪而下者爲補)오 조이출자위사(爪而出者爲瀉)라. 손톱으로 누르고 하침하는 것이 보가 되고 손톱으로 누르고 뽑는 것이 사가 된다.

13) 경경비(輕輕批) 자(者) 무통(無痛)이오 급급비(急急批) 자(者) 유통(有痛)이다. 살살 비비면 아프지 않고 급히 비비면 아프다.

14) 대귀빈자극경(對貴賓者極敬)이오 전맹수자무사(傳猛獸者無私)라. 귀한 손님을 대하듯이 극진히 공경하고 맹수를 때려잡듯이 사를 두지 말아라.

15) 하침급이상혈(下鍼急而傷血)이오 출침급이상기(出鍼急而傷氣)이라. 하침하기를 급히 하면 혈을 상하고 출침하기를 급히 하면 기를 상한다.

16) 침신종기경락(鍼身從其經絡)하여 보자수이사영(補者隨而瀉迎)하라. 침신을 경락을 따라 보하는건 수하고 사하는 건 영한다.

17) 보구구이폐지(補九九而閉之)하고 사육육이불폐(瀉六六而不閉)라. 보법은 구구수로 비벼 찌르고 침구멍을 손으로 누르나 사법은 육육수로 비비고 침구멍을 누르지 않는다.

18) 유혈흔칙의폐(有血痕則宜閉)이니 사지하폐의당(瀉之不閉宜當)이라. 혈흔이 있으면 침구멍을 눌러 비비는 것이 채당하니, 사하는 것은 침구멍을 누르지 않는 것 옳지 않겠는가.

19) 식지전후물침(食之前後勿鍼)하라 침칙혼도불성(鍼則昏倒不省)이라. 밥먹기 전이나 후에는 침을 주지 말라 침을 준 즉 혼도불성하는 수가 있다.

20) 식전자칙위공(食前者則胃空)이오 식후자칙위실(食後者則胃實)이라. 밥먹기 전에는 위가 공하였고 밥먹은 후에는 위가 실하다.

21) 혼도즉시물구(昏倒卽時勿俱)하라 보삼리이즉성(補三里而卽醒)이라. 혼도한 즉시에는 겁내지 말아라. 삼리를 보하면 곧 깨어난다.

22) 혼도성지미건(昏倒省之未楗)이어든 유동식음식최의(流動飮食最宜)라. 혼도로 얼른 깨어나지 않거든 미음 물을 흘려 넣어라.

23) 견기전이화지(見機轉而和之)를 용병자지유권(用兵者之有權)이라. 견기이 작하기를 용병자의 권모가 있듯이 해야 한다.

24) 병재좌이침우(病在左而鍼右)하고 병재우이침좌(病在右而針左)하라. 병이 좌편에 있거든 우편을 침을 주고 병이 우편에 있거든 좌편에 침을 주라.

25) 자오지법물론(子午之法勿論)하라 사암경지최의(舍岩經之最宜)라. 자오유주법을 따지지 말라. 사암경이 가장 좋다.

26) 명기심이물망(銘其心而勿忘)하라 응기수이유공(應其手而有功)이라. 이 법을 명심불망하라 응수유공 할 것이다.

27) 악랑성서노부(樂浪城西老夫)는 노기졸(露其拙)이 가부(歌賦)하노라. 낙란성서의 늙은 지아비는 그출한 걸 드러내서 노래하여 무하노라.

숨岩의 思考

[병증(病症) 해설 및 배혈(配穴) 해석]

12. 후인역험특효방요초 (後人歷驗特效方要抄)

12. 후인역험특효방요초(後人歷驗特效方要抄)

12.1 부인병(婦人門)

(1) 월경부조(月經不調): 보) 삼음교, 사) 임음, 삼간, 통곡, 전곡.

(2) 월사부정(月事不正): 보) 사겸용) 은백.

(3) 경병(經病): 소장정격.

(4) 붕누대하(崩漏帶下): 보) 삼음교.

(5) 누하부지(漏下不止): 보) 태충, 대돈.

(6) 무자(無子): 포문(胞門)[기혈(氣穴)의 별명(別名)이니 족소음신경(足少陰腎經)에 속(屬)하였으며 사만하일촌(四滿下一寸)에 있나니 복중행(腹中行)에 거(去)하기 각일촌(各一寸)] 자호(子戶) 구(灸) 삼백장.

(7) 불수태잉(不受胎孕): 보) 상구, 중극, 삼음교.

(8) 최잉급대하(催孕及帶下): 보) 삼음교, 합곡, 태충.

(9) 미성전(未成前)에 낙상탈음(落傷脫陰): 보) 삼음교, 부류.

(10) 악조(惡阻): 사) 소보.

(11) 사사태불하(瀉死胎不下): 보) 합곡, 사) 삼음교, 조해 내관.

(12) 최생난산급하사태(催生難產及下死胎): 태충침 팔분(八分) 보백식간(補百息間).

(13) 난산(難產): 보) 삼음교, 사) 합곡 혹, 구지음.

(14) 횡산(橫產),난산(難產): 독음(獨陰)에 구(灸) 칠장(七壯) 사) 합곡, 삼음교.

(15) 일체난산(一切難產 - 모든 난산): 우족소지첨두(右足小趾尖頭) 구삼장(灸三壯).

(16) 산자상충 핍심욕사자(產子上衝逼心慾死者): 거궐(巨闕)을 침(針)하되 의부산모정좌(宜扶產母正坐)하여 용포두(用抱頭), 포요미언(抱腰微偃)하고 침입육분(鍼入六分)이면 유칠호(留七呼)면 득기즉산(得氣卽產)이니 여자국(如子掬)모심자(母心者)는 산하(產下)면 수심(手心)에 유침흔(有鍼痕)하고 여두정모심지(如頭頂母心者) 인중(人中)에 유침흔(有鍼痕)하며 여자향후자(如子向後者)는 침골(枕骨)에 유침흔(有鍼痕)이니 시기험야(是其驗也)라.

(17) 포의불하(胞衣不下): 사) 조해(照海)·내관(內關) 보) 합곡(合谷) 사) 삼음교(三陰交) 구(灸) 지음(至

陰) 또는 사) 중극(中極)·견정(肩井).

(18) 탈음(脫陰): 보) 조해, 사) 곡천, 태충(오동유 일기를 일일삼차복) 또는 보) 삼음교.

(19) 산후병(産後病): 간정격을 용한다.

(20) 산후하혈(産後下血): 보) 삼음교.

(21) 산후혈체(産後血滯): 사) 삼음교.

(22) 산후복통(産後腹痛): 간정격을 용한다.

(23) 산후육체(産後肉滯): 사) 삼음교.

(24) 산후발열(産後發熱): 간정격을 용한다.

(25) 산후풍(産後風): 대장정격을 용한다.

(26) 무유즙(無乳汁): 보)소택.

(27) 유종(乳腫): 보) 해계, 사) 임읍, 또 보) 소택.

(28) 부인오임혈통(婦人五淋血痛): 혈해, 기해, 삼음교.

(29) 혈괴(血塊): 비정격을 용한다.

(30) 부인병(婦人病): 소장정격을 용한다.

(31) 여자십사오세오한(女子十四五歲惡寒), 혼침(昏沈), 후여예거(喉如曳鉅): 보) 태충, 소부.

12.2 소아문(小兒門)

(1) 급경풍(急驚風): 사) 소상(少商), 어제(魚際), 상성(上星), 노궁(勞宮), 인중(人中) 일분(一分)(起死回生-기사회생) 또는 사) 태충(太衝)·소상(少商) 또는 사) 소상(少商)·인중(人中) 일분(一分), 용천(湧泉)

(2) 만경풍(漫驚風): 상기(上氣) 자(者)는 사) 용천(湧泉) 하기(下氣) 자(者)는 구(灸) 백회(百會) 또는 사) 용천(湧泉)·백회(百會)·합곡(合谷)·태충(太衝) 또는 사) 용천(湧泉)·백회(百會), 합곡(合谷)·태충(太衝) 종후침(從後針).

(3) 경기란(驚氣亂): 보) 태충(太衝) 사) 소부(少府).

(4) 회충(蛔蟲): 침) 공손, 곡지, 내정, 합곡 또는 침) 승산.

(5) 안재상(眼裁上): 사죽공(絲竹空) 오처(五處) 침(針).

(6) 마안(痲眼): 사) 대골공(大骨空)·소골공(小骨空)·복삼(僕參), 대지각후(大指角後-엄지손가락) 침(針)으로 이분출혈(二分出血).

(7) 중설(重舌): 사) 소상, 어제, 용천.

(8) 중설(重舌, 木舌同): 사) 승산, 노궁, 간사.
(9) 구토유식(嘔吐乳食): 보) 내관, 사) 내정.
(10) 토연(吐涎-소화액을 게우다): 구(灸) 사죽공(絲竹空)·백회(百會).
(11) 토혈(吐血): 보), 음곡 구(灸) 대릉(大陵) 삼장(三壯).
(12) 구흉(龜胸): 간정격(肝正格) 구(灸) 유근(애주(艾柱)는 소맥(小麥)만큼 한다).
(13) 구배(龜背): 구(灸) 폐유(肺兪)·심유(心兪)·격유(膈兪)(애주여소맥대(艾柱如小麥大)).
(14) 척반절(脊反折): 아문(瘂門)·풍부(風府) 침(針).
(15) 별복(鱉腹=腹癨, 복학): 태충, 행간, 대돈, 중봉을 선용(選用)하되 모두 사(瀉)한다. 또는 보)태충, 사) 합곡.
(16) 제풍(臍風): 구(灸) 연곡(然谷) 삼장(三壯)(애주여소맥대(艾柱如小麥大)).
(17) 하복통(下腹痛): 사) 공손(公孫)·삼음교(三陰交).
(18) 복창(腹脹): 사) 내정.
(19) 사지무력(四肢無力): 폐정격(肺正格, 유정신자(有精神者)는 유(愈-낫다), 무정신자(無精神者)는 사(死), 면상(面上)을 간질러 보라.
(20) 어지(語遲): 보) 노궁.
(21) 중풍주만(中風肘彎-팔꿈치가 굽음): 침(針) 내관.
(22) 풍단(風丹, 丹毒): 보) 삼리, 곡지, 사) 양곡, 양계.
(23) 황달(黃疸): 사) 지양(至陽)·하삼리(下三里)·내정(內庭)·완골(腕骨).
(24) 하림(下淋-아래로 흠뻑 젖음): 사) 용천(湧泉)·삼음교(三陰交).
(25) 유닉(遺溺-오줌싸기): 보) 음릉천(陰陵泉)·기해(氣海).
(26) 설사(泄瀉): 보) 소충(少衝) 또 비정격(脾正格), 또 보) 중충(中衝) 사) 곡택(曲澤).
(27) 대변불통(大便不通): 사) 조해(照海)·지구(支溝).
(28) 소변불통(少便不通): 삼음교(三陰交) 침(針) 삼분 즉통(三分 卽通), 또 사) 내정(內庭)·태충(太衝).

12.3 중풍문(中風門)

(1) 중풍(中風): 사) 삼리, 연곡 보) 소해, 또는 보) 소부, 사)태계.
(2) 졸풍불어(卒風不語): 영) 삼리, 사) 풍지, 양곡 보) 이간.
(3) 각궁반장(角弓反張): 영) 삼리 사) 풍지, 속골 보) 양곡, 또는 폐정격.

(4) 반신불수(半身不遂): 보) 대돈, 사) 태백.

(5) 중부(中腑): 반신불수, 구안와사, 언어불통, 사) 풍시, 보) 태충.

(6) 오장중풍(五臟中風-喉如曳鉅-후어예거): 사) 조해, 용천.

(7) 음아(瘖啞): 사) 풍시, 아문, 공손 구(灸) 어제오장, 또는 보) 영도, 통곡 또는 삼리, 지창.

(8) 구완와사(口眼喎斜): 사) 액문(液門)·中渚(중저) 보) 양곡(陽谷), 또는 보) 소해(少海), 사) 연곡(然谷) 또는 노궁혈(勞宮穴)을 침(針) 한 다음 피마자를 반대편 협상(頰上)에 도부(搗附)하고 인두를 덥게 하여 대면 육안(肉眼)으로 보일 만한 속도로 돌아간다. 또는 좌와(左喎)면 우편(右邊), 우와(右喎)면 좌편(左邊) 지창혈(地倉穴)을 육분한자(六分限刺)하고 보사(補瀉)를 겸용(兼用)하여 환자(患者)가 하악(下顎-아래턱)을 삼사도(三四度) 동(動)하기를 기다린 후(後)에 출침(出針)하여 다시 협거혈(頰車穴)을 침(針)한다.

(9) 구금불개(口噤不開): 협거(頰車)·승산(承山)·합곡(合谷) 침(針).

(10) 언어건삽(言語蹇澁): ① 소상심(小傷心)으로 인(因)한 것은 심정격(心正格) ② 기허(氣虛)로 인한 것은 폐정격(肺正格) ③ 비후자(肥厚者-살찐 사람)는 보) 대돈(大敦) ,사) 태백(太白).

(11) 구금담색 후여포성(口噤痰塞 喉如鉋聲): 비정격(脾正格).

(12) 편풍구와(偏風口喎): 보) 노궁(勞宮), 사) 조해(照海).

(13) 전신유주자통(全身流注刺痛): 사) 절골(絕骨), 삼음교(三陰交).

(14) 전신양여충행(全身痒如蟲行): 대장정격(大腸正格), 또는 영(迎) 태충, 보) 음곡, 사) 대도.

(15) 두도(頭掉, 심허담색(心虛膽寒)): 보) 통리(通里)·임읍(臨泣).

(16) 두항강불회전(頭項强不回顧): 후계(後谿) 침(針).

(17) 목재상(目載上): 사죽공(絲竹空) 침(針).

(18) 견배통(肩背痛): 견정(肩井)·견우(肩髃), 침(針).

(19) 견연배통(肩連背痛): 보) 중저(中渚).

(20) 견비통(肩臂痛): 보) 삼리(三里)·곡지(曲池)·견우(肩髃) 이차(二次) 또는 대장정격(大腸正格), 또는 사) 삼간(三間, 견비통(肩臂痛)이 좌견갑후자(左肩胛後者)는 사(瀉) 위중(委中)).

(21) 주불능굴(肘不能屈): 완골(腕骨) 침(針).

(22) 중풍주만(中風肘彎): 내관(內關) 침(針).

(23) 수완무력(手腕無力): 열결(列缺) 침(針).

(24) 수장심통(手掌心痛): 사) 용천(湧泉).

(25) 수소양(手瘙痒): 구(灸) 완골(腕骨) 십선(十宣), 팔사(八邪) 침(針).

(26) 오지개통(五指皆痛): 사) 외관(外關)·삼리(三里)·절골(絕骨).

(27) 좌탄(左癱): 간정격(肝正格).

(28) 우탄(右瘓): 폐정격(肺正格).

(29) 양수전도 불능굴물(兩手顫掉 不能掘物): 사) 척택(尺澤)·완곡(腕骨)·합곡(合谷)·중저(中渚).

(30) 각력부족(脚力不足): 보) 완골(腕骨)·삼리(三里), 사) 위중(委中).

(31) 족장심통(足掌心痛): 사) 노궁(勞宮).

(32) 벽족(躄足): 사) 절골(絕骨)·환조(環跳).

(33) 양족난이(兩足亂移): 사) 삼리(三里)·절골(絕骨), 또는 사) 삼리(三里)·위중(委中).

(34) 양족전도불능이보(兩足顫掉 不能移步): 보) 태충(太衝)·곤륜(崑崙)·양릉천(陽陵泉).

(35) 지절통(肢節痛): 담정격(膽正格).

(36) 사지자통(四肢刺痛): 보) 상양(商陽)·규음(竅陰), 사) 양곡(陽谷)·양보(陽輔)−담승격(膽勝格).

(37) 인사불성(人事不省): 수구(水溝)·임읍(臨泣)·합곡(合谷) 침(針).

(38) 역절풍(歷節風): ① 내과전통(內踝前痛), 신정격(腎正格), ② 외과전통(外踝前痛), 방광정격(膀胱正格).

(39) 풍단(風丹): 보) 삼리(三里), 사) 양곡(陽谷).

(40) 피풍(皮風): 폐정격(肺正格) 또는 소장정격(小腸正格).

(41) 홍색은진(紅色癮疹): 대장승격(大腸勝格).

(42) 백색은진(白色癮疹): 대장정격(大腸正格).

12.4 운상한문(運傷寒門)

(1) 일일(一日): 풍부.

(2) 이일(二日): 이간, 행간.

(3) 삼일(三日): 중저, 임읍.

(4) 사일(四日): 소상, 은백.

(5) 오일(五日): 태계.

(6) 육일(六日): 중봉, 영도, 간사.

(7) 미간(未汗 - 아직 땀이 없음): 기문, 삼리 또는 사)풍지, 어제, 경거.

12.5 두문(頭門)

(1) 정두통(正頭痛): 사) 곤륜, 삼간.

(2) 뇌통(腦痛): 간수.

(3) 미능골통(眉稜骨痛): 사) 임읍.

(4) 편두통(偏頭痛): 보) 풍지, 사) 절골 우취좌(右取左), 좌취우(左取右), 또 삼간(三間), 교사(交瀉, 일차는 좌(挫), 일차는 우로 호상교사(互相交瀉)하는 것).

(5) 두창(頭瘡): 대장정격.

12.6 안문(眼門)

(1) 작목(雀目): 사)임읍, 태충, 상양(좌취우, 우취좌).

(2) 안질(眼疾): 사) 임읍, 삼간, 합곡, 태충, 행간.

(3) 안정돌출(眼睛突出): 사)용천(좌취우, 우취좌).

(4) 안질(眼疾): 사)대돈, 태충, 복삼.

(5) 상포종(上胞腫-다래기): 사) 은백(좌취우, 우취좌).

(6) 하포종(下胞腫): 사) 임읍(좌취우, 우취좌) 또는 좌, 우통용방. 후계 삼릉침으로 점자 출혈.

(7) 동자돌출(瞳子突出): 보) 양곡, 사) 연곡.

(8) 양안부합불능개(兩眼浮合不能開): 보) 태충, 소충, 부류, 사) 태백, 태계.

(9) 안목제질(眼目諸疾): 사) 임읍(臨泣).

(10) 동자통(瞳子痛): 사) 기해.

12.7 이문(耳門)

(1) 이정생창(耳聤生瘡): 사) 중저, 소부.

12.8 구(口), 인후문(咽喉門)

(1) 설풍풍출도(舌風風出掉): 보) 대돈(大敦)·소충(少衝), 또는 사) 수삼리(手三里) 좌우교(左右交), 보) 영도(靈道)·소해(少海), 실보(實補) 약사(約瀉).

(2) 설하종(舌下腫): 보) 대돈(大敦), 사) 승장(承漿) 또는 삼음교(三陰交) 교사(交瀉) 혹 사) 은백(隱白).

(3) 설창(舌瘡): 사) 삼음교(三陰交)·노궁(勞宮).

(4) 설치부란(舌齒腐爛): 승장(承漿)·노궁(勞宮), 각 구(灸) 일장(一壯).

(5) 설권(舌捲): 액문(液門) 침(針).

(6) 설장(舌長): 사) 풍부(風府)·아문(瘂門), 공손, 어제 구(灸) 5장.

(7) 인건(咽乾): 태연(太淵)·어제(魚際), 침(針).

(8) 연식불하(嚥食不下): 구(灸) 단중(膻中).

(9) 식불하(食不下): 내관(內關)·어제(魚際)·삼리(三里), 침(針) 또 사) 임읍, 보)양곡.

(10) 인후(咽喉): 보) 조해(照海).

(11) 토연(吐涎): 사죽공(絲竹空)·백회(百會), 침(針).

(12) 순종(脣腫-입술에 나는 종기(腫氣)): 수삼리 교사.

(13) 쌍(雙), 단아수불하(單蛾水不下): 사) 조해(照海)·연곡(然谷), 삼간(三間)·합곡(合谷).

12.9 잡병총괄문(雜病總括門)

(1) 체증()滯證): 사) 내정(內庭)·삼리(三里)·삼음교(三陰交).

(2) 토산(吐酸): 보) 양곡(陽谷)·곡천(曲泉), 사) 삼음교.

(3) 토사곽란(吐瀉霍亂): 사) 삼리(三里)·내정(內庭)·공손(公孫)·삼음교(三陰交).

(4) 구토(嘔吐): 비정격(脾正格).

(5) 식적(食積): 폐정격(肺正格).

(6) 학병(瘧病): 사) 대추(大椎)·인중(人中)·간사(間使), 좌우(左右) 모두.

(7) 심통(心痛): 심정격(心正格).

(8) 신압(神壓): 보) 임읍(臨泣)·후계(後谿), 사) 통곡(通谷)·전곡(前谷), 또 상구(商丘).

(9) 토혈(吐血): 보) 음곡(陰谷), 사) 중봉(中封)·삼리(三里).

(10) 어혈해열(瘀血咳血): 보) 태백(太白)·태연(太淵), 사) 곡지(曲池).

(11) 소변불통(少便不痛): 사) 음릉천(陰陵泉)·삼리(三里), 보) 통곡(通谷).

(12) 대변불통(大便不痛): 사) 음릉천(陰陵泉)·삼리(三里), 또 대장정격(大腸正格).

(13) 현훈(眩暈): 보) 태연(太淵), 사) 태백(太白).

(14) 위완통(胃脘痛-속아리, 위경련(胃痙攣)): 위정격(胃正格).

(15) 복통(腹痛): 대장정격(大腸正格) 또는 보) 내관(內關), 사) 공손(公孫).

(16) 제옹(臍癰): 사) 공손(公孫).

(17) 식구복통(食狗腹痛): 사) 소충(少衝).

(18) 괴질복통(怪疾腹痛): 사관(四關) 선침(先針)하고 상충자(上衝者)는 공손(公孫)을 사(瀉)하고 토자(吐者)는 관충을 사하고 전근자(轉筋者)는 승산을 사하고 내관(內關)을 보한다.

(19) 요통(腰痛): 신정격(腎正格) 또는 담정격(膽正格) 또는 사) 위중(委中)·곤륜(崑崙), 또는 이간(二間) 침(針) 또는 보) 태계(太谿). 유오분 내지 십분(留五分乃至 十分).

(20) 액하종(腋下腫-겨드랑이 종기): 사) 중충(中衝).

(21) 액하담(腋下痰-가래): 보) 중충(中衝).

(22) 음위(陰萎): 보) 삼음교(三陰交)·백회(百會).

(23) 탈항(脫肛): 대장정격(大腸正格).

(24) 주마담(走馬痰): 사) 풍시(風市)·곡지(曲池)-유주담(流注痰).

(25) 뇌후종(腦後腫-머리 뒤 종기, 부스럼): 사) 지음(至陰)·위중(委中).

(26) 수전종(鬚前腫): 사) 절골(絕骨)·중저(中渚).

(27) 나력(瘰癧): 사) 임읍(臨泣)·삼(三間), 간(후경생자(後頸生者). 대장정격(大腸正格), 전경생자(前頸生者): 간정격(肝正格)).

(28) 연주창(連珠瘡): 간정격(肝正格), 소해(少海) 구(灸-뜸) 백장(百壯).

(29) 비창(鼻瘡), 후비창(喉鼻瘡), 천포창(天疱瘡): 사) 액문(液門)·중저(中渚), 보) 양곡(陽谷).

(30) 학슬통(鶴膝痛-무릎 통증): 사) 행간(行間)·내정(內庭)·협계(俠谿)·연곡(然谷).

(31) 만신창(滿身瘡): 대장정격(大腸正格).

(32) 매독(色瘡): 신정격(腎正格).

(33) 역질(疫疾): 보) 태충(太衝)·소부(少府)(수시잡증신효(隨時雜證神效)).

(34) 낙상(落傷): 보) 대돈(大敦)·소충(少衝), 사) 조해.

(35) 등산낙상(登山落傷): 보) 노궁(勞宮), 사) 조해(照海).

(36) 낙상(落傷): ① 요부상(腰部傷). 공손, ② 협부상(脇部傷), 사) 양릉천, 임읍 ③ 수비상(手臂傷). 사)삼간 또는 사)곡지, ④ 수배절상(手背折傷), 사) 외관 팔사자통변, ⑤ 각부상(脚部傷): 사)

공손(公孫) ⑥ 각족절상(脚足折傷): 사) 삼리(三里), 조구(條口) 사(瀉), 팔사(八邪) 통(通).

(37) 복창(腹脹): 삼리(三里)·내정(內庭) 침(針).

(38) 화열(火熱): 곡지(曲池)·삼리(三里)·부류(復溜) 침(針).

(39) 발광(發狂): 백로(百勞-대추혈의 별명), 간사(間使)·합곡(合谷)·부류(復溜) 침(針).

(40) 임질(淋疾): 간정격(肝正格).

(41) 심통식불하(心痛食不下): 중완(中脘) 침(針).

(42) 소갈(消渴=당뇨병(糖尿病)): 간정격(肝正格) 또 보) 통곡(通谷)·내정(內庭)·전곡(前谷), 사) 양곡(陽谷)·소해(少海)·해계(解谿).

(43) 변독(便毒-가래톳): 사) 태백(太白)·태계(太谿)·복삼(僕參).

(44) 오치(五痔-치질): 사) 승산(承山)·장강(長强).

(45) 제하냉증(臍下冷痛 – 배꼽 아래 냉증): 보(補)) 기해(氣海), 구(灸) 삼음교(三陰交).

(46) 전신풍담유주(全身風痰流注): 사) 삼음교(三陰交)·절골(絕骨).

(47) 번열불수(煩熱不睡): 사) 절골(絕骨))·간사(間使).

(48) 심열불침(心熱不寢): 사) 용천(湧泉), 보) 해계(解谿).

(49) 혼곤불수(昏困不睡-불면증): 곡지(曲池)·음릉천(陰陵泉) 보사겸용(補瀉兼用), 또 당 혈(穴)에 구(灸) 14장.

(50) 체증(滯證): 사) 내정(內庭)·삼리(三里).

(51) 곽란(霍亂): 사) 공손(公孫)·삼리(三里)·삼음교(三陰交)·내정(內庭), ① 상서자(傷暑者). 위정격, ② 상식자(傷食者). 비정격, ③ 전근자(轉筋者). 사) 곡지(曲池)·승산(承山)(수근절자(手轉筋者): 곡지(曲池), 족근절자(足轉筋者): 승산(承山)), 또는 사) 삼리(三里)·내정(內庭)·공손(公孫)·사관(四關), 개사(皆瀉).

(52) 소장통(小腸痛, 제하일촌(臍下一寸- 배꼽 아래 1촌)): 소장정격(小腸正格).

(53) 대장통(大腸痛, 제중통(臍中痛-배꼽가운데)): 대장정격(大腸正格).

(54) 익수사(溺水死): 신정격(腎正格).

(55) 충심통(蟲心痛): 거궐(巨闕) 침(針) 후 구(灸) 삼십 장 사) 공손(公孫).

(56) 산기상충(疝氣上衝): 사) 대돈(大敦)·태계(太谿).

(57) 해수(咳嗽): 보) 太淵四關·合谷 태연,사관, 합곡 사) 三里 삼리(一作三陰交 交瀉 일작삼음교 교사)

(58) 설사(泄瀉): 사) 삼리(三里)·내정(內庭).

(59) 이질(痢疾): 사) 합곡(合谷)·삼리(三里).

(60) 열상승(熱上升): 팔사(八邪) 침(針).

(61) 열증피부소양(熱證皮膚瘙痒): 팔사혈(八邪穴) 침(針).

참고문헌

1. 사암도인침구요결, 행림출판사, 1975 년
2. 한동석, 우주변화의 원리, 대원출판사, 1966년
3. 경락학, 상해과학출판사, 1983 년
4. 강효신, 동양의학개론, 고문사, 1973년
5. 노정우, 백만인의 한의학, 행림출판, 1971년
6. 유온서, 소문입식 운기논오, 한국한의학 연구원, 2007년
7. 배병철, 황제내경, 성보사, 2000년
8. Richard Cha, Dongwon Yoon, Jungdae Kim, Minsun Lee, Geo-Lyong Lee. A Study of Sa-Ahm's Thoughts on the Four-needle Acupuncture Technique with the Five-element Theory , J Acupunct Meridian Stud 2014;7(5):265-273

舍岩의 思考 병증(病症) 해설 및 배혈(配穴) 해석

첫째판 1쇄 인쇄 2018년 3월 05일
첫째판 1쇄 발행 2018년 3월 15일

지은이 차용철
발행인 장주연
편집디자인 김영민
표지디자인 김영민
발행처 군자출판사
등록 제 4-139호(1991. 6. 24)
본사 (10881) 경기도 파주시 회동길 338(서패동 474-1)
Tel. (031) 943-1888 Fax. (031) 955-9545
홈페이지 | www.koonja.co.kr

파본은 교환하여 드립니다.
검인은 저자와의 합의 하에 생략합니다.

ISBN 979-11-5955-284-7
정가 50,000원